원리 학습을 기반으로 하는 중학 과학의 새로운 패러다임

중학 과학 **1·2**

KB214234

📄 정답과 해설은 EBS 중학사이트(mid.ebs.co.kr)에서 다운로드 받으실 수 있습니다.

| 교재 내용 문의 | 교재 내용 문의는 EBS 중학사이트
(mid.ebs.co.kr)의 교재 Q&A
서비스를 활용하시기 바랍니다. | 교재 정오표 공지 | 발행 이후 발견된 정오 사항을 EBS
중학사이트 정오표 코너에서 알려 드립니다.
교재학습자료 ㆍ교재 ㆍ교재 정오표 | 교재 정정 신청 | 공지된 정오 내용 외에 발견된 정오 사항이 있다면
EBS 중학사이트를 통해 알려 주세요.
교재학습자료 → 교재 → 교재 선택 → 교재 Q&A |

사뿐

중학 사회
중학 역사

사회를 한 권으로
가뿐하게!

중학 사회

①-1   ②-1   ①-2   ②-2

중학 역사

①-1   ②-1   ①-2   ②-2

원리 학습을 기반으로 하는 **중학 과학**의 새로운 패러다임

비욘드

중학 과학 1·2

구성과 특징

개념 학습 교재

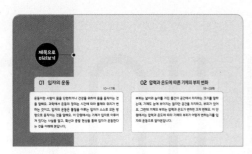

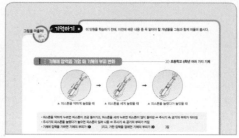

제목으로 미리보기

단원에서 학습해야 할 내용을 쉽고 흥미로운 이야기로 도입하였습니다.

그림을 떠올려! 기억하기

단원에서 학습할 내용의 기초가 되는 이전 개념을 대표적인 그림을 떠올려 기억할 수 있도록 구성하였습니다.

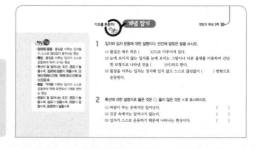

• 개념 더하기: 개념 이해를 돕기 위한 다양한 코너들
핵심 Tip / 원리 Tip / 암기 Tip / 적용 Tip

쉽고 정확하게! 개념 학습

교과서를 철저하게 분석하고, 중학생 눈높이에 맞는 설명과 예시, 생생한 사진과 삽화, 다양한 코너를 이용하여 개념을 정확하고 쉽게 이해할 수 있도록 구성하였습니다.

기초를 튼튼히! 개념 잡기

학습한 개념을 확실하게 잡을 수 있도록 간단하지만 날카로운 확인 문제로 구성하였습니다. 개념 학습과 실전을 연결시켜 주기 위한 중요한 단계입니다.

• 실험 Tip: 실험 분석을 돕기 위한 자료
• Plus 탐구: 같은 목표의 다른 실험 자료

과학적 사고로! 탐구하기

교육과정에서 필수적으로 제시한 탐구 실험/자료를 [과정–결과–정리–문제] 단계로 구성하였습니다. 과학적 사고로 문제를 해결할 수 있는 능력을 키울 수 있습니다.

Beyond 특강

단원에 따라 다양한 내용의 특강으로 구성하여 학습의 효율을 극대화할 수 있도록 하였습니다.

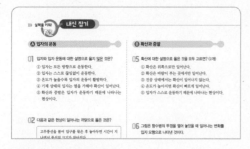

• 서술형 Tip: 서술형 문제의 답안 작성을 위한 팁
• Plus 문제: 한 문제에서 다른 관점으로 물어 볼 수 있는 또 다른 문제

실력을 키워! 내신 잡기

학교 시험 족보를 꼼꼼하게 분석하여 실제 출제되는 핵심 유형의 문제들로 구성하였습니다. 실력을 키워 학교 내신에 철저하게 대비할 수 있습니다.

실력의 완성! 서술형 문제

실제 학교 시험에서 출제되는 다양한 유형의 서술형 문제를 구성하여 실력을 완성할 수 있도록 하였습니다.

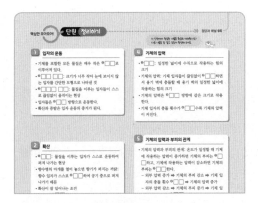

핵심만 모아모아! 단원 정리하기

각 중단원에서 학습한 개념 중 핵심 내용만 모아서 짧은 시간에 전체 단원을 복습할 수 있도록 구성하였습니다.

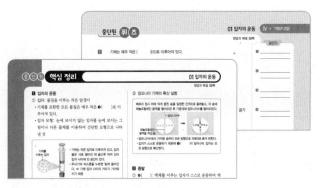

중단원 핵심 정리 / 중단원 퀴즈

학교 시험에 대비하여 개념을 빠르게 복습할 수 있도록 개념 정리와 퀴즈 문제로 구성하였습니다. 시험 직전에 효과적으로 이용할 수 있습니다.

실전에 도전! 단원 평가하기

대단원 내용에 대한 개념, 응용, 통합 등 다양한 관점의 문제들로 구성하여 실전 실력을 평가할 수 있도록 구성하였습니다.

- **내 실력 진단하기**: 각 문제마다 맞았는지 틀렸는지 표시하여 어느 중단원 부분이 부족한지 한 눈에 볼 수 있는 코너

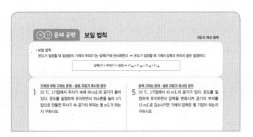

○○ 문제 공략

시험에 자주 출제되는 문제를 공략하기 위한 코너로 구성하였습니다. 암기 문제 / 계산 문제 / 개념 이해 문제 / 모형 문제 / 그림 문제 등 단원별 빈출 유형을 집중 훈련할 수 있습니다.

중단원 기출 문제

실제 학교 기출 문제 중 출제 비중이 높은 문제들로 구성하였습니다. 고난도 문제, 서술형 문제를 통하여 학교 시험 100점을 향해 완벽한 대비를 할 수 있습니다.

정답과 해설

문제의 전반적인 해설과, 옳은 선지와 옳지 않은 선지에 대한 친절한 해설로 구성하였습니다.

- **자료 분석**: 고난도 문제를 쉽게 해결할 수 있는 자료 분석 및 재해석 코너

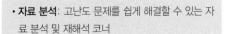

중학 과학 교과서 들여다보기

차례

빛과 파동

과학과 나의 미래

Ⅲ   생물의 다양성

IV

기체의 성질

제목으로 미리보기

01 입자의 운동

10~17쪽

운동이란 사람이 몸을 단련하거나 건강을 위하여 몸을 움직이는 것을 말해요. 과학에서 운동의 정의는 시간에 따라 물체의 위치가 변하는 것이고, 입자의 운동은 물질을 이루는 입자가 스스로 모든 방향으로 움직이는 것을 말해요. 이 단원에서는 기체가 입자로 이루어져 있다는 사실을 알고, 확산과 증발 현상을 통해 입자가 운동한다는 것을 이해해 본답니다.

02 압력과 온도에 따른 기체의 부피 변화

18~29쪽

부피는 넓이와 높이를 가진 물건이 공간에서 차지하는 크기를 말하는데, 기체도 눈에 보이지는 않지만 공간을 차지하고, 부피가 있어요. 그런데 기체의 부피는 압력과 온도가 변하면 크게 변해요. 이 단원에서는 압력과 온도에 따라 기체의 부피가 어떻게 변하는지를 입자의 운동으로 알아본답니다.

그림을 떠올려!

기억하기 ● 이 단원을 학습하기 전에, 이전에 배운 내용 중 꼭 알아야 할 개념들을 그림과 함께 떠올려 봅시다.

1 | 기체에 압력을 가할 때 기체의 부피 변화 ──────── >>> 초등학교 6학년 여러 가지 기체

▲ 피스톤을 약하게 눌렀을 때   ▲ 피스톤을 세게 눌렀을 때   ▲ 피스톤을 눌렀다가 놓았을 때

- 피스톤을 약하게 누르면 피스톤이 조금 들어가고, 피스톤을 세게 누르면 피스톤이 많이 들어감 ➡ 주사기 속 공기의 부피가 작아짐
- 주사기의 피스톤을 눌렀다가 놓으면 피스톤이 밀려 나옴 ➡ 주사기 속 공기의 부피가 커짐
- 기체에 압력을 가하면 기체의 부피가 (❶   )지고, 가한 압력을 없애면 기체의 부피가 (❷   )짐

2 | 열을 가할 때와 식힐 때 기체의 부피 변화 ──────── >>> 초등학교 6학년 여러 가지 기체

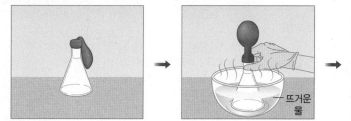

뜨거운 물   얼음물

- 고무풍선을 씌운 삼각 플라스크를 뜨거운 물에 넣으면 고무풍선이 부풀어 오름 ➡ 고무풍선 속 기체의 부피가 커짐
- 뜨거운 물에 담겼던 삼각 플라스크를 얼음물에 넣으면 고무풍선이 오그라듦 ➡ 고무풍선 속 기체의 부피가 작아짐
- 기체의 부피는 온도가 높아지면 (❸   )지고, 온도가 낮아지면 (❹   )짐

3 | 압력과 온도에 따라 기체의 부피가 변하는 예 ──────── >>> 초등학교 6학년 여러 가지 기체

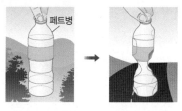

페트병

▲ 압력에 따라 기체의 부피가 변하는 예

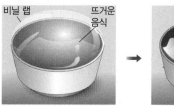

비닐 랩   뜨거운 음식   식은 음식

▲ 온도에 따라 기체의 부피가 변하는 예

- 높은 산에서 빈 페트병의 마개를 닫은 후 산을 내려오면 페트병이 찌그러짐 ➡ 기체는 (❺   )이 변하면 부피가 달라지기 때문
- 뜨거운 음식을 비닐 랩으로 포장하면 비닐 랩이 볼록하게 부풀어 오르고, 음식이 식으면 비닐 랩이 오목하게 들어감 ➡ 기체는 (❻   )가 변하면 부피가 달라지기 때문

정답 ❶ 작아 ❷ 커 ❸ 커 ❹ 작아 ❺ 압력 ❻ 온도

01 입자의 운동

Ⓐ 입자의 운동

1. 입자 물질을 이루는 작은 알갱이
① 물질을 이루는 입자: 기체를 포함한 모든 물질은 매우 작은 입자로 이루어져 있다.
② 입자 모형: 크기가 너무 작아 눈에 보이지 않는 입자를 눈에 보이는 그림이나 다른 물체를 이용하여 간단한 모형으로 나타낸 것

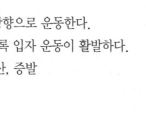

- 기체를 이루는 입자
- 기체는 작은 입자로 이루어져 있고, 입자들은 서로 떨어진 채 골고루 퍼져 있어 입자 사이에 빈 공간이 있다.
- 주사기의 피스톤을 누르면 밀려 들어간다. ➡ 기체 입자 사이의 거리가 가까워지기 때문

▲ 기체의 입자 모형

2. 입자의 운동 물질을 이루는 입자들이 스스로 끊임없이 움직이는 현상
① 입자 운동의 방향: 입자들은 모든 방향으로 운동한다.
② 입자 운동의 빠르기: 온도가 높을수록 입자 운동이 활발하다.
③ 입자 운동의 증거가 되는 현상❶: 확산, 증발

Ⓑ 확산과 증발

1. 확산 물질을 이루는 입자가 스스로 운동하여 퍼져 나가는 현상 [탐구] 12쪽
① 확산의 예❷

- 꽃향기나 향수 냄새가 퍼져 나간다.
- 전기 모기향을 피워 모기를 쫓는다.
- 마약 탐지견이 냄새로 마약을 찾는다.
- 폭발물 탐지견이 냄새로 폭발물을 찾는다.
- 멀리 떨어진 곳에서도 음식 냄새를 맡을 수 있다.

[향수 입자의 확산 모형]

향수 입자

향수병의 마개를 열어 놓으면 향기가 퍼진다. ➡ 향수 입자가 스스로 운동하여 공기 중으로 퍼져 나가기 때문 – 향수 입자가 스스로 운동하여 증발하고, 공기 중으로 확산한다.

② 확산이 잘 일어나는 조건

입자의 운동을 방해하는 다른 입자가 적을수록 확산 속도가 빠르기 때문이며, 진공 속에는 입자의 운동을 방해하는 다른 입자가 없으므로 확산 속도가 가장 빠르다.

온도	입자의 질량	물질의 상태	확산이 일어나는 곳
높을수록❸	작을수록	고체 < 액체 < 기체	액체 속 < 기체 속 < *진공 속

└온도가 높을수록 입자가 더 활발하게 운동하기 때문

2. 증발 액체를 이루는 입자가 스스로 운동하여 액체 표면에서 기체로 변하는 현상❹ [탐구] 13쪽
① 증발의 예

- 젖은 빨래가 마른다.
- 풀잎에 맺힌 이슬이 사라진다.
- 가뭄이 들어 논바닥이 갈라진다.
- 컵이나 어항 속의 물이 줄어든다.
- 빵을 꺼내 놓으면 빵이 딱딱해진다.
- *염전에서 바닷물을 가두어 소금을 얻는다.

[물 입자의 증발 모형]

물 입자

컵 속의 물은 시간이 지나면 줄어든다. ➡ 물 입자가 스스로 운동하여 물 표면에서 수증기가 되어 공기 중으로 날아가기 때문

② 증발이 잘 일어나는 조건

온도	습도	바람	표면적
높을수록	낮을수록	강할수록	넓을수록

└건조할수록 증발이 잘 일어난다.

≫ 개념 더하기

❶ 입자 운동의 증거가 되지 않는 현상
- 물이 높은 곳에서 낮은 곳으로 떨어진다. ➡ 중력에 의한 현상
- 종소리가 멀리까지 퍼져 나간다. ➡ 파동에 의한 현상
- 난로 옆에 있으면 따뜻해진다. ➡ 복사에 의한 현상

❷ 액체 속에서의 확산
확산은 기체뿐만 아니라 액체나 공기가 없는 진공 속에서도 일어난다.
- 물에 잉크를 떨어뜨리면 잉크가 물 전체로 퍼져 나간다. –잉크 입자와 물 입자가 스스로 끊임없이 운동하며 고르게 섞이기 때문
- 냉면에 식초를 떨어뜨리면 국물 전체에서 식초 맛이 난다.
- 물에 홍차 티백을 넣으면 물이 홍차 색으로 변한다.

❸ 온도에 따른 확산 속도
찬물보다 더운물에 떨어뜨린 잉크가 더 빨리 퍼져 나간다. ➡ 온도가 높을수록 입자의 운동이 빠르기 때문

▲ 찬물   ▲ 더운물

❹ 증발과 끓음 비교

증발	끓음
액체에서 기체로 변하는 현상	
액체 표면에서 일어난다.	액체 표면에서 내부에서 일어난다.
모든 온도에서 일어난다.	특정 온도(끓는점) 이상의 온도에서 일어난다.

용어 사전

*진공(참 眞, 빌 空)
물질이 전혀 존재하지 않는 공간
*염전(소금 鹽, 밭 田)
소금을 만들기 위해 바닷물을 끌어들여 논처럼 만든 곳

정답과 해설 2쪽 >>>

핵심 Tip

- **입자의 운동**: 물질을 이루는 입자들이 스스로 끊임없이 움직이는 현상
- **확산**: 물질을 이루는 입자가 스스로 운동하여 퍼져 나가는 현상
- **확산이 잘 일어나는 조건**: 온도가 높을수록, 입자의 질량이 작을수록, 고체<액체<기체, 액체 속<기체 속<진공 속
- **증발**: 액체를 이루는 입자가 스스로 운동하여 액체 표면에서 기체로 변하는 현상
- **증발이 잘 일어나는 조건**: 온도가 높을수록, 습도가 낮을수록, 바람이 강할수록, 표면적이 넓을수록

적용 Tip   B-1, 2

확산이 잘 일어나는 조건의 예
- 온도: 겨울보다 기온이 높은 여름에 화장실 냄새가 더 심하게 난다.
- 입자의 질량: 염화 수소보다 암모니아가 가벼워 빨리 퍼진다.
- 물질의 상태: 액체인 물보다 기체인 수증기가 빨리 퍼진다.
- 확산이 일어나는 곳: 향수 냄새는 기체 속보다 진공 속에서 빨리 퍼진다.

증발이 잘 일어나는 조건의 예
- 온도: 기온이 낮은 날보다 높은 날 빨래가 잘 마른다.
- 습도: 비오는 날보다 맑은 날 빨래가 잘 마른다.
- 바람: 바람이 강하게 부는 날 빨래가 잘 마른다.
- 표면적: 뭉쳐 놓은 빨래보다 펼쳐 놓은 빨래가 잘 마른다.

원리 Tip   B-2

증발이 잘 일어나는 조건 – 입자 사이에 서로 잡아당기는 힘(입자 사이의 인력)
물질을 이루고 있는 입자들 사이에는 서로 잡아당기는 힘이 작용하는데, 이를 입자 사이의 인력이라고 한다. 입자 사이의 인력이 작을수록 액체 표면의 입자들이 기체로 변하기 쉬우므로 증발이 잘 일어난다. 물과 에탄올의 경우 입자 사이의 인력이 물>에탄올이므로 에탄올이 물보다 빠르게 증발한다.

---

1 입자와 입자 운동에 대한 설명이다. 빈칸에 알맞은 말을 쓰시오.

(1) 물질은 매우 작은 (   )(으)로 이루어져 있다.

(2) 눈에 보이지 않는 입자를 눈에 보이는 그림이나 다른 물체를 이용하여 간단한 모형으로 나타낸 것을 (   )(이)라고 한다.

(3) 물질을 이루는 입자는 정지해 있지 않고 스스로 끊임없이 (   ) 방향으로 운동한다.

2 확산에 대한 설명으로 옳은 것은 ○, 옳지 않은 것은 ×로 표시하시오.

(1) 바람이 부는 곳에서만 일어난다.   (   )

(2) 진공 속에서는 일어나지 않는다.   (   )

(3) 입자가 스스로 운동하기 때문에 나타나는 현상이다.   (   )

3 다음 조건에서 확산 속도를 비교하여 빈칸에 알맞은 부등호를 쓰시오.

(1) 온도: 낮다. (   ) 높다.   (2) 입자의 질량: 작다. (   ) 크다.

(3) 물질의 상태: 액체 (   ) 기체   (4) 일어나는 곳: 기체 속 (   ) 진공 속

4 증발에 대한 설명으로 옳은 것은 ○, 옳지 않은 것은 ×로 표시하시오.

(1) 입자가 스스로 운동하기 때문에 나타나는 현상이다.   (   )

(2) 액체 내부에서 액체가 기체로 변하는 현상이다.   (   )

(3) 증발이 일어나면 입자가 없어진다.   (   )

5 다음은 증발이 잘 일어나는 조건에 대한 설명이다. (   ) 안에 알맞은 말을 고르시오.

(1) 온도가 (높을 , 낮을)수록 증발이 잘 일어난다.

(2) 습도가 (높을 , 낮을)수록 증발이 잘 일어난다.

(3) 바람이 (강할 , 약할)수록 증발이 잘 일어난다.

(4) 표면적이 (넓을 , 좁을)수록 증발이 잘 일어난다.

6 확산의 예는 '확산', 증발의 예는 '증발'이라고 쓰시오.

(1) 가뭄으로 논이 말라 갈라진다.   (   )

(2) 전기 모기향을 피워 모기를 쫓는다.   (   )

(3) 멀리서도 음식 냄새를 맡을 수 있다.   (   )

(4) 마약 탐지견이 냄새로 마약을 찾는다.   (   )

(5) 젖은 빨래를 햇빛에 널어놓으면 마른다.   (   )

(6) 염전에서 바닷물을 가두어 소금을 얻는다.   (   )

과학적 사고로!

탐구하기 ● Ⓐ 암모니아 기체의 확산

목표 암모니아 기체의 확산을 관찰하고, 이를 입자 모형으로 설명해 본다.

과 정

[유의점]
· 암모니아수가 피부에 닿지 않도록 주의한다.
· 암모니아수의 냄새를 직접 맡지 않도록 하고, 환기가 잘되는 곳에서 실험한다.

❶ 페트리 접시 위에 작게 뭉친 솜을 일정한 간격으로 올려놓고, 각 솜에 페놀프탈레인 용액을 떨어뜨려 충분히 적신다.

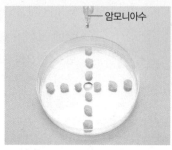

❷ 페트리 접시 가운데에 묽은 암모니아수 1~2방울을 떨어뜨린 후 변화를 관찰한다.

❸ 암모니아 입자의 운동을 모형으로 나타낸다.

· 암모니아수는 암모니아를 물에 녹인 용액이다.
· 페놀프탈레인 용액은 암모니아수와 같은 염기성 물질을 만나면 붉은색으로 변한다.

결 과

· 암모니아수를 떨어뜨린 후의 결과

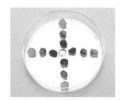

암모니아수를 떨어뜨린 곳에서 가까운 솜부터 모든 방향으로 차례대로 붉게 변한다.

· 암모니아 입자의 운동을 모형으로 나타내기

암모니아 입자가 스스로 운동하여 모든 방향으로 퍼져 나가 솜에 떨어뜨린 페놀프탈레인 용액과 만나므로 암모니아수에서 가까운 솜부터 먼 솜 쪽으로 차례대로 붉게 변한다.

Plus 탐구

[과정] 빨대에 만능 지시약 종이를 넣고 한쪽 끝을 마개로 막은 후, 다른 쪽 끝은 암모니아수를 묻힌 솜을 넣은 마개로 막은 다음 변화를 관찰한다.
[결과] 암모니아수를 묻힌 솜에서 가까운 쪽부터 만능 지시약 종이의 색깔이 변한다. ➡ 암모니아 입자가 스스로 운동하여 만능 지시약 종이와 만나기 때문

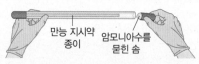

정 리

· 입자가 스스로 (㉠   )하기 때문에 확산이 일어난다.
· 입자는 (㉡   ) 방향으로 확산한다.

확인 문제

1 위 실험에 대한 설명으로 옳은 것은 ○, 옳지 않은 것은 × 로 표시하시오.

(1) 암모니아 입자는 스스로 운동한다. (   )
(2) 암모니아 입자는 한쪽 방향으로만 퍼져 나간다.
　　　　　　　　　　　　　　　　　　　　(   )
(3) 페놀프탈레인 용액은 암모니아 입자와 만나면 붉은색으로 변한다. (   )
(4) 암모니아수를 떨어뜨린 곳에서 먼 솜부터 가까운 솜 쪽으로 솜의 색깔이 차례대로 붉게 변한다. (   )
(5) 페트리 접시의 온도를 높이면 페놀프탈레인 용액을 적신 솜의 색깔이 더 느리게 변한다. (   )

실전 문제

2 그림과 같이 페트리 접시에 페놀프탈레인 용액을 묻힌 솜을 놓고, 가운데에 암모니아수를 떨어뜨렸더니 암모니아수에서 가까운 솜부터 모든 방향으로 차례대로 붉게 변했다. 이 실험으로 알 수 있는 사실로 옳은 것은?

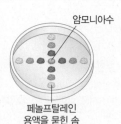

① 입자의 운동 방향
② 온도에 따른 입자 운동의 빠르기
③ 질량에 따른 입자 운동의 빠르기
④ 입자의 개수에 따른 입자 운동의 빠르기
⑤ 용기의 크기에 따른 입자 운동의 빠르기

과학적 사고로!

탐구하기 ● ❸ 아세톤의 증발

목표 아세톤의 증발을 관찰하고, 이를 입자 모형으로 설명해 본다.

과정

실험 **Tip**

전자저울 사용법
① 저울을 편평한 곳에 놓고 수평을 맞춘 후 전원을 켠다.
② 빈 용기를 올려놓고 영점 단추를 눌러 영점을 맞춘다.
③ 측정할 물질을 빈 용기에 넣고 저울에 나타나는 숫자를 읽는다.

❶ 전자저울 위에 거름종이가 놓인 페트리 접시를 올려놓고 영점을 맞춘다.
❷ 거름종이에 아세톤을 5~6방울 떨어뜨린 후 아세톤의 변화와 질량의 변화를 관찰한다.
❸ 아세톤 입자의 운동을 모형으로 나타낸다.

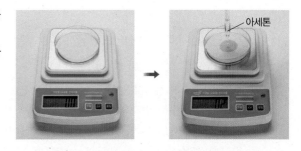
아세톤

결과

• 시간이 지남에 따라 거름종이에 떨어뜨린 아세톤이 점점 마르면서 질량이 감소하고, 아세톤이 모두 없어지면 질량이 0이 된다.
• 거름종이 주위에서 아세톤 냄새가 난다.
• 아세톤 입자의 운동을 모형으로 나타내면 다음과 같다.

[유의점]
• 아세톤은 불이 잘 붙으므로 불 가까이 두지 않는다.
• 아세톤의 냄새를 직접 맡지 않도록 하고, 환기가 잘되는 곳에서 실험한다.

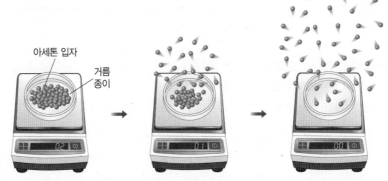

아세톤 입자가 스스로 운동하여 증발하므로 아세톤의 질량은 점점 감소하고, 이때 기체로 변한 아세톤 입자들이 공기 중으로 확산하므로 거름종이 주위에서 아세톤 냄새를 맡을 수 있다.

정리

• 입자가 스스로 (㉠   )하기 때문에 증발이 일어난다.

확인 문제

1 위 실험에 대한 설명으로 옳은 것은 ○, 옳지 않은 것은 ×로 표시하시오.

(1) 아세톤 입자는 스스로 운동한다.　　　　(　　)
(2) 거름종이에 떨어뜨린 액체 상태의 아세톤은 기체 상태로 변한다.　　　　(　　)
(3) 시간이 지나면 아세톤 입자가 사라지기 때문에 아세톤을 떨어뜨린 거름종이의 질량이 감소한다. (　　)
(4) 거름종이 주위에서 아세톤 냄새가 나는 것은 아세톤 입자들이 공기 중으로 확산하기 때문이다. (　　)
(5) 바람이 불지 않으면 거름종이 위의 아세톤은 마르지 않는다.　　　　(　　)
(6) 실험실의 온도를 낮추면 아세톤을 떨어뜨린 거름종이의 질량이 더 빨리 감소한다.　　　　(　　)

실전 문제

2 그림과 같이 윗접시저울의 양쪽에 거름종이를 올려놓고 수평을 맞춘 후, B 접시에 에탄올을 몇 방울 떨어뜨렸다.

에탄올
거름종이　　A　　　　B　　거름종이

저울의 변화를 옳게 설명한 것은?

① 수평을 유지한다.
② A 쪽으로 기울어진 채 유지된다.
③ B 쪽으로 기울어진 채 유지된다.
④ A 쪽으로 기울어졌다가 다시 수평이 된다.
⑤ B 쪽으로 기울어졌다가 다시 수평이 된다.

A 입자의 운동

01 입자와 입자 운동에 대한 설명으로 옳지 <u>않은</u> 것은?

① 입자는 모든 방향으로 운동한다.
② 입자는 스스로 끊임없이 운동한다.
③ 온도가 높을수록 입자의 운동이 활발하다.
④ 기체 상태의 입자는 열을 가해야 확산이 일어난다.
⑤ 확산과 증발은 입자가 운동하기 때문에 나타나는 현상이다.

02 다음과 같은 현상이 일어나는 까닭으로 옳은 것은?

> 고무풍선을 불어 입구를 묶은 후 놓아두면 시간이 지나면서 풍선의 크기가 작아진다.

① 풍선 속 기체 입자들이 뭉치기 때문이다.
② 풍선 속 기체 입자의 크기가 작아지기 때문이다.
③ 풍선 속 기체 입자의 질량이 작아지기 때문이다.
④ 풍선 속 기체 입자들의 종류가 달라지기 때문이다.
⑤ 풍선 속 기체 입자들이 스스로 운동하여 풍선을 빠져나오기 때문이다.

중요
03 다음 현상들을 통해 알 수 있는 사실로 옳은 것은?

> • 젖은 빨래가 마른다.
> • 멀리서도 음식 냄새를 맡을 수 있다.

① 입자는 시간이 지나면 사라진다.
② 입자의 모양과 크기는 모두 같다.
③ 입자는 끊임없이 스스로 운동한다.
④ 온도가 높을수록 입자 운동이 활발하다.
⑤ 물질을 이루는 입자의 종류에 따라 물질의 성질이 다르다.

04 입자 운동에 의해 일어나는 현상이 <u>아닌</u> 것은?

① 어항의 물이 점점 줄어든다.
② 가뭄으로 땅이 말라 갈라진다.
③ 빵집 근처에 가면 빵 냄새가 난다.
④ 물이 높은 곳에서 낮은 곳으로 흐른다.
⑤ 염전에서 바닷물을 가두어 소금을 얻는다.

B 확산과 증발

05 확산에 대한 설명으로 옳은 것을 모두 고르면? (2개)

① 확산은 위쪽으로만 일어난다.
② 확산은 바람이 부는 곳에서만 일어난다.
③ 진공 상태에서는 확산이 일어나지 않는다.
④ 온도가 높아지면 확산이 빠르게 일어난다.
⑤ 입자가 스스로 운동하기 때문에 나타나는 현상이다.

06 그림은 향수병의 뚜껑을 열어 놓았을 때 일어나는 변화를 입자 모형으로 나타낸 것이다.

이에 대한 설명으로 옳지 <u>않은</u> 것은?

① 향수 입자가 스스로 운동한다.
② 바람이 불지 않아도 향수 입자가 퍼져 나간다.
③ 기체 상태의 향수 입자가 공기 중으로 퍼져 나간다.
④ 시간이 지나면 멀리서도 향수 냄새를 맡을 수 있다.
⑤ 기온이 낮은 날일수록 향수 입자가 빨리 퍼져 나간다.

중요
07 다음 현상과 원리가 같은 현상이 <u>아닌</u> 것은?

> 교실의 한 지점에서 향수를 뿌렸더니 그 지점에서 가까이 앉아 있는 학생부터 멀리 앉아 있는 학생까지 차례대로 향수 냄새를 맡았다.

① 전기 모기향을 피워 모기를 쫓는다.
② 꽃집 근처에서도 꽃향기를 맡을 수 있다.
③ 폭발물 탐지견이 냄새로 폭발물을 찾는다.
④ 복도에서 말하는 친구의 목소리가 교실에서도 들린다.
⑤ 부엌에서 만드는 음식 냄새를 방에서도 맡을 수 있다.

[주관식]

08 다음과 같은 조건에서 기체 물질이 퍼져 나갈 때 확산 속도가 가장 빠른 것을 쓰시오. (단, 물질을 이루는 입자의 질량은 수소<산소이다.)

> (가) 25 ℃ 물속에서 수소 기체가 퍼져 나갈 때
> (나) 25 ℃ 공기 속에서 수소 기체가 퍼져 나갈 때
> (다) 50 ℃ 공기 속에서 수소 기체가 퍼져 나갈 때
> (라) 50 ℃ 진공 속에서 수소 기체가 퍼져 나갈 때
> (마) 50 ℃ 공기 속에서 산소 기체가 퍼져 나갈 때
> (바) 50 ℃ 진공 속에서 산소 기체가 퍼져 나갈 때

09 그림과 같이 물이 담긴 비커에 잉크를 떨어뜨렸더니 얼마 후 물 전체가 잉크 색으로 변했다. 이에 대한 설명으로 옳은 것을 〈보기〉에서 모두 고른 것은?

> 보기
> ㄱ. 물 입자는 운동하지 않는다.
> ㄴ. 잉크 입자가 끊임없이 운동하여 퍼져 나간다.
> ㄷ. 확산은 액체 속에서도 일어난다는 것을 알 수 있다.
> ㄹ. 잉크를 떨어뜨린 후 물을 저어 주어야 나타나는 현상이다.

① ㄱ, ㄴ   ② ㄱ, ㄹ   ③ ㄴ, ㄷ
④ ㄱ, ㄷ, ㄹ   ⑤ ㄴ, ㄷ, ㄹ

중요

10 그림과 같이 페트리 접시에 솜을 일정한 간격으로 올려놓고 각 솜에 페놀프탈레인 용액을 떨어뜨려 적신 후, 가운데에 암모니아수를 떨어뜨렸다. 이에 대한 설명으로 옳지 <u>않은</u> 것은?

탐구 12쪽

① 암모니아 입자의 확산을 알아보는 실험이다.
② 암모니아 입자는 모든 방향으로 운동한다.
③ 암모니아 입자는 페놀프탈레인 용액을 붉게 변화시킨다.
④ 암모니아수에서 가장 가까운 곳에 있는 솜부터 색깔이 변한다.
⑤ 솜의 색깔이 모두 변한 후에는 암모니아 입자가 움직이지 않는다.

11 그림과 같이 암모니아수가 들어 있는 시험관에 페놀프탈레인 용액을 묻힌 솜 3개를 감은 유리 막대를 끼운 고무마개로 입구를 막은 후 변화를 관찰하였다. 이에 대한 설명으로 옳은 것을 모두 고르면? (2개)

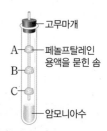

① 암모니아 입자의 운동을 확인하는 실험이다.
② 암모니아 입자는 위쪽 방향으로만 운동한다.
③ 페놀프탈레인 용액을 묻힌 솜의 색깔은 A → B → C 순으로 변한다.
④ 시험관 안의 온도를 높이면 페놀프탈레인 용액을 묻힌 솜의 색깔이 더 빨리 변한다.
⑤ 시험관에 들어 있는 암모니아수의 양을 줄이면 페놀프탈레인 용액을 묻힌 솜의 색깔이 변하지 않는다.

12 증발에 대한 설명으로 옳은 것은?

① 액체 전체에서 일어난다.
② 액체를 가열해야 일어난다.
③ 기체가 액체로 변하는 현상이다.
④ 낮은 온도에서는 일어나지 않는다.
⑤ 입자 운동이 활발할수록 잘 일어난다.

13 그림은 어항의 물 표면에서 일어나는 현상을 모형으로 나타낸 것이다.

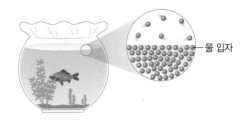

이에 대한 설명으로 옳은 것을 〈보기〉에서 모두 고른 것은?

> 보기
> ㄱ. 어항의 물은 점점 줄어든다.
> ㄴ. 물이 증발하기 때문에 나타나는 현상이다.
> ㄷ. 이 현상은 건조할수록 잘 일어나지 않는다.

① ㄱ   ② ㄷ   ③ ㄱ, ㄴ
④ ㄴ, ㄷ   ⑤ ㄱ, ㄴ, ㄷ

중요

14 그림과 같이 젖은 빨래를 말 릴 때 이용하는 원리로 설 명할 수 있는 현상이 <u>아닌</u> 것은?

① 빵이 딱딱하게 굳는다.
② 난로를 피우면 교실 전체가 따뜻해진다.
③ 풀잎에 맺힌 이슬이 해가 뜨면 사라진다.
④ 손등에 바른 알코올이 잠시 후 사라진다.
⑤ 젖은 머리카락을 헤어드라이어로 말린다.

15 그림과 같이 윗접시저울의 양쪽에 각각 거름종이를 올려 놓고 수평을 맞춘 후, 왼쪽 거름종이에 아세톤을 몇 방울 떨어뜨렸다.

이에 대한 설명으로 옳은 것은?

① 저울이 오른쪽으로 기울어졌다가 점점 다시 수평 이 된다.
② 아세톤 입자는 스스로 운동하여 증발한다는 것을 알 수 있다.
③ 시간이 지나면 왼쪽 거름종이 위의 아세톤 입자의 개수가 많아진다.
④ 표면적이 넓을수록 증발이 빠르게 일어난다는 것 을 알 수 있다.
⑤ 아세톤을 떨어뜨린 후 부채질을 하면 저울이 다시 수평이 되는 데 걸리는 시간이 길어진다.

중요

16 증발이 가장 빨리 일어나는 조건으로 옳은 것은?

	온도	습도	바람	표면적
①	높을수록	높을수록	강할수록	넓을수록
②	높을수록	낮을수록	강할수록	넓을수록
③	높을수록	낮을수록	약할수록	좁을수록
④	낮을수록	높을수록	강할수록	좁을수록
⑤	낮을수록	낮을수록	약할수록	넓을수록

[주관식]

17 다음은 입자 운동과 관련된 2가지 현상이다.

• 겨울보다 여름에 화장실 냄새가 더 심하게 난다.
• 염전에서 햇빛이 강할수록 소금을 더 빨리 얻을 수 있다.

다음은 이 현상으로 알 수 있는 사실에 대한 설명이다. 빈 칸에 공통으로 들어갈 알맞은 말을 쓰시오.

입자의 운동은 (　　　)이/가 높을수록 활발해지므로 (　　　)이/가 높아지면 확산이나 증발이 빠르게 일어 난다.

탐구 13쪽

[18~19] 그림과 같이 전자저울 위에 거름종이가 놓인 페트리 접시를 올려 놓고 영점을 맞춘 후, 아세톤을 몇 방 울 떨어뜨린 다음 변화를 관찰하였다.

18 이에 대한 설명으로 옳지 <u>않은</u> 것은?

① 주변에서 아세톤 냄새를 맡을 수 있다.
② 아세톤 입자가 공기 중으로 퍼져 나간다.
③ 질량이 점점 감소하지만 0이 되지는 않는다.
④ 아세톤의 표면에서 아세톤 입자가 기체로 변한다.
⑤ 실험실의 온도를 높이면 질량 변화가 더 빠르게 나 타난다.

19 그림은 거름종이 위의 아세톤 입자를 모형으로 나타낸 것이다. 일정한 시간 이 지난 후 아세톤 입자의 상태를 모형 으로 옳게 나타낸 것은?

아세톤 입자

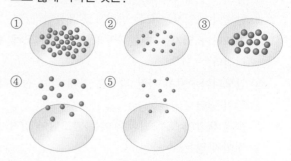

서술형

1 다음 현상들이 일어나는 공통적인 까닭을 서술하시오.

> • 감을 말려 곶감을 만든다.
> • 가뭄이 계속되면 논바닥이 갈라진다.
> • 고깃집 근처에 가면 고기 냄새가 난다.

단계별 서술형

2 그림과 같이 만능 지시약 종이 5개를 유리 막대에 일정한 간격으로 붙여 시험관에 넣은 후, 암모니아수를 묻힌 솜을 붙인 고무마개로 시험관을 막은 다음 변화를 관찰하였다.

만능 지시약 종이   암모니아수를 묻힌 솜

A B C D E

(1) 만능 지시약 종이 A~E에서 일어나는 변화를, 변화가 일어나는 순서를 포함하여 서술하시오.

(2) (1)에서 답한 변화가 일어나는 까닭을 '입자'라는 단어를 포함하여 서술하시오.

2 (1) 만능 지시약 종이의 특징을 떠올린다.
(2) 물질을 이루는 입자의 특징을 이용하여 서술한다.
→ 필수 용어: 암모니아 입자, 운동

Plus 문제 2-1
시험관의 온도를 높였을 때 (1)에서 답한 변화가 일어나는 데 걸리는 시간이 어떻게 달라지는지 서술하시오.

단어 제시형

3 그림은 온도가 다른 물에 같은 양의 잉크를 동시에 떨어뜨렸을 때 잉크가 퍼져 나간 모습을 나타낸 것이다. (가)와 (나)의 물의 온도를 비교하고, 그 까닭을 다음 단어를 모두 포함하여 서술하시오.

(가)   (나)

> 온도, 입자 운동, 확산 속도

서술형

4 다음 (가), (나) 현상에서 알 수 있는 증발이 잘 일어나는 조건을 각각 서술하시오.

> (가) 비에 젖은 우산을 접어서 말리는 것보다 펼쳐서 말리면 잘 마른다.
> (나) 젖은 머리카락을 차가운 바람보다 더운 바람으로 말릴 때 더 잘 마른다.

개념 학습

02 압력과 온도에 따른 기체의 부피 변화

》》》 개념 더하기

Ⓐ 기체의 압력

1. **압력** 일정한 넓이에 수직으로 작용하는 힘의 크기❶ 압력 = $\dfrac{\text{수직으로 작용하는 힘}}{\text{힘을 받는 면의 넓이}}$

2. **기체의 압력(기압)** 기체 입자들이 끊임없이 운동하면서 용기 벽에 충돌할 때, 용기 벽의 일정한 넓이에 작용하는 힘의 크기❷❸❹

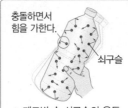
충돌하면서 힘을 가한다.
쇠구슬
▲ 페트병 속 쇠구슬의 운동

페트병에 쇠구슬을 넣고 흔들면 쇠구슬이 페트병 벽에 충돌하는 힘에 의해 손바닥에 힘이 느껴진다.
➡ 쇠구슬을 기체 입자라고 하면 손바닥에 느껴지는 힘은 기체의 압력이다.

① 기체의 압력의 방향과 크기: 기체의 압력은 모든 방향에 같은 크기로 작용한다.

② 기체의 압력이 커지는 조건: 기체 입자의 충돌 횟수가 많을수록 기체의 압력이 커진다.

기체 입자의 개수가 많을수록	용기의 부피가 작을수록	온도가 높을수록
온도와 부피가 같을 때 기체 입자의 개수가 많을수록 압력 증가	온도와 입자의 개수가 같을 때 용기의 부피가 작을수록 압력 증가	부피와 입자의 개수가 같을 때 온도가 높을수록 압력 증가

Ⓑ 기체의 압력과 부피의 관계

1. **압력에 따른 기체의 부피 변화** 온도가 일정할 때 기체에 작용하는 압력이 증가하면 기체의 부피는 감소하고, 기체에 작용하는 압력이 감소하면 기체의 부피는 증가한다.

2. **압력에 따른 기체의 부피 변화와 입자의 운동**

기체에 작용하는 압력이 감소할 때	기체에 작용하는 압력이 증가할 때
압력 감소	압력 증가

외부 압력 감소 ➡ 기체의 부피 증가 ➡ 기체 입자의 충돌 횟수 감소 ➡ 기체의 압력 감소	외부 압력 증가 ➡ 기체의 부피 감소 ➡ 기체 입자의 충돌 횟수 증가 ➡ 기체의 압력 증가

3. **보일 법칙** 온도가 일정할 때 일정량의 기체의 부피(V)는 압력(P)에 *반비례한다. ➡ 온도가 일정할 때 기체의 압력과 부피의 곱은 일정하다. 탐구 22쪽 Beyond 특강 24쪽

$$\text{압력}(P) \times \text{부피}(V) = \text{일정} \Rightarrow P_\text{처음} \times V_\text{처음} = P_\text{나중} \times V_\text{나중}$$

[보일 법칙과 입자 운동의 변화]

부피(L)

4V (가)
2V (나)
V (다)

O P 2P 4P 압력(기압)

기체의 압력이 2배가 되면 기체의 부피는 $\dfrac{1}{2}$배가 된다.

구분	(가)	(나)	(다)
압력(기압)	P	$2P$	$4P$
부피(L)	$4V$	$2V$	V
압력×부피	$4PV$	$4PV$	$4PV$

- 압력과 부피는 반비례 관계이다.
- 압력과 부피의 곱은 (가)∼(다) 모두 $4PV$로 같다.

외부 압력	기체의 압력	기체의 부피	입자의 개수	입자의 충돌 횟수	입자의 운동 속도❺
(가)<(나)<(다)	(가)<(나)<(다)	(가)>(나)>(다)	(가)=(나)=(다)	(가)<(나)<(다)	(가)=(나)=(다)

입자 사이의 거리 ┐ ┌기체의 질량

개념 더하기

❶ 압력의 크기
힘의 크기가 클수록, 힘을 받는 면의 넓이가 좁을수록 압력이 커진다.

스펀지 물 물
(가) (나) (다)

- (가)와 (나): 힘을 받는 면의 넓이는 같고, 힘의 크기는 (가)<(나)
  ➡ 압력 크기: (가)<(나)
- (나)와 (다): 힘의 크기는 같고, 힘을 받는 면의 넓이는 (나)>(다)
  ➡ 압력 크기: (나)<(다)

❷ 고무풍선에 공기를 불어 넣을 때의 변화

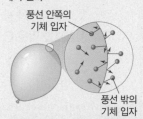
풍선 안쪽의 기체 입자
풍선 밖의 기체 입자

풍선에 공기를 불어 넣기 ➡ 풍선 속 기체 입자의 개수 증가 ➡ 기체 입자의 충돌 횟수 증가 ➡ 기체의 압력 증가 ➡ 풍선의 크기 증가

❸ 대기압
지구를 둘러싸고 있는 공기가 나타내는 압력이다. 보통 지표에서 1기압이고, 높이 올라갈수록 공기의 양이 줄어들므로 대기압이 감소한다.

❹ 기체의 압력을 이용한 예
- 구조용 안전 매트: 안전 매트에 공기를 넣으면 압력이 커져 사람을 안전하게 구조할 수 있다.
- 혈압계: 팔에 두른 공기 주머니에 공기가 채워지면서 팔에 힘을 가해 혈압을 측정한다.
- 자동차 정비용 공기 주머니: 공기 주머니 안에 배기가스가 채워지면서 압력이 커져 자동차를 들어 올린다.

❺ 입자의 운동 속도
입자의 운동 속도는 온도에 의해서만 달라지므로 일정한 온도에서 압력이 변해도 입자의 운동 속도는 변하지 않는다.

용어 사전

***반비례**(돌이킬 反, 견줄 比, 규칙 例)
한 요인의 값이 2배, 3배로 커질 때 다른 요인의 값이 $\dfrac{1}{2}$배, $\dfrac{1}{3}$배로 작아지는 관계

1 기체의 압력에 대한 설명으로 옳은 것은 ○, 옳지 않은 것은 ×로 표시하시오.

(1) 압력은 일정한 넓이에 수직으로 작용하는 힘의 크기이다. ( )

(2) 기체의 압력은 기체 입자가 끊임없이 운동하면서 용기 벽에 충돌하여 용기를 밖으로 미는 힘이 작용하기 때문에 나타난다. ( )

(3) 기체의 압력은 아래쪽 방향으로만 작용한다. ( )

(4) 기체 입자가 용기 벽에 충돌하는 횟수가 많아지면 기체의 압력이 작아진다. ( )

2 다음은 바람이 빠진 농구공에 공기를 넣으면 농구공이 부풀어 오르는 까닭을 설명한 것이다. 빈칸에 '증가' 또는 '감소' 중 알맞은 말을 쓰시오.

> 농구공에 공기를 넣으면 농구공 속 기체 입자의 개수가 (㉠)하여 기체 입자가 농구공 벽에 충돌하는 횟수가 (㉡)한다. 따라서 농구공 속 기체의 압력이 (㉢)하므로 농구공이 팽팽하게 부풀어 오른다.

3 기체의 압력과 부피의 관계에 대한 설명이다. ( ) 안에 알맞은 말을 고르시오.

(1) 온도가 일정할 때 기체에 작용하는 압력이 증가하면 기체의 부피는 ㉠ (증가 , 감소)하고, 압력이 감소하면 기체의 부피는 ㉡ (증가 , 감소)한다.

(2) 온도가 일정할 때 일정량의 기체의 부피는 압력에 ㉠ (비례 , 반비례)하는데, 이를 ㉡ (보일 , 샤를) 법칙이라고 한다.

4 그림은 일정한 온도에서 일정량의 기체가 들어 있는 실린더에 올려놓은 추의 개수를 증가시켜 압력을 가했을 때, 실린더 속 기체의 변화를 입자 모형으로 나타낸 것이다. 다음 값의 변화를 '증가', '감소', '일정'으로 쓰시오.

압력 증가

(1) 기체의 부피 ( ) (2) 기체의 압력 ( )

(3) 기체의 질량 ( ) (4) 기체 입자의 크기 ( )

(5) 기체 입자의 개수 ( ) (6) 기체 입자 사이의 거리 ( )

(7) 기체 입자의 충돌 횟수 ( ) (8) 기체 입자의 운동 속도 ( )

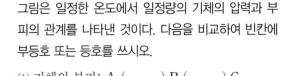
5 그림은 일정한 온도에서 일정량의 기체의 압력과 부피의 관계를 나타낸 것이다. 다음을 비교하여 빈칸에 부등호 또는 등호를 쓰시오.

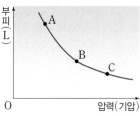

(1) 기체의 부피: A ( ) B ( ) C

(2) 기체의 압력: A ( ) B ( ) C

(3) 기체 입자 사이의 거리: A ( ) B ( ) C

(4) 기체 입자의 충돌 횟수: A ( ) B ( ) C

(5) 기체 입자의 운동 속도: A ( ) B ( ) C

개념 학습

쉽고 정확하게!

02 압력과 온도에 따른 기체의 부피 변화

4. 일상생활에서 보일 법칙과 관련된 현상❶ Beyond 특강 25쪽

① 비행기가 *이륙하면 귀가 먹먹해진다.

② 하늘 높이 올라간 고무풍선이 점점 커지다가 터진다.

③ 과자 봉지를 가지고 높은 산에 올라가면 과자 봉지가 부풀어 오른다.

④ 운동화에 들어 있는 공기 주머니는 발에 전달되는 충격을 완화시켜 준다. 운동화를 신고 뛰면 발이 땅에 닿을 때 공기 주머니의 부피가 감소하면서 발에 미치는 충격을 줄여 준다.

⑤ 물속에서 잠수부가 내뿜은 공기 방울은 수면으로 올라갈수록 점점 커진다.

⑥ *감압 용기에 고무풍선을 넣고 용기 속 공기를 빼내면 풍선이 부풀어 오른다.

◉ 기체의 온도와 부피의 관계

1. 온도에 따른 기체의 부피 변화 압력이 일정할 때 온도가 높아지면 기체의 부피는 증가하고, 온도가 낮아지면 기체의 부피는 감소한다.

2. 온도에 따른 기체의 부피 변화와 입자의 운동

온도가 낮아질 때	온도가 높아질 때
온도 낮아짐 ➡ 기체 입자의 운동 속도 감소 ➡ 기체 입자의 충돌 횟수와 세기 감소 ➡ 기체의 부피 감소	온도 높아짐 ➡ 기체 입자의 운동 속도 증가 ➡ 기체 입자의 충돌 횟수와 세기 증가 ➡ 기체의 부피 증가

3. 샤를 법칙 압력이 일정할 때 일정량의 기체는 종류에 관계없이 온도가 높아지면 부피가 일정한 비율로 증가한다.❷ 탐구 23쪽

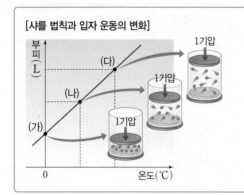

[샤를 법칙과 입자 운동의 변화]

온도	(가)<(나)<(다)
기체의 부피	(가)<(나)<(다)
입자 사이의 거리	(가)<(나)<(다)
입자의 개수 – 기체의 질량	(가)=(나)=(다)
입자의 크기	(가)=(나)=(다)
입자의 운동 속도	(가)<(나)<(다)

4. 일상생활에서 샤를 법칙과 관련된 현상❸❹ Beyond 특강 25쪽

① 열기구 속 공기를 가열하면 열기구가 위로 떠오른다.

② 찌그러진 탁구공을 뜨거운 물에 넣으면 탁구공이 다시 펴진다.

③ 여름철에는 겨울철보다 자동차 타이어에 공기를 적게 넣어 준다.

④ 오줌싸개 인형의 머리에 뜨거운 물을 부으면 인형 속 물이 나온다.

⑤ 차가운 빈 병 입구에 동전을 올려놓고 병을 손으로 감싸면 동전이 살짝 움직인다.

⑥ 피펫의 위쪽 입구를 손가락으로 막고 중간을 다른 손으로 감싸면 남은 용액이 빠져나온다.

≫ 개념 더하기

❶ 보일 법칙과 관련된 현상
• 하늘 위의 비행기 안에서 뚜껑을 닫아 둔 빈 페트병은 비행기가 착륙하면 찌그러진다.
• 샴푸통의 꼭지 부분을 누르면 내용물이 밖으로 흘러나온다.
• 천연가스를 큰 압력으로 압축한 압축 천연가스(CNG)를 고압 가스통에 보관하여 연료로 이용한다.

❷ 샤를 법칙
압력이 일정할 때 일정량의 기체의 부피는 그 종류에 관계없이 온도가 1 ℃ 높아질 때마다 0 ℃ 때 부피의 $\frac{1}{273}$ 씩 증가한다.

❸ 샤를 법칙과 관련된 현상
• 공기가 들어 있는 페트병의 마개를 막고 냉장고에 넣으면 페트병이 찌그러진다.
• 2개의 컵이 겹쳐져 빠지지 않을 때 아래쪽 컵을 따뜻한 물에 넣어 두면 쉽게 빠진다.
• 공기를 넣은 고무풍선을 액체 질소에 넣으면 풍선이 쭈그러졌다가 꺼내면 원래 크기로 돌아온다.

❹ 온도에 따른 기체의 부피 변화 실험

잉크 방울

그림과 같이 장치한 후 플라스크를 손으로 감싸 쥐면 잉크 방울이 왼쪽으로 이동한다. ➡ 체온에 의해 플라스크 속 기체의 온도가 높아지므로 기체의 부피가 증가하여 잉크 방울을 밀어내기 때문

용어 사전

***이륙(떠날 離, 육지 陸)**
비행기가 날기 위해 땅에서 떠오름
***감압(덜 減, 누를 壓)**
압력을 줄임

핵심 Tip
• 압력이 일정할 때 온도가 높아지면 기체의 부피는 증가하고, 온도가 낮아지면 기체의 부피는 감소한다.
• **샤를 법칙**: 압력이 일정할 때 일정량의 기체는 종류에 관계없이 온도가 높아지면 부피가 일정한 비율로 증가한다.

6 기체의 온도와 부피의 관계에 대한 설명이다. ( ) 안에 알맞은 말을 고르시오.

(1) 압력이 일정할 때 온도가 높아지면 기체의 부피는 ㉠ (증가 , 감소)하고, 온도가 낮아지면 기체의 부피는 ㉡ (증가 , 감소)한다.

(2) 압력이 일정할 때 일정량의 기체는 종류에 관계없이 온도가 높아지면 부피가 일정한 비율로 ㉠ (증가 , 감소)하는데, 이를 ㉡ (보일 , 샤를) 법칙이라고 한다.

원리 Tip B-4

비행기가 이륙할 때 귀가 먹먹해지는 까닭
하늘 위로 올라갈수록 고막 바깥쪽의 압력(대기압)이 작아지므로 고막 안쪽과 바깥쪽의 압력이 같아질 때까지 고막 안쪽의 공기의 부피가 커지면서 고막을 밀어내기 때문이다.

지표면에서 위로 높이 올라갈수록 고무풍선과 과자 봉지가 커지는 까닭
지표면에서 위로 높이 올라갈수록 대기압이 작아지므로 고무풍선과 과자 봉지 속 기체의 부피가 커지기 때문이다.

7 그림은 일정한 압력에서 일정량의 기체가 들어 있는 실린더를 가열하였을 때, 실린더 속 기체의 변화를 입자 모형으로 나타낸 것이다. 다음 값의 변화를 '증가', '감소', '일정'으로 쓰시오.

 가열

(1) 기체의 부피 ( ) (2) 기체의 질량 ( )
(3) 기체 입자의 개수 ( ) (4) 기체 입자 사이의 거리 ( )
(5) 기체 입자의 크기 ( ) (6) 기체 입자의 운동 속도 ( )

암기 Tip B-3 C-3

보일 법칙과 샤를 법칙
샤를 법칙은 온도와 기체의 부피 관계, 보일 법칙은 압력과 기체의 부피 관계를 나타낸다.
문방구에서 사(샤)온 보라색 압정

8 그림은 일정한 압력에서 일정량의 기체의 온도와 부피의 관계를 나타낸 것이다. 다음을 비교하여 빈칸에 부등호 또는 등호를 쓰시오.

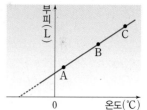

(1) 기체의 부피: A ( ) B ( ) C
(2) 기체 입자 사이의 거리: A ( ) B ( ) C
(3) 기체 입자의 운동 속도: A ( ) B ( ) C

원리 Tip C-4

열기구의 원리
열기구 속 공기를 가열하면 온도가 높아져 공기의 부피가 늘어나므로 공기의 일부가 열기구 밖으로 빠져나간다. 따라서 열기구 속 공기의 양이 적어져 열기구 밖의 공기보다 상대적으로 가벼워지므로 열기구가 떠오른다.

9 보일 법칙과 관계있는 현상은 '보일', 샤를 법칙과 관계있는 현상은 '샤를'이라고 쓰시오.

(1) 비행기가 이륙하면 귀가 먹먹해진다. ( )
(2) 열기구 속 공기를 가열하면 열기구가 떠오른다. ( )
(3) 고무풍선이 하늘 높이 올라가면 점점 커지다가 터진다. ( )
(4) 찌그러진 탁구공을 뜨거운 물에 넣으면 탁구공이 다시 펴진다. ( )
(5) 바닷속에서 잠수부가 내뿜은 공기 방울은 수면으로 올라갈수록 점점 커진다. ( )
(6) 물을 묻힌 동전을 차가운 빈 병 입구에 올려놓고 병을 두 손으로 감싸면 동전이 살짝 움직인다. ( )

탐구하기 • Ⓐ 기체의 압력과 부피의 관계

정답과 해설 5쪽

목표 일정한 온도에서 압력이 변할 때 기체의 부피 변화를 관찰하여 기체의 압력과 부피 관계를 알아본다.

과정

[유의점]
연결관을 이용하여 주사기의 끝과 압력계를 연결할 때 연결관 끝으로 공기가 빠져나오지 않도록 단단히 연결한다.

❶ 주사기 속 공기의 부피가 60 mL가 되도록 피스톤의 위치를 조절하여 눈금을 맞춘 후, 연결관을 이용하여 주사기의 끝과 압력계를 연결한다.
❷ 주사기의 피스톤을 눌러 압력계의 눈금을 0.5기압씩 높이면서 주사기 속 공기의 부피를 측정한다.

연결관
압력계

결과

압력(기압)	1.0	1.5	2.0	2.5	3.0
부피(mL)	60	40	30	24	20
압력×부피	60	60	60	60	60

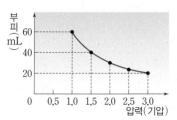

➡ 온도가 일정할 때 압력이 증가할수록 공기의 부피는 감소하고, 공기의 압력과 부피의 곱은 일정하다.

실험 Tip

압력계의 눈금 읽는 방법
초기 눈금 값이 1인 압력계를 사용할 때는 압력계의 눈금을 그대로 읽고, 초기 눈금 값이 0인 압력계를 사용할 때는 압력계의 눈금에 1(대기압)을 더하여 읽는다.

Plus 탐구

[과정] ❶ 공기를 조금 넣은 고무풍선을 감압 용기 속에 넣는다.
❷ 펌프를 이용하여 용기 속 공기를 빼내면서 고무풍선의 크기 변화를 관찰한다.
❸ 용기 꼭지를 열어 공기를 다시 채우면서 고무풍선의 크기 변화를 관찰한다.

[결과] • 과정 ❷에서 고무풍선의 크기가 커진다. ➡ 용기 속 기체 입자의 개수가 줄어들어 기체의 압력이 감소하므로, 고무풍선에 작용하는 압력이 감소하여 고무풍선 속 기체의 부피가 증가하기 때문
• 과정 ❸에서 고무풍선의 크기가 작아진다. ➡ 용기 속 기체 입자의 개수가 늘어나 기체의 압력이 증가하므로, 고무풍선에 작용하는 압력이 증가하여 고무풍선 속 기체의 부피가 감소하기 때문

정리

• 온도가 일정할 때 기체에 작용하는 압력이 증가하면 기체의 부피는 (㉠   )하고, 기체에 작용하는 압력이 감소하면 기체의 부피는 (㉡   )한다.
• 온도가 일정할 때 일정량의 기체의 부피는 압력에 (㉢   )하고, 기체의 압력과 부피의 곱은 (㉣   )하다.

확인 문제

1 위 실험에 대한 설명으로 옳은 것은 ○, 옳지 않은 것은 ×로 표시하시오.

(1) 주사기의 피스톤을 누르면 주사기 속 기체의 부피가 증가한다. ( )
(2) 주사기의 피스톤을 누르면 주사기 속 기체의 압력이 감소한다. ( )
(3) 주사기의 피스톤을 누르면 주사기 속 기체 입자의 운동 속도가 빨라진다. ( )
(4) 압력이 3기압일 때가 1기압일 때보다 기체 입자의 충돌 횟수가 많다. ( )
(5) 압력이 5기압일 때 기체의 부피는 12 mL이다. ( )

실전 문제

2 표는 일정한 온도에서 압력을 변화시키면서 일정량의 기체의 부피를 측정한 결과이다.

압력(기압)	1	2	㉡	5
부피(mL)	100	㉠	25	20

㉠, ㉡에 알맞은 값을 옳게 짝 지은 것은?

	㉠	㉡		㉠	㉡
①	80	3	②	50	3
③	50	4	④	40	3
⑤	40	4			

탐구하기 ❸ 기체의 온도와 부피의 관계

과학적 사고로!

정답과 해설 5쪽

목표 일정한 압력에서 온도가 변할 때 기체의 부피 변화를 관찰하여 기체의 온도와 부피 관계를 알아본다.

과정

❶ 피펫을 잘라 잉크를 넣은 후 시약병에 연결한다.

❷ 일정한 압력에서 과정 ❶의 장치를 물이 담긴 비커에 넣고, 그림과 같이 장치한다.

❸ 비커를 가열하면서 온도에 따른 피펫 속 공기의 부피를 측정한다. 이때 잉크 방울의 높이를 표시한 후 피펫의 눈금을 읽는다.

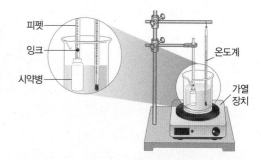

결과

온도(℃)	10	20	30	40	50
부피(mL)	1.00	1.25	1.50	1.75	2.00

➡ 압력이 일정할 때 온도가 10 ℃ 높아질 때마다 공기의 부피는 0.25 mL씩 증가한다.

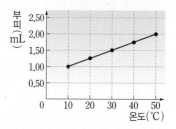

Plus 탐구

[과정] ❶ 빈 삼각 플라스크의 입구에 공기를 뺀 고무풍선을 씌운다.

❷ 과정 ❶의 삼각 플라스크를 뜨거운 물이 들어 있는 비커에 넣고 고무풍선의 변화를 관찰한다.

❸ 과정 ❷의 삼각 플라스크를 찬물이 들어 있는 비커에 넣고 고무풍선의 변화를 관찰한다.

[결과] • 과정 ❷에서 고무풍선이 부풀어 오른다. ➡ 삼각 플라스크 속 기체의 온도가 높아져 기체의 부피가 증가하기 때문

• 과정 ❸에서 고무풍선이 쭈그러든다. ➡ 삼각 플라스크 속 기체의 온도가 낮아져 기체의 부피가 감소하기 때문

정리

• 압력이 일정할 때 온도가 높아지면 기체의 부피는 (㉠   )하고, 온도가 낮아지면 기체의 부피는 (㉡   )한다.

• 압력이 일정할 때 일정량의 기체는 종류에 관계없이 온도가 높아지면 부피가 일정한 비율로 (㉢   )한다.

확인 문제

1 위 실험에 대한 설명으로 옳은 것은 ○, 옳지 않은 것은 ×로 표시하시오.

(1) 비커를 가열하면 시약병과 피펫 속 기체의 온도가 높아진다. (   )

(2) 결과 표에서 기체 입자의 운동이 가장 활발한 온도는 50 ℃이다. (   )

(3) 결과 표에서 기체 입자 사이의 거리가 가장 먼 온도는 10 ℃이다. (   )

(4) 결과 표에서 기체 입자의 개수가 가장 많은 온도는 50 ℃이다. (   )

(5) 결과 표에서 모든 온도의 '기체의 온도×기체의 부피'는 일정하다. (   )

실전 문제

2 그림은 일정한 압력에서 일정량의 기체의 온도와 부피의 관계를 나타낸 것이다. 이에 대한 설명으로 옳은 것을 〈보기〉에서 모두 고른 것은?

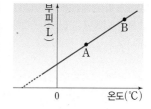

┌─ 보기 ─────────────────────────┐
ㄱ. 기체 입자의 크기는 A가 B보다 크다.
ㄴ. 기체 입자 사이의 거리는 B가 A보다 멀다.
ㄷ. 기체 입자의 운동 속도는 A가 B보다 빠르다.
└───────────────────────────┘

① ㄱ   ② ㄴ   ③ ㄱ, ㄷ

④ ㄴ, ㄷ   ⑤ ㄱ, ㄴ, ㄷ

보일 법칙에서 온도가 일정할 때 기체의 압력(P)과 부피(V)의 곱은 일정하다. 따라서 변화가 일어나기 전(처음 상태)의 압력($P_{처음}$)과 부피($V_{처음}$)를 곱한 값과 변화가 일어난 후(나중 상태)의 압력($P_{나중}$)과 부피($V_{나중}$)를 곱한 값이 같다.

$$압력(P) \times 부피(V) = 일정 \Rightarrow P_{처음} \times V_{처음} = P_{나중} \times V_{나중}$$

[압력의 변화에 따른 기체의 부피 계산하기]

[예제 1] 25 °C, 1기압에서 부피가 10 L인 기체가 있다. 온도를 일정하게 유지하면서 압력을 4기압으로 높이면 기체의 부피는 몇 L가 되는지 구하시오.

해결 단계

❶ 처음 압력과 부피, 나중 압력과 부피를 정리한다.

- 처음 압력($P_{처음}$): 1기압　• 처음 부피($V_{처음}$): 10 L
- 나중 압력($P_{나중}$): 4기압　• 나중 부피($V_{나중}$): $V_{나중}$

❷ 각 값을 보일 법칙의 식에 대입한다.
　➡ $P_{처음} \times V_{처음} = P_{나중} \times V_{나중}$: ＿＿＿＿＿＿＿＿

❸ 보일 법칙의 식에서 기체의 부피($V_{나중}$)를 구한다.
　➡ 기체의 부피($V_{나중}$): ＿＿＿＿＿＿＿＿＿＿＿＿

[기체 부피의 변화에 따른 압력 계산하기]

[예제 2] 25 °C, 1기압에서 부피가 100 mL인 기체가 있다. 온도를 일정하게 유지하면서 압력을 변화시켜 기체의 부피를 20 mL로 만들면 기체의 압력은 몇 기압이 되는지 구하시오.

해결 단계

❶ 처음 압력과 부피, 나중 압력과 부피를 정리한다.

- 처음 압력($P_{처음}$): 1기압　• 처음 부피($V_{처음}$): 100 mL
- 나중 압력($P_{나중}$): $P_{나중}$　• 나중 부피($V_{나중}$): 20 mL

❷ 각 값을 보일 법칙의 식에 대입한다.
　➡ $P_{처음} \times V_{처음} = P_{나중} \times V_{나중}$: ＿＿＿＿＿＿

❸ 보일 법칙의 식에서 기체의 압력($P_{나중}$)을 구한다.
　➡ 기체의 압력($P_{나중}$): ＿＿＿＿＿＿＿＿＿＿

---

1 25 °C, 1기압에서 주사기 안에 40 mL의 공기가 들어 있다. 온도를 일정하게 유지하면서 압력을 5기압으로 높이면 기체의 부피는 몇 mL가 되는지 구하시오.

2 0 °C, 1기압에서 부피가 20 L인 기체가 있다. 온도를 일정하게 유지하면서 압력을 2배로 높였을 때 기체의 부피는 몇 L가 되는지 구하시오.

3 25 °C, 1기압에서 50 mL의 공기가 있다. 온도를 일정하게 유지하면서 압력을 변화시켜 공기의 부피를 20 mL로 감소시키면 기체의 압력은 몇 기압이 되는지 구하시오.

4 0 °C, 2기압에서 부피가 10 L인 기체가 있다. 온도를 일정하게 유지하면서 압력을 변화시켜 기체의 부피를 4배로 증가시키면 기체의 압력은 몇 기압이 되는지 구하시오.

[압력에 따른 기체의 부피 변화 그래프 이용하기]

[예제 3] 그림은 일정한 온도에서 압력에 따른 일정량의 기체의 부피 변화를 나타낸 것이다. x 값을 구하시오.

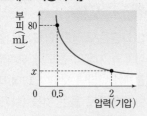

해결 단계

❶ 처음 압력과 부피, 나중 압력과 부피를 정리한다.

- 처음 압력($P_{처음}$): 0.5기압　• 처음 부피($V_{처음}$): 80 mL
- 나중 압력($P_{나중}$): 2기압　• 나중 부피($V_{나중}$): x mL

❷ 각 값을 보일 법칙의 식에 대입한다.
　➡ $P_{처음} \times V_{처음} = P_{나중} \times V_{나중}$: ＿＿＿＿＿

❸ 보일 법칙의 식에서 x를 구한다. ➡ x: ＿＿＿＿＿

[5~6] 그림은 일정한 온도에서 압력에 따른 일정량의 기체의 부피 변화를 나타낸 것이다.

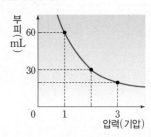

5 압력이 3기압일 때 기체의 부피는 몇 mL인지 구하시오.

6 기체의 부피가 30 mL일 때 압력은 몇 기압인지 구하시오.

[생활 속 보일 법칙의 예]

| 비행기가 이륙할 때 비행기 속 과자 봉지의 변화 | 감압 용기의 공기를 빼낼 때 감압 용기 속 과자 봉지의 변화 | 주사기의 피스톤을 당길 때 주사기 속 고무풍선의 변화 |

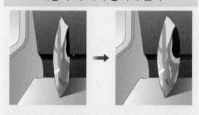 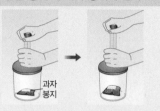 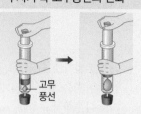

과자 봉지가 부풀어 오른다. ➡ 위로 올라가면 공기의 양이 감소하여 **압력(대기압)이 감소한다.** 따라서 과자 봉지에 가해지는 **압력이 감소**하므로 과자 봉지 속 **기체의 부피가 증가**하기 때문이다.

과자 봉지가 부풀어 오른다. ➡ 용기 속 기체 입자의 개수가 감소하여 기체 입자의 충돌 횟수가 감소하므로 **용기 속 기체의 압력이 감소한다.** 따라서 과자 봉지에 가해지는 **압력이 감소**하므로 과자 봉지 속 **기체의 부피가 증가**하기 때문이다.

고무풍선이 커진다. ➡ 주사기 속 기체의 부피가 증가하여 기체 입자의 충돌 횟수가 감소하므로 **주사기 속 기체의 압력이 감소**한다. 따라서 고무풍선에 가해지는 **압력이 감소**하므로 고무풍선 속 **기체의 부피가 증가**하기 때문이다.

1 비행기가 착륙할 때 비행기 속 과자 봉지의 변화

> 과자 봉지가 쭈그러진다. ➡ 아래로 내려오면 공기의 양이 증가하여 압력(대기압)이 ㉠( )하므로 과자 봉지 속 기체의 부피가 ㉡( )하기 때문이다.

2 감압 용기에 공기를 넣을 때 감압 용기 속 과자 봉지의 변화

> 과자 봉지가 쭈그러진다. ➡ 감압 용기 속 기체 입자의 개수가 증가하여 압력이 ㉠( )하므로 과자 봉지 속 기체의 부피가 ㉡( )하기 때문이다.

3 주사기의 피스톤을 누를 때 주사기 속 고무풍선의 변화

> 고무풍선이 작아진다. ➡ 주사기 속 기체의 부피가 감소하여 압력이 ㉠( )하므로 고무풍선 속 기체의 부피가 ㉡( )하기 때문이다.

[생활 속 샤를 법칙의 예]

| 움직이는 동전 | 피펫에 남아 있는 액체 빼내기 | 풍선에 컵 붙이기 |

  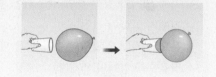

차가운 빈 병의 입구에 물을 묻힌 후 동전을 올려놓고, 병을 양손으로 감싸 쥐면 동전이 들썩거린다. ➡ 체온에 의해 병 속 공기의 온도가 높아지므로 공기의 부피가 증가하여 동전을 밀어내기 때문이다.

액체가 남아 있는 피펫의 윗부분을 손가락으로 막고, 다른 손으로 피펫의 중간 부분을 감싸 쥐면 액체가 빠져 나온다. ➡ 체온에 의해 피펫 속 공기의 온도가 높아지므로 공기의 부피가 증가하여 액체를 밀어내기 때문이다.

뜨거운 물을 담았던 컵의 입구를 풍선에 밀착시키면 풍선이 컵 안으로 빨려 들어간다. ➡ 컵이 식으면서 컵 속 공기의 온도가 낮아져 공기의 부피가 감소하기 때문이다.

4 오줌싸개 인형의 원리

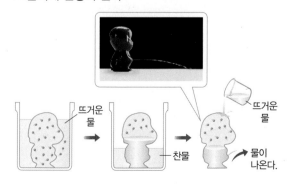

뜨거운 물 ➡ 찬물 ➡ 뜨거운 물 / 물이 나온다.

> 오줌싸개 인형은 속이 빈 도자기로 만들어졌고, 작은 구멍이 하나 뚫려 있다. 이 구멍을 통해 물이 빠져나오므로 오줌싸개 인형이라고 한다.
> ❶ **인형을 뜨거운 물에 넣기**: 인형 속 공기가 구멍을 통해 빠져나간다. ➡ 인형 속 공기의 온도가 ㉠( )져 공기의 부피가 ㉡( )하기 때문
> ❷ **인형을 찬물에 넣기**: 물이 인형 안으로 들어간다. ➡ 인형 속 공기의 온도가 ㉠( )져 공기의 부피가 ㉡( )하기 때문
> ❸ **인형에 뜨거운 물 붓기**: 구멍을 통해 물이 나온다. ➡ 인형 속 공기의 온도가 ㉠( )져 공기의 부피가 ㉡( )하여 물을 밀어내기 때문

A 기체의 압력

01 압력에 대한 설명으로 옳은 것을 〈보기〉에서 모두 고른 것은?

> **보기**
> ㄱ. 일정한 넓이에 수직으로 작용하는 힘의 크기이다.
> ㄴ. 압력은 힘을 받는 면의 넓이를 작용하는 힘의 크기로 나누어서 구한다.
> ㄷ. 힘을 받는 면의 넓이가 같을 때 작용하는 힘의 크기가 클수록 압력이 크다.
> ㄹ. 작용하는 힘의 크기가 같을 때 힘을 받는 면의 넓이가 넓을수록 압력이 크다.

① ㄱ, ㄴ ② ㄱ, ㄷ ③ ㄴ, ㄹ
④ ㄱ, ㄷ, ㄹ ⑤ ㄴ, ㄷ, ㄹ

중요
02 기체의 압력에 대한 설명으로 옳은 것을 모두 고르면? (2개)

① 기체의 압력은 아래쪽으로만 작용한다.
② 지표에서 높은 곳으로 올라갈수록 대기압이 증가한다.
③ 기체 입자가 용기 벽에 충돌하여 힘을 가하기 때문에 나타난다.
④ 기체 입자가 용기 벽에 충돌하는 횟수가 적을수록 기체의 압력이 커진다.
⑤ 온도와 기체 입자의 개수가 같을 때 용기의 부피가 작을수록 압력이 커진다.

03 그림과 같이 고무풍선에 공기를 불어 넣을수록 풍선이 점점 커진다. 이에 대한 설명으로 옳지 <u>않은</u> 것은?

① 풍선 속 공기 입자들은 끊임없이 운동한다.
② 풍선 속 공기 입자들은 모든 방향으로 운동한다.
③ 풍선 속 공기 입자의 개수가 많을수록 풍선의 크기가 커진다.
④ 풍선에 공기를 많이 불어 넣을수록 풍선 속 기체의 압력이 작아진다.
⑤ 풍선 속 공기 입자들은 풍선의 안쪽 벽에 충돌하면서 바깥쪽으로 밀어내는 힘을 가한다.

04 기체의 압력을 이용한 예가 <u>아닌</u> 것은?

① 공기 주머니를 이용하여 자동차를 들어 올린다.
② 공기를 채운 안전 매트로 사람을 안전하게 구한다.
③ 물건의 파손을 막기 위해 공기 주머니로 포장을 한다.
④ 혈압계의 공기 주머니가 팔에 힘을 가해 혈압을 측정한다.
⑤ 화장실에 방향제를 놓아두면 화장실 전체에서 향기가 난다.

B 기체의 압력과 부피의 관계

중요
05 그림과 같이 일정한 온도에서 일정량의 기체가 들어 있는 실린더에 올려놓은 추의 개수를 증가시켰다.

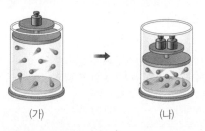

(가) (나)

이에 대한 설명으로 옳은 것은?

① 기체의 압력은 (가)>(나)이다.
② 기체의 부피는 (가)<(나)이다.
③ 기체 입자의 개수는 (가)>(나)이다.
④ 기체 입자의 운동 속도는 (가)<(나)이다.
⑤ 기체 입자가 실린더 벽에 충돌하는 횟수는 (가)<(나)이다.

06 그림은 2기압에서 일정량의 기체가 들어 있는 밀폐된 용기를 나타낸 것이다. 온도를 일정하게 유지하면서 용기에 가하는 압력을 1기압으로 낮추었을 때 기체 입자 모형으로 옳은 것은?

①  ② ③

④ ⑤

중요

07 그림은 일정한 온도에서 압력에 따른 일정량의 기체의 부피 변화를 나타낸 것이다. 이에 대한 설명으로 옳은 것은?

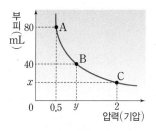

① x의 값은 10이다.
② y에 해당하는 값은 1.2이다.
③ A~C 중 압력과 부피를 곱한 값이 가장 큰 것은 A이다.
④ A에서 B로 변할 때 기체 입자 사이의 거리가 가까워진다.
⑤ B에서 C로 변할 때 기체 입자의 충돌 횟수가 감소한다.

[08~09] 그림과 같이 일정한 온도에서 주사기의 끝에 압력계를 연결한 후 압력에 따른 주사기 속 공기의 부피를 측정하여 표와 같은 결과를 얻었다.

탐구 22쪽

압력(기압)	1.0	1.5	2.0	ⓒ	3.0
부피(mL)	50	33.3	㉠	20	16.7

08 표의 결과에 대한 설명으로 옳지 않은 것은?

① ㉠의 값은 25이다.
② ⓒ의 값은 2.5이다.
③ 보일 법칙을 설명할 수 있다.
④ 압력이 1기압일 때 기체 입자 사이의 거리가 가장 멀다.
⑤ 압력이 3기압일 때 기체 입자의 충돌 횟수가 가장 적다.

09 위 실험으로 알 수 있는 사실을 나타낸 그래프로 옳은 것은?

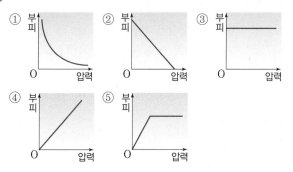

[주관식]

10 0 ℃, 2기압에서 부피가 250 mL인 기체가 있다. 온도를 일정하게 유지하면서 기체의 부피를 1 L로 증가시켰을 때 기체의 압력은 몇 기압인지 구하시오.

11 그림과 같이 주사기에 작게 분 고무풍선을 넣고 피스톤을 눌렀다. 이에 대한 설명으로 옳은 것은? (단, 온도는 일정하다.)

① 고무풍선의 크기가 커진다.
② 주사기 속 기체의 압력이 증가한다.
③ 주사기 속 기체 입자의 운동 속도가 빨라진다.
④ 고무풍선 속 기체 입자의 충돌 횟수가 감소한다.
⑤ 고무풍선 속 기체 입자 사이의 거리가 멀어진다.

12 보일 법칙과 관련된 현상이 아닌 것은?

① 높은 산에 올라가면 과자 봉지가 부풀어 오른다.
② 하늘 높이 올라간 고무풍선이 점점 커지다가 터진다.
③ 공기 주머니가 들어 있는 운동화는 발의 충격을 줄여 준다.
④ 샴푸통의 꼭지 부분을 누르면 내용물이 밖으로 흘러나온다.
⑤ 여름철에는 겨울철보다 자전거 타이어에 공기를 적게 넣어 준다.

ⓒ 기체의 온도와 부피의 관계

중요

13 그림은 일정한 압력에서 일정량의 기체가 들어 있는 실린더를 가열할 때의 변화를 모형으로 나타낸 것이다.

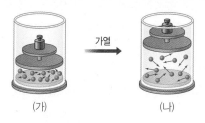

(가)와 (나)를 비교한 것으로 옳은 것은?

① 기체의 질량: (가)<(나)
② 기체의 부피: (가)<(나)
③ 기체 입자의 개수: (가)<(나)
④ 기체 입자 사이의 거리: (가)>(나)
⑤ 기체 입자의 운동 속도: (가)=(나)

14 0 °C에서 부피가 50 mL인 각 기체의 온도를 100 °C로 높였을 때 부피가 가장 많이 증가하는 것은? (단, 압력은 일정하다.)

① 질소   ② 산소   ③ 수소
④ 이산화 탄소   ⑤ 모두 같다.

【주관식】

15 그림은 일정한 압력에서 온도에 따른 일정량의 기체의 부피 변화를 나타낸 것이다.

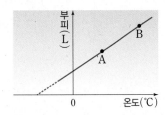

이에 대한 설명으로 옳은 것을 〈보기〉에서 모두 고르시오.

보기
ㄱ. 기체 입자 사이의 거리는 B가 A보다 멀다.
ㄴ. 기체 입자의 운동 속도는 A와 B에서 같다.
ㄷ. 기체 입자의 크기와 질량은 A가 B보다 크다.
ㄹ. 일정한 압력에서 온도가 높아지면 기체의 부피는 일정한 비율로 증가한다.

16 표는 일정한 압력에서 일정량의 기체의 온도를 점점 높이면서 기체의 부피를 측정하여 얻은 결과이다.

온도(°C)	20	40	60	80
부피(mL)	10.0	10.7	11.4	12.1

온도와 기체의 부피 관계를 나타낸 그래프로 옳은 것은?

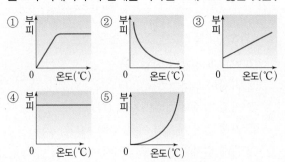

중요

17 그림은 일정한 압력에서 끝을 막은 주사기 안에 들어 있는 25 °C의 공기를 입자 모형으로 나타낸 것이다. 이 주사기를 뜨거운 물에 넣었을 때 공기 입자 모형으로 옳은 것은? (단, 화살표의 길이는 입자 운동의 활발한 정도를 나타낸다.)

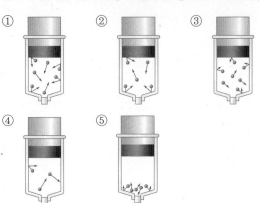

[18~19] 그림과 같이 피펫의 윗부분을 손가락으로 막고, 피펫의 중간 부분을 다른 손으로 감싸 쥐었더니 피펫에 남아 있는 액체가 빠져나왔다.

18 피펫에 남아 있는 액체가 빠져나오는 까닭으로 옳은 것은?

① 압력이 커져 기체의 부피가 증가하기 때문이다.
② 압력이 작아져 기체의 부피가 감소하기 때문이다.
③ 온도가 높아져 기체의 부피가 증가하기 때문이다.
④ 온도가 높아져 기체의 질량이 증가하기 때문이다.
⑤ 온도가 낮아져 기체의 부피가 감소하기 때문이다.

19 위와 같은 원리로 설명할 수 있는 현상은?

① 감을 말려 곶감을 만든다.
② 전기 모기향을 피워 모기를 쫓는다.
③ 비행기가 이륙하면 귀가 먹먹해진다.
④ 겹쳐진 2개의 그릇을 빼기 위해 따뜻한 물에 담가 놓는다.
⑤ 하늘 위의 비행기 안에서 뚜껑을 닫아 둔 빈 페트병은 비행기가 착륙하면 찌그러진다.

서술형

1 바람이 빠진 자전거 바퀴에 공기를 넣으면 자전거 바퀴가 다시 팽팽해진다. 그 까닭을 입자의 개수와 충돌 횟수를 이용하여 서술하시오.

_____

_____

단계별 서술형

2 그림은 일정한 온도에서 압력에 따른 일정량의 기체의 부피 변화를 나타낸 것이다.

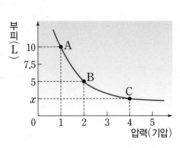

(1) 기체의 압력과 부피 사이의 관계를 쓰고, 이를 통해 C에서 기체의 부피(x)는 몇 L 인지 풀이 과정을 포함하여 서술하시오.

_____

_____

(2) A에서 B로 변할 때 기체 입자의 충돌 횟수, 기체 입자 사이의 거리, 기체 입자의 운동 속도는 어떻게 변하는지 그 까닭을 포함하여 각각 서술하시오.

_____

_____

서술형

3 바닷속에서 잠수부가 숨을 쉴 때 내뿜는 기포는 수면으로 올라올수록 그 크기가 어떻게 변하는지 쓰고, 그 까닭을 서술하시오.

_____

_____

단어 제시형

4 그림과 같이 잘 건조된 둥근바닥 플라스크에 잉크 방울이 들어 있는 유리관을 연결하고, 플라스크를 양손으로 감싸 쥐었다. 이때 A와 B 중 잉크 방울이 움직이는 방향을 고르고, 그 까닭을 다음 단어를 모두 포함하여 서술하시오.

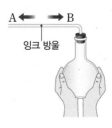

A ← 　 → B
잉크 방울

```
온도, 입자 운동, 부피
```

_____

_____

이 단원에서 학습한 내용을 확실히 이해했나요?
다음 내용을 잘 알고 있는지 확인해 보세요.

1 입자의 운동

- 기체를 포함한 모든 물질은 매우 작은 ❶☐☐로 이루어져 있다.
- ❷☐☐ ☐☐: 크기가 너무 작아 눈에 보이지 않는 입자를 간단한 모형으로 나타낸 것
- ❸☐☐☐ ☐☐: 물질을 이루는 입자들이 스스로 끊임없이 움직이는 현상
- 입자들은 ❹☐☐ 방향으로 운동한다.
- 확산과 증발은 입자 운동의 증거가 된다.

2 확산

- ❶☐☐: 물질을 이루는 입자가 스스로 운동하여 퍼져 나가는 현상
- 향수병의 마개를 열어 놓으면 향기가 퍼지는 까닭: 향수 입자가 스스로 ❷☐☐하여 공기 중으로 퍼져 나가기 때문
- 확산이 잘 일어나는 조건
  - 온도: ❸☐☐수록
  - 입자의 질량: ❹☐☐수록
  - 물질의 상태: 고체＜액체＜기체
  - 확산이 일어나는 곳: 액체 속＜기체 속＜진공 속

3 증발

- ❶☐☐: 액체를 이루는 입자가 스스로 운동하여 액체 표면에서 기체로 변하는 현상
- 컵 속의 물이 점점 줄어드는 까닭: 물 입자가 스스로 ❷☐☐하여 물 표면에서 수증기가 되어 공기 중으로 날아가기 때문
- 증발이 잘 일어나는 조건
  - 온도: ❸☐☐수록
  - 습도: ❹☐☐수록
  - 바람: 강할수록
  - 표면적: ❺☐☐수록

4 기체의 압력

- ❶☐☐: 일정한 넓이에 수직으로 작용하는 힘의 크기
- 기체의 압력: 기체 입자들이 끊임없이 ❷☐☐하면서 용기 벽에 충돌할 때 용기 벽의 일정한 넓이에 작용하는 힘의 크기
- 기체의 압력은 ❸☐☐ 방향에 같은 크기로 작용한다.
- 기체 입자의 충돌 횟수가 ❹☐☐수록 기체의 압력이 커진다.

5 기체의 압력과 부피의 관계

- 기체의 압력과 부피의 관계: 온도가 일정할 때 기체에 작용하는 압력이 증가하면 기체의 부피는 ❶☐☐하고, 기체에 작용하는 압력이 감소하면 기체의 부피는 ❷☐☐한다.
  - 외부 압력 증가 ➡ 기체의 부피 감소 ➡ 기체 입자의 충돌 횟수 ❸☐☐ ➡ 기체의 압력 증가
  - 외부 압력 감소 ➡ 기체의 부피 증가 ➡ 기체 입자의 충돌 횟수 ❹☐☐ ➡ 기체의 압력 감소
- ❺☐☐ 법칙: 온도가 일정할 때 일정량의 기체의 부피는 압력에 반비례한다. ➡ 온도가 일정할 때 기체의 압력과 부피의 곱은 일정하다.

6 기체의 온도와 부피의 관계

- 기체의 온도와 부피의 관계: 압력이 일정할 때 온도가 높아지면 기체의 부피는 ❶☐☐하고, 온도가 낮아지면 기체의 부피는 ❷☐☐한다.
  - 온도 높아짐 ➡ 기체 입자의 운동 속도 ❸☐☐ ➡ 기체 입자의 충돌 횟수와 세기 증가 ➡ 기체의 부피 증가
  - 온도 낮아짐 ➡ 기체 입자의 운동 속도 ❹☐☐ ➡ 기체 입자의 충돌 횟수와 세기 감소 ➡ 기체의 부피 감소
- ❺☐☐ 법칙: 압력이 일정할 때 일정량의 기체는 종류에 관계없이 온도가 높아지면 부피가 일정한 비율로 증가한다.

상 중 하

01 그림과 같이 일정한 온도에서 주사기에 공기를 넣고 끝을 막은 후 피스톤을 누르면 피스톤이 밀려 들어간다. 이에 대한 설명으로 옳지 <u>않은</u> 것은?

① 공기는 작은 입자들로 이루어져 있다.
② 공기 중에 빈 공간이 있다는 것을 알 수 있다.
③ 공기를 이루는 입자들은 서로 떨어진 채 퍼져 있다.
④ 피스톤을 누르면 주사기 속 공기의 부피가 줄어든다.
⑤ 피스톤을 누르면 공기 입자 사이의 거리가 멀어진다.

상 중 하

02 확산 현상의 예가 <u>아닌</u> 것은?

① 전기 모기향을 피워 모기를 쫓는다.
② 마약 탐지견이 냄새로 마약을 찾는다.
③ 물감으로 그린 그림이 말라 물감만 남는다.
④ 향수병의 마개를 열어 놓으면 향기가 퍼진다.
⑤ 멀리 떨어진 곳에서도 음식 냄새를 맡을 수 있다.

상 중 하

03 그림은 진한 암모니아수를 묻힌 솜과 진한 염산을 묻힌 솜을 유리관의 양쪽 끝에 동시에 넣고 고무마개로 막았을 때 일어나는 변화를 나타낸 것이다. (단, 염산은 염화 수소 기체를, 암모니아수는 암모니아 기체를 물에 녹인 것이다.)

진한 암모니아수를 묻힌 솜 / 흰 연기의 띠 / 진한 염산을 묻힌 솜

이에 대한 설명으로 옳은 것을 모두 고르면? (2개)

① 물질의 상태에 따른 확산 속도의 차이를 알 수 있다.
② 암모니아 입자가 염화 수소 입자보다 질량이 크다.
③ 암모니아 입자와 염화 수소 입자는 스스로 운동한다.
④ 염화 수소 입자가 암모니아 입자보다 더 빨리 확산한다.
⑤ 유리관의 온도를 높이면 흰 연기가 더 빠르게 생길 것이다.

자료 분석 | 정답과 해설 9쪽

상 중 하

04 【주관식】

확산이 잘 일어나는 조건으로 옳은 것을 〈보기〉에서 모두 고르시오.

┌─ 보기 ─
ㄱ. 온도가 높을수록 확산이 잘 일어난다.
ㄴ. 기체 속보다 진공 속에서 확산이 잘 일어난다.
ㄷ. 입자의 질량이 무거울수록 확산이 잘 일어난다.
ㄹ. 물질의 상태가 기체보다 액체일 때 확산이 잘 일어난다.
└─────

상 중 하

05 증발 현상의 예로 옳은 것을 모두 고르면? (2개)

① 주전자의 물이 끓는다.
② 빵을 꺼내 놓으면 딱딱해진다.
③ 꽃집 근처에 가면 꽃향기가 난다.
④ 어항의 물이 시간이 지나면 줄어든다.
⑤ 물에 잉크를 떨어뜨리면 물 전체가 잉크 색이 된다.

상 중 하

06 그림과 같이 전자저울 위에 거름종이가 놓인 페트리 접시를 올려놓고 영점을 맞춘 후, 아세톤을 몇 방울 떨어뜨리고 변화를 관찰하였다. 이에 대한 설명으로 옳은 것은?

아세톤 / 거름종이

① 시간이 지나도 질량은 변하지 않는다.
② 거름종이에 있는 아세톤 입자가 스스로 운동한다.
③ 거름종이에 있는 아세톤 입자의 개수가 늘어난다.
④ 거름종이에 있는 아세톤 입자의 크기가 작아진다.
⑤ 거름종이에 있는 아세톤 입자가 공기 입자로 변한다.

상 중 하

07 기체의 압력에 대한 설명으로 옳지 <u>않은</u> 것은?

① 기체 입자의 운동 때문에 생긴다.
② 기체의 압력은 모든 방향으로 작용한다.
③ 혈압계나 구조용 안전 매트 등에 이용된다.
④ 높은 곳으로 올라갈수록 대기압이 점점 커진다.
⑤ 기체 입자의 충돌 횟수가 많을수록 기체의 압력이 크다.

08 그림과 같이 일정한 온도에서 일정량의 기체가 들어 있는
실린더에 올려놓은 추의 개수를 증가시켰다.
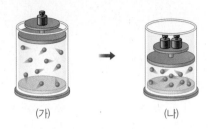

(가)　　　　　　　(나)

(가)에서 (나)로 변할 때 증가하는 것은?

① 기체의 부피
② 기체의 질량
③ 기체 입자의 운동 속도
④ 기체 입자의 충돌 횟수
⑤ 기체 입자 사이의 거리

[09~10] 그림은 온도가 일정할
때 압력에 따른 일정량의 기체
의 부피 변화를 나타낸 것이다.
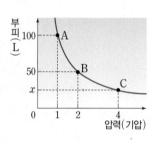

09 이에 대한 설명으로 옳은 것은?

① x의 값은 30이다.
② 압력이 증가하면 기체의 부피가 증가한다.
③ A보다 B에서 기체 입자의 충돌 횟수가 많다.
④ B보다 C에서 기체 입자 사이의 거리가 멀다.
⑤ A보다 C에서 압력과 부피를 곱한 값이 크다.

10 위 그래프로 설명할 수 있는 현상이 아닌 것은?

① 비행기를 타고 높이 올라가면 귀가 먹먹해진다.
② 헬륨 풍선이 하늘 위로 올라갈수록 점점 커진다.
③ 여름철에 도로를 달린 자동차의 타이어가 팽팽해
진다.
④ 천연가스에 큰 압력을 가하여 부피가 작은 가스통
에 저장한다.
⑤ 잠수부가 내뿜은 공기 방울은 수면으로 올라올수
록 점점 커진다.

【주관식】

11 바다에서 물의 깊이가 10 m 깊어질 때마다 압력이 1기압
씩 커진다. 잠수부가 지표면에서 100 mL의 공기를 넣은
비닐 팩을 가지고 바닷속 30 m까지 잠수할 때, 비닐 팩
안에 들어 있는 공기의 부피는 몇 mL인지 구하시오. (단,
대기압은 1기압이다.)

12 그림과 같이 일정한 온도에서 감압 용기
에 과자 봉지를 넣고 용기 속 공기의 일부
를 빼냈다. 이에 대한 설명으로 옳지 않은
것은?

과자
봉지

① 과자 봉지가 부풀어 오른다.
② 과자 봉지 속 기체의 압력이 증가한다.
③ 감압 용기 속 기체의 압력이 감소한다.
④ 감압 용기 속 기체 입자의 개수가 감소한다.
⑤ 과자 봉지 속 기체 입자 사이의 거리가 멀어진다.

13 그림은 실린더에 일정량
의 기체를 넣고 어떤 조건
을 변화시켰을 때 나타난
변화를 입자 모형으로 나
타낸 것이다. 이때 변화시
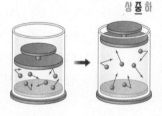
킨 조건으로 옳은 것은? (단, 화살표의 길이는 입자 운동
의 활발한 정도를 나타낸다.)

① 압력을 높인다.　　② 압력을 낮춘다.
③ 온도를 높인다.　　④ 온도를 낮춘다.
⑤ 실린더에 기체를 더 넣는다.

14 여름철에는 겨울철보다 자동차 타이어에 공기를 적게 넣
는 까닭은?

① 온도가 높아지면 입자의 크기가 커지기 때문이다.
② 온도가 높아지면 입자 운동이 활발해지기 때문이다.
③ 온도가 높아지면 입자의 개수가 늘어나기 때문이다.
④ 온도가 높아지면 입자의 질량이 늘어나기 때문이다.
⑤ 온도가 높아지면 타이어 속 기체의 압력이 감소하
기 때문이다.

15 그림 (가)와 같이 고무풍선을 씌운 삼각 플라스크를 뜨거운 물이 담긴 수조에 넣었다가 그림 (나)와 같이 얼음물이 담긴 수조에 넣었다.

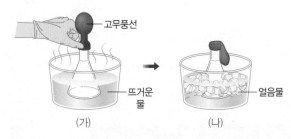

(가)에서 (나)로 될 때 삼각 플라스크와 고무풍선 속 기체에서 감소하지 <u>않는</u> 것은?

① 기체의 부피
② 기체의 온도
③ 기체 입자의 개수
④ 기체 입자의 운동 속도
⑤ 기체 입자 사이의 거리

16 그림은 오줌싸개 인형에서 물이 나오는 과정을 모형으로 나타낸 것이다.

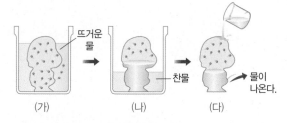

이에 대한 설명으로 옳은 것은?
① 보일 법칙으로 설명할 수 있다.
② (가)는 인형 속으로 공기를 넣기 위한 과정이다.
③ (나)에서 인형 속 기체의 부피는 증가한다.
④ (다)에서 부어 주는 물이 차가울수록 인형에서 물이 더 세게 나온다.
⑤ (다)에서 인형 속 기체의 부피가 늘어나면서 물을 밖으로 밀어낸다.

자료 분석 | 정답과 해설 10쪽

17 기체의 부피가 증가하는 까닭이 나머지와 <u>다른</u> 하나는?
① 난로 옆에 둔 풍선이 점점 커진다.
② 높은 산에 올라가면 과자 봉지가 부풀어 오른다.
③ 찌그러진 탁구공을 뜨거운 물에 넣으면 팽팽해진다.
④ 열기구 속의 공기를 가열하면 열기구가 위로 떠오른다.
⑤ 액체 질소에 넣었던 고무풍선을 꺼내면 풍선이 커진다.

18 그림은 액체에서 일어나는 2가지 현상을 모형으로 나타낸 것이다.

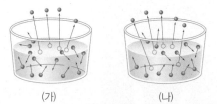

(가)와 (나) 중 증발인 것을 고르고, 그 까닭을 증발의 개념을 이용하여 서술하시오.

_____

_____

19 그림은 실린더에 일정량의 기체를 넣고 어떤 조건을 변화시켰을 때 나타난 변화를 입자 모형으로 나타낸 것이다. (단, 화살표의 길이는 입자 운동의 활발한 정도를 나타낸다.)

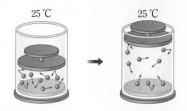

(1) 이때 변화시킨 조건을 쓰고, 그렇게 생각한 까닭을 서술하시오.

_____

_____

(2) (1)에서 답한 조건을 변화시켰을 때 기체 입자의 충돌 횟수와 기체 입자의 운동 속도는 어떻게 변하는지 서술하시오.

_____

_____

20 그림과 같이 찌그러진 탁구공을 뜨거운 물에 넣으면 탁구공이 펴진다. 그 까닭을 입자 운동과 관련지어 서술하시오.

_____

_____

V

물질의 상태 변화

제목으로
미리보기

그림을 떠올려!

기억하기

이 단원을 학습하기 전에, 이전에 배운 내용 중 꼭 알아야 할 개념들을 그림과 함께 떠올려 봅시다.

---

1 | 물의 세 가지 상태

>>> 초등학교 4학년 물의 상태 변화

얼음
고체

물
액체

수증기
기체

- 얼음: 고체 상태로, 담는 그릇에 관계없이 모양과 부피가 (❶   )함
- 물: 액체 상태로, 담는 그릇에 따라 모양은 (❷   )고, 부피는 일정함
- 수증기: 기체 상태로, 담는 그릇에 따라 모양과 부피가 (❸   )고, 담긴 그릇을 항상 가득 채움

---

2 | 물의 상태 변화

>>> 초등학교 4학년 물의 상태 변화

얼음
고체

가열 / 냉각

물
액체

가열 / 냉각

수증기
기체

- 물과 얼음 사이의 상태 변화: 물이 얼어 얼음이 될 때 부피는 (❹   )하고, 무게는 변하지 않으며, 얼음이 녹아 물이 될 때 부피는 감소하고, 무게는 변하지 않음
- 물이 수증기로 변하는 상태 변화: 액체인 물의 표면에서 수증기로 변하는 (❺   )과 물 표면뿐만 아니라 물속에서도 수증기로 변하는 끓음이 있음
- 수증기가 물로 변하는 상태 변화: 기체인 수증기가 차가운 표면에 닿아 물로 변하는 (❻   )이 있음

---

3 | 온도와 열의 이동

>>> 초등학교 5학년 온도와 열

- (❼   ): 물질의 차갑거나 따뜻한 정도를 숫자와 ℃(섭씨도)라는 단위를 함께 사용하여 나타낸 것 ➡ 온도계로 측정함
- 열의 이동: 열은 온도가 (❽   ) 물질에서 (❾   ) 물질로 이동함 ➡ 열의 이동은 물질의 온도를 변하게 함

정답 ❶ 일정 ❷ 변하 ❸ 변하 ❹ 증가 ❺ 증발 ❻ 응결 ❼ 온도 ❽ 높은 ❾ 낮은

개념 학습

01 물질의 상태 변화

Ⓐ 물질의 세 가지 상태

1. 물질의 세 가지 상태 대부분의 물질은 고체, 액체, 기체의 세 가지 상태로 존재한다.

2. 물질의 상태에 따른 특징

기체는 온도와 압력에 따라 부피가 쉽게 변하고, 사방으로 퍼지는 성질이 있다.

구분	고체	액체	기체
모양	일정함	일정하지 않음	일정하지 않음
부피	일정함	일정함	일정하지 않음
*압축되는 성질	압축되지 않음	거의 압축되지 않음	압축이 잘됨
흐르는 성질	없음	있음	있음
기타 성질	단단함	—	담는 그릇을 가득 채움
예	얼음, 소금, 밀가루❶ 등	물, 식용유, 식초 등	수증기❷, 공기, 산소 등

Ⓑ 물질의 상태 변화

1. 상태 변화 물질이 한 상태에서 다른 상태로 변하는 현상

고체
융해 ↕ 승화
응고 승화
액화
액체 ⇄ 기체
기화

➡ 가열할 때
  융해, 기화, 승화(고체 → 기체)
➡ 냉각할 때
  응고, 액화, 승화(기체 → 고체)

2. 상태 변화의 종류

가열할 때 일어나는 상태 변화	냉각할 때 일어나는 상태 변화
융해(고체 → 액체) 고체 ⇄ 액체 고체가 액체로 변하는 현상	**응고(액체 → 고체)** 액체가 고체로 변하는 현상

융해(고체 → 액체) `고체 ⇄ 액체`
고체가 액체로 변하는 현상

- 얼음이 녹아 물이 된다.
- 용광로에서 철을 녹인다.
- 양초가 녹아 촛농이 된다.❸
- 뜨거운 프라이팬 위에서 버터가 녹는다.

응고(액체 → 고체)
액체가 고체로 변하는 현상

- 흘러내리던 촛농이 굳는다.❸
- 고깃국을 식히면 기름이 굳는다.
- 추운 겨울철 처마 끝에 고드름이 생긴다.

기화(액체 → 기체) `액체 ⇄ 기체`
액체가 기체로 변하는 현상

- 젖은 빨래가 마른다.
- 물이 끓어 수증기가 된다.
- 어항 속의 물이 점점 줄어든다.
- 손등에 바른 알코올이 모두 사라진다.

액화(기체 → 액체)
기체가 액체로 변하는 현상

- 이른 새벽 풀잎에 이슬이 맺힌다.
- 얼음물이 든 컵 표면에 물방울이 맺힌다.
- 겨울철 실내에 들어가면 안경에 뿌옇게 김이 생긴다.

승화(고체 → 기체)❹ `고체 ⇄ 기체`
고체가 기체로 변하는 현상

- 추운 겨울날 언 빨래가 마른다.
- 드라이아이스가 점점 작아진다.
  고체 상태의 이산화 탄소
- 옷장 속에 있는 나프탈렌이 작아진다.

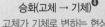
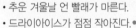

승화(기체 → 고체)
기체가 고체로 변하는 현상

- 냉동실에 성에가 생긴다.
- 추운 겨울철 새벽 서리가 생긴다.
- 추운 겨울철 높은 산에서 수증기가 나뭇가지에 얼어붙어 *상고대가 생긴다.

》》 개념 더하기

❶ 가루 물질의 상태
소금, 모래, 밀가루와 같은 가루 물질은 담는 그릇에 따라 모양이 달라지고, 흘러내리는 성질이 있는 것처럼 보여 액체라고 생각할 수 있다. 그러나 알갱이 각각은 모양과 부피가 일정하므로 고체 상태이다.

❷ 김과 수증기

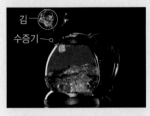

김
수증기

물을 끓일 때 보이는 김은 물이 끓어 나온 수증기(기체)가 차가운 공기에 의해 냉각되어 물방울(액체)이 된 것이다.

❸ 양초의 상태 변화

액체 ——— 기체
———— 고체

고체 양초가 녹아 액체인 촛농이 되고(융해), 촛농이 심지를 타고 올라가 기체가 되어(기화) 탄다. 촛농의 일부가 흘러내려 굳는다(응고).

❹ 승화성 물질
25 °C, 1기압에서 고체에서 기체로 승화가 일어나는 물질로, 아이오딘, 드라이아이스, 나프탈렌 등이 있다.

고체 아이오딘 ——— 승화 (기체 → 고체)
기체 아이오딘 ——— 승화 (고체 → 기체)
———— 고체 아이오딘

▲ 아이오딘의 승화

1 물질의 세 가지 상태에 대한 설명으로 옳은 것은 ○, 옳지 않은 것은 ×로 표시하시오.

(1) 고체는 모양과 부피가 모두 일정하다. ( )
(2) 액체는 담는 그릇에 따라 부피는 변하지만 모양은 일정하다. ( )
(3) 기체는 담는 그릇에 따라 모양과 부피가 모두 변한다. ( )
(4) 고체와 액체는 흐르는 성질이 있다. ( )
(5) 기체는 압축이 잘되고, 담는 그릇을 가득 채운다. ( )
(6) 주사기에 물을 넣고 피스톤을 누르면 부피가 쉽게 변한다. ( )

2 25 ℃에서 각 물질의 상태를 쓰시오.

(1) 돌 ( ) (2) 우유 ( ) (3) 모래 ( )
(4) 헬륨 ( ) (5) 에탄올 ( ) (6) 산소 ( )
(7) 주스 ( ) (8) 철 ( ) (9) 이산화 탄소 ( )

3 그림은 물질의 상태 변화를 나타낸 것이다. A~F에 해당하는 상태 변화의 종류를 각각 쓰시오.

4 상태 변화에 대한 설명이다. 빈칸에 알맞은 말을 쓰시오.

(1) 물질이 한 상태에서 다른 상태로 변하는 것을 ( )(이)라고 한다.
(2) 고체가 기체로 변하거나 기체가 고체로 변하는 현상을 ( )(이)라고 한다.
(3) 가열할 때 일어나는 상태 변화에는 (㉠), (㉡), 승화(고체 → 기체)가 있다.
(4) 냉각할 때 일어나는 상태 변화에는 (㉠), (㉡), 승화(기체 → 고체)가 있다.

5 다음 현상과 관계있는 상태 변화의 종류를 쓰시오.

(1) 아이스크림이 녹는다. ( )
(2) 냉동실에 성에가 생긴다. ( )
(3) 물이 끓어 수증기가 된다. ( )
(4) 냉동실에 넣어 둔 물이 언다. ( )
(5) 추운 겨울날 언 빨래가 마른다. ( )
(6) 이른 새벽 풀잎에 이슬이 맺힌다. ( )
(7) 녹은 양초가 흘러내리다가 다시 굳는다. ( )
(8) 겨울철 실내에 들어가면 안경에 김이 서린다. ( )

개념 학습

01 물질의 상태 변화

ⓒ 물질의 상태와 입자 *배열

구분	고체	액체	기체
입자 모형	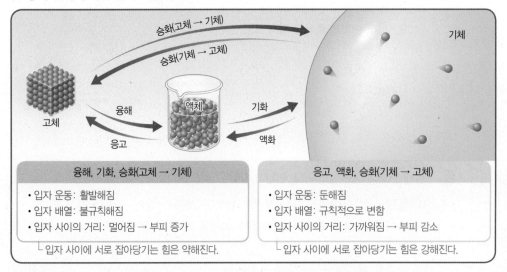		
입자 운동	제자리에서 *진동함❶	비교적 자유롭게 운동함	매우 활발하게 운동함
입자 배열	규칙적임	고체보다 불규칙함	매우 불규칙함
입자 사이의 거리	매우 가까움	고체보다 조금 더 멂	매우 멂❷
입자 사이에 서로 잡아당기는 힘	매우 강함	고체보다 약함	거의 작용하지 않음

└ 입자 사이의 인력이라고 한다.

ⓓ 상태 변화에 따른 여러 가지 변화

1. 상태 변화에 따른 입자 배열의 변화

승화(고체 → 기체)
승화(기체 → 고체)
기체
융해
액체
기화
고체
응고
액화

융해, 기화, 승화(고체 → 기체)	응고, 액화, 승화(기체 → 고체)
• 입자 운동: 활발해짐 • 입자 배열: 불규칙해짐 • 입자 사이의 거리: 멀어짐 → 부피 증가	• 입자 운동: 둔해짐 • 입자 배열: 규칙적으로 변함 • 입자 사이의 거리: 가까워짐 → 부피 감소
└ 입자 사이에 서로 잡아당기는 힘은 약해진다.	└ 입자 사이에 서로 잡아당기는 힘은 강해진다.

2. 상태 변화에 따른 물질의 부피, 질량, 성질의 변화 [탐구 40쪽] [탐구 41쪽]

① 부피 변화: 물질의 상태가 변하면 물질의 부피가 변한다. ➡ 상태 변화가 일어나면 물질을 이루는 입자의 배열과 입자 사이의 거리가 달라지기 때문❸❹ 물을 제외한 대부분의 물질은 고체에서 기체로 승화할 때 부피가 가장 크게 증가한다.

일반적인 물질	물
고체<액체<기체 순으로 부피가 증가한다. • 융해, 기화, 승화(고체 → 기체): 부피 증가 ➡ 입자 사이의 거리가 멀어지기 때문 • 응고, 액화, 승화(기체 → 고체): 부피 감소 ➡ 입자 사이의 거리가 가까워지기 때문	물(액체)<얼음(고체)<수증기(기체) 순으로 부피가 증가한다. ➡ 응고할 때 부피가 증가하고, 융해할 때 부피가 감소한다. 예 물이 응고할 때 부피가 증가하여 나타나는 현상 • 추운 겨울에 물이 얼어 수도관이 터진다. • 페트병에 물을 가득 채우고 얼리면 페트병이 볼록해진다.

② 질량과 성질 변화: 물질의 상태가 변해도 물질의 질량과 성질은 변하지 않는다. ➡ 상태 변화가 일어나도 물질을 이루는 입자의 종류와 개수가 변하지 않기 때문

3. 상태 변화가 일어날 때 변하는 것과 변하지 않는 것

① 변하는 것: 입자의 배열, 입자의 운동, 입자 사이의 거리, 물질의 부피

② 변하지 않는 것: 입자의 종류, 입자의 개수, 입자의 크기, 물질의 질량, 물질의 성질

❶ 진동 운동
고정된 위치에서 물질을 이루는 입자 사이에 떨림이 일어나 결합 길이가 늘었다 줄었다 하는 운동이다.

❷ 기체가 압축이 잘되는 까닭
고체와 액체는 입자 사이의 거리가 가깝고 입자 배열이 기체에 비해 규칙적이므로 힘을 가해도 부피가 거의 변하지 않는다. 기체는 입자 사이의 거리가 매우 멀고, 입자 배열이 매우 불규칙하므로 힘을 가하면 부피가 쉽게 변한다.

❸ 드라이아이스의 승화
지퍼 백에 드라이아이스를 넣고 입구를 막으면 드라이아이스가 이산화 탄소로 승화하면서 입자 사이의 거리가 멀어져 부피가 증가하므로 지퍼 백이 부풀어 오른다.

드라이아이스

❹ 액체 양초와 물이 응고할 때의 부피 변화
• 액체 양초: 부피가 감소하므로 가운데가 오목하게 들어간다.
• 물: 부피가 증가하므로 가운데가 볼록하게 올라온다.

양초　　　얼음

[용어] 사전

*배열(나눌 配, 늘어설 列)
일정한 차례나 간격에 따라 벌려 놓음

*진동(떨칠 振, 움직일 動)
흔들려 움직임

정답과 해설 11쪽

핵심 Tip

- 입자 배열: 고체는 규칙적이고, 액체는 고체보다 불규칙하며, 기체는 매우 불규칙하다.
- 입자 운동이 활발해지고, 입자 배열이 불규칙해지는 상태 변화는 융해, 기화, 승화(고체 → 기체)이다.
- 입자 운동이 둔해지고, 입자 배열이 규칙적으로 변하는 상태 변화는 응고, 액화, 승화(기체 → 고체)이다.
- 상태 변화 시 부피 변화: 입자의 배열과 입자 사이의 거리가 달라지므로 물질의 부피가 변한다.
- 상태 변화 시 질량과 성질 변화: 입자의 종류와 개수가 변하지 않으므로 물질의 질량과 성질은 변하지 않는다.

6 그림은 물질의 세 가지 상태를 입자 모형으로 나타낸 것이다.

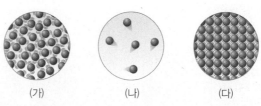

(가)   (나)   (다)

이에 대한 설명에서 빈칸에 알맞은 말을 쓰시오.

(1) (가)는 (㉠   ) 상태, (나)는 (㉡   ) 상태, (다)는 (㉢   ) 상태이다.

(2) (가)~(다) 중 입자들이 제자리에서 진동만 하는 것은 (   )이다.

(3) (가)~(다) 중 입자가 비교적 자유롭게 운동하지만 거의 압축되지 않는 것은 (   )이다.

(4) (가)~(다) 중 입자 배열이 매우 불규칙하고, 입자가 매우 활발하게 운동하는 것은 (   )이다.

7 그림은 물질의 상태 변화를 입자 모형으로 나타낸 것이다. 이에 대한 설명으로 옳은 것은 ○, 옳지 않은 것은 ×로 표시하시오. (단, 물의 경우는 제외한다.)

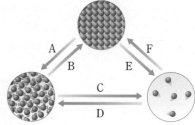

(1) 입자 운동이 활발해지는 상태 변화는 A, C, E이다. (   )

(2) 입자 배열이 불규칙해지는 상태 변화는 B, D, F이다. (   )

(3) 입자 사이의 거리가 가까워지는 상태 변화는 B, C, F이다. (   )

(4) 부피가 증가하는 상태 변화는 A, C, E이다. (   )

(5) A, C, E가 일어나면 입자의 개수가 감소하여 질량이 감소한다. (   )

원리 Tip   D-2

물은 응고할 때 부피가 증가하고, 융해할 때 부피가 감소하는 까닭

부피
감소 →
얼음(고체) ← 물(액체)
부피
증가

얼음은 입자들이 육각형 구조를 이루어 내부에 빈 공간이 많아지는데, 이 빈 공간으로 인해 부피가 늘어난다. 따라서 물이 응고하여 얼음이 되면 부피가 증가한다. 반대로 얼음이 융해하여 물이 되면 육각형 구조를 이루는 결합의 일부가 끊어지면서 육각형 고리가 허물어지므로 부피가 감소한다.

8 물의 상태 변화에 대한 설명이다. (   ) 안에 알맞은 말을 고르시오.

(1) 물이 응고할 때 부피가 ㉠ (증가 , 감소)하고, 얼음이 융해할 때 부피가 ㉡ (증가 , 감소)한다.

(2) 물이 응고할 때 질량은 (증가한다 , 감소한다 , 일정하다).

(3) 얼음이 융해할 때 물질의 성질은 (변한다 , 변하지 않는다).

9 물질의 상태가 변할 때 변하는 것과 변하지 않는 것을 〈보기〉에서 각각 모두 고르시오.

보기
ㄱ. 입자의 배열   ㄴ. 입자의 종류   ㄷ. 입자의 운동
ㄹ. 입자의 개수   ㅁ. 물질의 성질   ㅂ. 물질의 부피
ㅅ. 물질의 질량   ㅇ. 입자의 크기   ㅈ. 입자 사이의 거리

(1) 변하는 것: (   )   (2) 변하지 않는 것: (   )

과학적 사고로!

탐구하기 • Ⓐ **물의 상태 변화 관찰하기**

목표 물과 수증기 사이의 상태 변화를 관찰하고, 물질의 상태가 변할 때 성질 변화를 설명해 본다.

과정

실험 **Tip**

염화 코발트 종이의 특징
염화 코발트 종이는 건조한 상태에서 푸른색을 띠지만, 물을 흡수하면 붉은색으로 변한다.

▲ 염화 코발트 종이

❶ 비커에 물을 넣은 후 푸른색 염화 코발트 종이를 대어 색 변화를 관찰한다.

❷ 얼음을 담은 시계 접시를 비커 위에 올려놓고 가열하면서 비커 안의 물과 시계 접시 아랫부분의 변화를 관찰한다.

❸ 시계 접시 아랫부분에 푸른색 염화 코발트 종이를 대어 색 변화를 관찰한다.

결과

[유의점]

핫플레이트를 사용할 때는 열판이 뜨거우므로 손을 대지 않는다.

과정 ❶	과정 ❷	과정 ❸
푸른색 염화 코발트 종이가 붉은색으로 변한다. 	비커 안의 물이 끓어 수증기가 되고, 시계 접시 아랫부분에 액체 방울이 맺힌다.	푸른색 염화 코발트 종이가 붉은색으로 변한다.

• 비커에 담긴 물은 기화하여 수증기가 되고, 이 수증기가 시계 접시 아랫부분에 닿으면 액화하여 물방울이 되어 맺힌다. – 시계 접시에 담긴 얼음은 융해하여 물이 된다.
• 과정 ❶과 ❸의 푸른색 염화 코발트 종이가 모두 붉은색으로 변한 것으로 보아 물의 성질은 변하지 않는다.

Plus 탐구

[과정] ❶ 물이 들어 있는 삼각 플라스크에 알루미늄 포일을 씌우고 가운데에 작은 구멍을 뚫은 후, 물을 가열한다.
❷ 물이 끓으면 구멍 바로 윗부분과 김이 생기는 부분에 각각 푸른색 염화 코발트 종이를 대어 색 변화를 관찰한다.

[결과] • 알루미늄 포일의 구멍 바로 윗부분에는 물이 기화하여 생긴 수증기가 있고, 이 수증기가 공기 중에서 식어 액화하여 김이 된다.
• 알루미늄 포일의 구멍 바로 윗부분과 김이 생기는 부분에 대어 본 푸른색 염화 코발트 종이가 모두 붉은색으로 변한다. ➡ 물의 성질은 변하지 않는다.

정리

• 물을 가열하면 (㉠   )하여 수증기가 되고, 이 수증기가 냉각되면 (㉡   )하여 물이 된다.
• 물질의 상태가 변해도 입자의 종류는 변하지 않으므로 물질의 (㉢   )은 변하지 않는다.

확인 문제

1 위 실험에 대한 설명으로 옳은 것은 ○, 옳지 않은 것은 ×로 표시하시오.

(1) 비커의 물을 가열하면 기화하여 수증기가 된다.
(   )

(2) 시계 접시 아랫부분에 맺힌 액체 방울은 수증기가 응고하여 생긴 물이다.
(   )

(3) 시계 접시에 담긴 얼음은 비커의 물에서 생긴 수증기를 냉각하는 역할을 한다.
(   )

(4) 이 실험으로 물의 상태가 변해도 물질의 질량은 변하지 않는다는 것을 알 수 있다.
(   )

실전 문제

2 그림과 같이 물을 넣은 비커에 얼음이 담긴 시계 접시를 올려놓고 가열하였다. A~C에서 일어나는 상태 변화를 옳게 짝 지은 것은?

	A	B	C
①	액화	기화	응고
②	기화	액화	응고
③	기화	액화	융해
④	액화	기화	융해
⑤	승화	승화	기화

탐구하기 ● ❸ 상태 변화에 따른 질량과 부피 변화

목표 양초의 상태가 변할 때 질량과 부피 변화를 관찰하고, 이를 입자 배열 변화로 설명해 본다.

과정

[유의점]
핫플레이트를 사용할 때는 열판이 뜨거우므로 손을 대지 않는다.

❶ 비커에 양초 조각을 넣고 질량을 측정한 후, 가열하여 양초 조각을 모두 녹인다.

❷ 녹은 액체 양초가 담긴 비커의 질량을 측정하고, 액체 양초의 부피를 비커에 빨간펜 사인펜으로 표시한다.

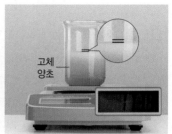

❸ 양초가 모두 굳으면 굳은 고체 양초가 담긴 비커의 질량을 측정하고, 고체 양초의 부피를 비커에 파란색 사인펜으로 표시한다.

결과

과정 ❶의 질량	과정 ❷의 질량	과정 ❸의 질량	과정 ❷와 ❸의 부피 비교
173.8 g	173.8 g	173.8 g	과정 ❸에서 양초의 가운데가 오목하게 들어가면서 부피가 감소한다.

➡ 액체 양초가 응고하여 고체 양초가 될 때 질량은 변하지 않고, 부피는 감소한다.

Plus 탐구

[과정] ❶ 그림 (가)와 같이 삼각 플라스크에 아세톤을 1 mL 정도 넣고 입구를 막아 질량을 측정한 후, 따뜻한 바람을 불어 준 다음 다시 질량을 측정한다.
❷ 그림 (나)와 같이 페트병에 아세톤을 1 mL 정도 넣은 후, 페트병을 눌러 공기를 빼고 뚜껑을 닫은 다음 따뜻한 바람을 불어 준다.

[결과] 아세톤이 기화해도 질량이 변하지 않고, 페트병이 부풀어 오르므로 부피가 증가한다.

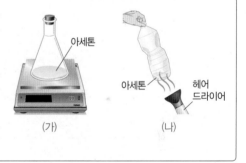

(가)   (나)

정리

• 물질의 상태가 변할 때 입자의 종류와 개수가 변하지 않으므로 물질의 (㉠   )이 변하지 않는다.
• 물질의 상태가 변할 때 입자의 배열이 변해 입자 사이의 거리가 달라지므로 물질의 (㉡   )가 변한다.

확인 문제

1 위 실험에 대한 설명으로 옳은 것은 ○, 옳지 않은 것은 ×로 표시하시오.

(1) 과정 ❶에서 양초가 응고하고, 과정 ❸에서 양초가 융해한다. ( )

(2) 과정 ❶에서 양초 입자 사이의 거리가 멀어진다. ( )

(3) 과정 ❸에서 양초 입자의 배열이 불규칙해진다. ( )

(4) 양초의 상태 변화가 일어나도 질량은 일정하다. ( )

(5) 과정 ❸에서 양초의 상태 변화가 일어나면 부피가 증가한다. ( )

실전 문제

2 그림과 같이 양초 조각을 비커에 담아 가열하여 액체로 만든 후 질량과 부피를 측정한 다음, 액체 양초를 굳혀 고체로 만든 후 다시 질량과 부피를 측정하였다.

액체 양초가 고체 양초로 변할 때 질량과 부피는 각각 어떻게 변하는지 '증가', '감소', '일정'으로 쓰시오.

A 물질의 세 가지 상태

중요

01 물질의 세 가지 상태에 대한 설명으로 옳지 <u>않은</u> 것은?

① 액체는 흐르는 성질이 있다.
② 고체는 모양과 부피가 일정하다.
③ 기체는 담는 그릇을 가득 채운다.
④ 액체는 힘을 가하면 쉽게 압축된다.
⑤ 기체는 담는 그릇에 따라 모양과 부피가 변한다.

【주관식】

02 표는 25 °C에서 우리 주변의 물질을 (가)~(다)로 분류한 것이다.

(가)	(나)	(다)
얼음, 철	우유, 식초	수증기, 산소

이와 같이 물질을 분류한 기준이 무엇인지 쓰시오.

03 25 °C에서 다음과 같은 특징이 있는 물질끼리 짝 지은 것으로 옳은 것은?

> • 담는 그릇에 따라 모양이 변한다.
> • 온도와 압력에 따라 부피가 크게 변한다.

① 얼음, 우유
② 설탕, 산소
③ 식초, 소금
④ 수소, 밀가루
⑤ 공기, 이산화 탄소

04 25 °C에서 다음 물질들의 공통적인 특징으로 옳은 것은?

> 아세톤, 에탄올, 식용유

① 단단하다.
② 쉽게 압축된다.
③ 흐르는 성질이 없다.
④ 담는 그릇에 관계없이 부피가 일정하다.
⑤ 담는 그릇에 관계없이 모양이 일정하다.

B 물질의 상태 변화

[05~06] 그림은 물질의 상태 변화를 나타낸 것이다.

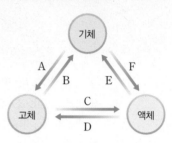

05 A~F와 상태 변화의 종류를 옳게 짝 지은 것은?

① A – 융해
② C – 승화
③ D – 응고
④ E – 액화
⑤ F – 기화

중요

06 B~F와 각 과정에 해당하는 상태 변화의 예를 옳게 짝 지은 것은?

① B – 젖은 빨래가 마른다.
② C – 용광로에서 철을 녹인다.
③ D – 어항의 물이 점점 줄어든다.
④ E – 고깃국을 식히면 기름이 굳는다.
⑤ F – 옷장 속에 넣어 둔 나프탈렌이 작아진다.

07 늦가을 새벽에 서리가 생기는 것과 같은 종류의 상태 변화가 일어나는 현상은?

① 추운 겨울날 언 빨래가 마른다.
② 드라이아이스가 점점 작아진다.
③ 뜨거운 프라이팬 위에서 버터가 녹는다.
④ 추운 겨울 높은 산의 나뭇가지에 상고대가 생긴다.
⑤ 영하의 온도에서 응달에 있던 눈사람의 크기가 작아진다.

08 상태 변화의 종류가 나머지와 <u>다른</u> 하나는?

① 해가 뜨면 이슬이 사라진다.
② 목욕탕 천장에 물방울이 맺혀 있다.
③ 이른 새벽 안개가 자욱하게 끼어 있다.
④ 찬 음료가 담긴 컵 표면에 물방울이 맺힌다.
⑤ 추운 겨울 실내에 들어가면 안경에 김이 서린다.

[주관식]

09 다음 과정에서 공통으로 일어나는 물질의 상태 변화 2가지를 순서대로 쓰시오.

> • 고체 초콜릿을 녹여 원하는 틀에 부어 굳혀 새로운 모양의 초콜릿을 만들었다.
> • 잘게 자른 양초 조각과 크레파스 조각을 함께 넣어 녹인 후 틀에 부어 굳혀 색이 있는 양초를 만들었다.

10 그림과 같이 물이 들어 있는 비커 위에 얼음이 담긴 시계 접시를 올려놓고 가열하였더니 비커 안이 뿌옇게 흐려지고, 시계 접시 아랫부분에 액체 방울이 맺혔다. A~C에서와 같은 상태 변화가 일어나는 현상을 옳게 짝 지은 것을 모두 고르면? (2개)

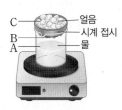

① A – 냉동실에 넣어 둔 물이 언다.
② A – 손등에 바른 알코올이 마른다.
③ B – 냉동실 벽면에 성에가 생긴다.
④ B – 라면을 먹을 때 안경에 김이 생긴다.
⑤ C – 흘러내리던 촛농이 굳는다.

11 그림과 같이 고체 아이오딘이 들어 있는 비커 위에 찬물이 들어 있는 둥근바닥 플라스크를 올려놓고 가열하였다. 이에 대한 설명으로 옳은 것을 〈보기〉에서 모두 고른 것은?

> **보기**
> ㄱ. A에서 고체 아이오딘의 융해가 일어난다.
> ㄴ. A에서는 영하의 기온에서 얼어 있던 명태가 마르는 것과 같은 상태 변화가 일어난다.
> ㄷ. B에서 아이오딘은 고체 상태이다.
> ㄹ. 둥근바닥 플라스크에 들어 있는 찬물은 기체 상태 아이오딘의 액화가 일어나도록 돕는다.

① ㄱ, ㄴ ② ㄱ, ㄹ ③ ㄴ, ㄷ
④ ㄷ, ㄹ ⑤ ㄱ, ㄴ, ㄷ

C 물질의 상태와 입자 배열

12 물질의 상태에 따른 일반적인 입자의 특징을 비교한 것으로 옳은 것을 〈보기〉에서 모두 고른 것은?

> **보기**
> ㄱ. 입자 사이의 거리: 고체<액체<기체
> ㄴ. 입자 운동의 빠르기: 고체<액체<기체
> ㄷ. 입자 배열의 규칙적인 정도: 고체<액체<기체
> ㄹ. 입자 사이에 서로 잡아당기는 힘: 액체<기체<고체

① ㄱ, ㄴ ② ㄱ, ㄷ ③ ㄴ, ㄹ
④ ㄷ, ㄹ ⑤ ㄱ, ㄴ, ㄷ

[13~14] 그림은 물질의 세 가지 상태를 입자 모형으로 나타낸 것이다.

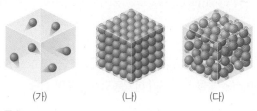

(가) (나) (다)

중요

13 이에 대한 설명으로 옳지 **않은** 것은?

① 입자 운동이 가장 둔한 것은 (나)이다.
② 입자 배열이 가장 불규칙한 것은 (가)이다.
③ 입자 사이의 거리가 가장 먼 것은 (가)이다.
④ 압력을 가했을 때 쉽게 압축되는 것은 (다)이다.
⑤ 입자 사이에 서로 잡아당기는 힘이 가장 강한 것은 (나)이다.

14 위의 입자 모형과 25 ℃에서 각 상태로 존재하는 물질을 옳게 짝 지은 것은?

	(가)	(나)	(다)
①	물	헬륨	얼음
②	수증기	바닷물	설탕
③	밀가루	식용유	수소
④	산소	철	아세톤
⑤	이산화 탄소	금	모래

ⓓ 상태 변화에 따른 여러 가지 변화

중요
15 그림은 물질의 상태 변화를 입자 모형으로 나타낸 것이다.

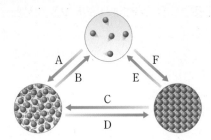

이에 대한 설명으로 옳은 것은? (단, 물의 경우는 제외한다.)

① 입자 운동이 활발해지는 상태 변화는 A, D, F이다.
② 입자의 크기가 감소하는 상태 변화는 B, C, E이다.
③ 입자 사이의 거리가 멀어지는 상태 변화는 A, D, F이다.
④ 입자 배열이 규칙적으로 변하는 상태 변화는 B, C, E이다.
⑤ 입자 사이의 거리가 가장 크게 감소하는 상태 변화는 F이다.

16 그림과 같이 비닐봉지에 아세톤을 조금 넣고 밀봉한 후 뜨거운 물을 부었더니 비닐봉지가 부풀어 올랐다.

이에 대한 설명으로 옳지 않은 것은?

① 아세톤 입자의 운동이 활발해진다.
② 아세톤 입자의 개수는 변하지 않는다.
③ 아세톤 입자 사이의 거리가 멀어진다.
④ 아세톤 입자의 배열이 규칙적으로 변한다.
⑤ 아세톤에서 일어나는 상태 변화는 기화이다.

17 물질의 상태 변화가 일어날 때 물질의 부피 변화가 나머지와 다른 하나는?

① 얼음이 녹아 물이 된다.
② 용광로에서 철을 녹인다.
③ 드라이아이스가 점점 작아진다.
④ 겨울철 처마 밑에 고드름이 생긴다.
⑤ 찌개를 계속 끓이면 국물이 줄어든다.

중요
18 그림과 같이 물이 들어 있는 비커 위에 얼음이 담긴 시계 접시를 올려놓고 가열하였다. 이에 대한 설명으로 옳은 것을 모두 고르면? (2개)

탐구 40쪽

① 비커의 물에서 융해가 일어난다.
② 시계 접시 아랫부분에서 기화가 일어난다.
③ 비커의 물에 푸른색 염화 코발트 종이를 대면 붉은 색으로 변한다.
④ 시계 접시 아랫부분에 맺힌 액체 방울에 푸른색 염화 코발트 종이를 대면 아무 변화도 일어나지 않는다.
⑤ 이 실험으로 상태 변화가 일어나도 물질의 성질이 변하지 않음을 알 수 있다.

탐구 41쪽

19 그림과 같이 양초 조각을 비커에 담아 가열하여 액체로 만들어 질량과 부피를 측정한 후, 액체 양초를 굳혀 고체로 만들어 질량과 부피를 측정하였다.

이 실험을 통해 알 수 있는 사실은?

① 물질의 상태가 변하면 물질의 성질이 변한다.
② 물질의 상태가 변하면 입자의 개수가 변한다.
③ 물질의 상태가 변해도 부피는 변하지 않는다.
④ 물질의 상태가 변해도 질량은 변하지 않는다.
⑤ 물질의 상태가 변해도 입자의 배열은 변하지 않는다.

【주관식】
20 물질의 상태 변화가 일어날 때 변하지 않는 것을 〈보기〉에서 모두 고르시오.

┌ 보기 ┐
ㄱ. 물질의 성질　　　ㄴ. 물질의 부피
ㄷ. 물질의 질량　　　ㄹ. 입자의 개수
ㅁ. 입자의 종류　　　ㅂ. 입자 사이의 거리

서술형 문제

정답과 해설 13쪽

서술형

1 그림은 나무 막대와 주스를 각각 비커에 넣은 후 모양이 다른 그릇에 옮겨 넣은 모습을 나타낸 것이다.

이를 통해 고체와 액체의 모양과 부피 변화에 대해 알 수 있는 사실을 서술하시오.

_____

_____

서술형

2 그림과 같이 찬 음료가 들어 있는 컵을 놓아두면 컵의 표면에 물방울이 맺힌다. 그 까닭을 상태 변화와 관련지어 서술하시오.

_____

단계별 서술형

3 그림과 같이 물이 들어 있는 삼각 플라스크에 알루미늄 포일을 씌우고 가운데에 작은 구멍을 뚫은 후, 가열하여 물이 끓을 때 구멍 바로 윗부분과 김이 생기는 부분에 각각 푸른색 염화 코발트 종이를 대어 보았다.

(가) 구멍 바로 윗부분

(나) 김이 생기는 부분

(1) (가)와 (나)에서 푸른색 염화 코발트 종이의 색깔은 각각 어떻게 변하는지 서술하시오.

_____

(2) (1)에서 답한 결과를 통해 알 수 있는 사실을 쓰고, 그 까닭을 입자와 관련지어 서술하시오.

_____

3 (1) (가)와 (나)에서 물은 어떤 상태로 존재하는지 생각해 본다.
(2) (1)의 결과를 이용하여 물질의 상태 변화와 이때 일어나는 변화에 대해 알 수 있는 사실을 생각하여 서술한다.
→ 필수 용어: 상태 변화, 성질, 입자의 종류

Plus 문제 3-1

삼각 플라스크 속 물을 가열하여 끓을 때 일어나는 상태 변화와 삼각 플라스크의 구멍 밖에서 김이 생길 때 일어나는 상태 변화는 무엇인지 각각 서술하시오.

_____

단어 제시형

4 거푸집은 쇳물을 부은 후 굳혀서 금속 제품을 만들 때 사용하는 틀로, 거푸집의 크기는 실제 제품보다 조금 크게 만들어야 한다. 그 까닭을 다음 단어를 모두 포함하고 상태 변화의 종류와 관련지어 서술하시오.

> 입자 사이의 거리, 부피

_____

쉽고 정확하게!

개념 학습

02 상태 변화와 열에너지

>>> **개념 더하기**

A 열에너지를 *흡수하는 상태 변화❶

1. 물질의 가열 곡선 물질을 가열하면 온도가 점점 높아지다가 일정하게 유지되는 구간이 나타나며, 이 구간에서 물질의 상태 변화가 일어난다. └상태 변화가 일어난 후 온도가 다시 높아진다. 탐구 50쪽

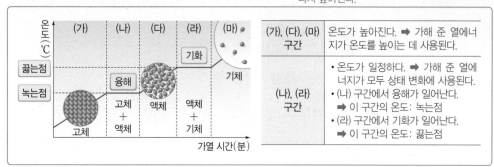

(가), (다), (마) 구간	온도가 높아진다. ➡ 가해 준 열에너지가 온도를 높이는 데 사용된다.
(나), (라) 구간	• 온도가 일정하다. ➡ 가해 준 열에너지가 모두 상태 변화에 사용된다. • (나) 구간에서 융해가 일어난다. ➡ 이 구간의 온도: 녹는점 • (라) 구간에서 기화가 일어난다. ➡ 이 구간의 온도: 끓는점

① 녹는점: 고체가 녹아 액체로 상태가 변하는 동안 일정하게 유지되는 온도❷❸

② 끓는점: 액체가 끓어 기체로 상태가 변하는 동안 일정하게 유지되는 온도❷❸

③ 녹는점과 끓는점에서 온도가 일정하게 유지되는 까닭: 물질의 상태가 변하는 동안 가해 준 열에너지가 모두 상태 변화 하는 데 사용되기 때문❹

2. 열에너지를 흡수하는 상태 변화와 입자 배열의 변화 물질이 열에너지를 흡수하면 입자 배열이 불규칙하게 변하면서 융해, 기화, 승화(고체 → 기체)가 일어난다. Beyond 특강 51쪽

열에너지	입자 운동	입자 배열	입자 사이의 거리	
흡수	활발해짐	불규칙해짐	멀어짐	융해, 기화, 승화(고체 → 기체)가 일어남

└입자 사이에 서로 잡아당기는 힘(입자 사이의 인력)은 약해진다.

B 열에너지를 *방출하는 상태 변화

1. 물질의 냉각 곡선 물질을 냉각하면 온도가 점점 낮아지다가 일정하게 유지되는 구간이 나타나며, 이 구간에서 물질의 상태 변화가 일어난다. └상태 변화가 일어난 후 온도가 다시 낮아진다. 탐구 50쪽

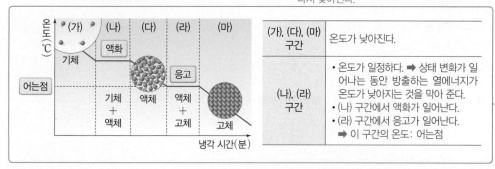

(가), (다), (마) 구간	온도가 낮아진다.
(나), (라) 구간	• 온도가 일정하다. ➡ 상태 변화가 일어나는 동안 방출하는 열에너지가 온도가 낮아지는 것을 막아 준다. • (나) 구간에서 액화가 일어난다. • (라) 구간에서 응고가 일어난다. ➡ 이 구간의 온도: 어는점

① 어는점: 액체가 얼어 고체로 상태가 변하는 동안 일정하게 유지되는 온도❸

② 어는점에서 온도가 일정하게 유지되는 까닭: 물질의 상태가 변하는 동안 열에너지를 방출하며, 이때 방출하는 열에너지가 온도가 낮아지는 것을 막아 주기 때문

③ 녹는점과 어는점의 관계: 한 물질의 녹는점과 어는점은 같다.

2. 열에너지를 방출하는 상태 변화와 입자 배열의 변화 물질이 열에너지를 방출하면 입자 배열이 규칙적으로 변하면서 응고, 액화, 승화(기체 → 고체)가 일어난다. Beyond 특강 51쪽

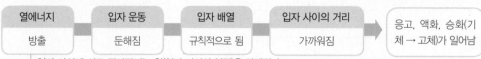

열에너지	입자 운동	입자 배열	입자 사이의 거리	
방출	둔해짐	규칙적으로 됨	가까워짐	응고, 액화, 승화(기체 → 고체)가 일어남

└입자 사이에 서로 잡아당기는 힘(입자 사이의 인력)은 강해진다.

❶ 열에너지
물체의 온도를 변화시키거나 물질의 상태 변화를 일으키는 에너지로, 물질의 온도가 높을수록, 물질의 상태가 고체<액체<기체 순으로 열에너지가 크다.

❷ 물질의 상태와 녹는점, 끓는점

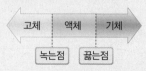

• 녹는점보다 낮은 온도: 고체 상태
• 녹는점과 끓는점 사이의 온도: 액체 상태
• 끓는점보다 높은 온도: 기체 상태
예 얼음의 녹는점: 0 ℃, 물의 끓는점: 100 ℃
➡ 0 ℃보다 낮은 온도에서는 고체 상태(얼음), 0 ℃~100 ℃에서는 액체 상태(물), 100 ℃보다 높은 온도에서는 기체 상태(수증기)로 존재한다.

❸ 녹는점, 어는점, 끓는점의 특징
• 물질의 종류에 따라 다르다.
• 같은 물질인 경우 물질의 양에 관계없이 일정하다.

❹ 종이컵으로 물 끓이기

종이컵에 물을 넣고 끓이면 물이 끓는 동안 물이 수증기로 기화하면서 열에너지를 흡수하므로 종이컵의 온도가 100 ℃로 유지된다. 따라서 가열해도 종이컵이 타지 않고 물을 끓일 수 있다.

용어 사전

***흡수**(마실 吸, 거둘 收)
빨아서 거두어들임

***방출**(놓을 放, 날 出)
비축하여 놓은 것을 내놓음

1 물질을 가열할 때 일어나는 변화에 대한 설명으로 옳은 것은 ○, 옳지 않은 것은 ×로 표시하시오.

(1) 녹는점과 끓는점에서는 열에너지를 흡수한다. ( )

(2) 녹는점에서는 물질이 고체 상태로만 존재한다. ( )

(3) 녹는점에서는 응고, 끓는점에서는 승화가 일어난다. ( )

(4) 고체가 녹아 액체로 상태가 변하는 동안 온도가 높아진다. ( )

(5) 액체를 가열하면 온도가 높아지다가 일정해지는 구간이 나타나는데, 이때의 온도를 끓는점이라고 한다. ( )

(6) 열에너지를 흡수하는 상태 변화가 일어날 때 입자 배열이 불규칙해진다. ( )

2 그림은 어떤 고체 물질의 가열 곡선이다.

(1) 각 구간에서 물질의 상태를 쓰시오.

• A 구간: (㉠   )

• B 구간: (㉡   )

• C 구간: (㉢   )

• D 구간: (㉣   )

• E 구간: (㉤   )

(2) 융해가 일어나는 구간과 기화가 일어나는 구간을 순서대로 쓰시오.

(3) (가)와 (나)의 온도를 각각 무엇이라고 하는지 쓰시오.

3 물질을 냉각할 때 일어나는 변화에 대한 설명이다. (   ) 안에 알맞은 말을 고르시오.

(1) 어는점에서는 (융해 , 응고 , 액화, 승화)가 일어난다.

(2) 액체를 냉각하면 온도가 낮아지다가 일정해지는 구간이 나타나며, 이때의 온도를 (녹는점 , 어는점, 끓는점)이라고 한다.

(3) 열에너지를 방출하는 상태 변화가 일어날 때 입자 배열은 (규칙적으로 변한다 , 불규칙해진다).

(4) 일반적으로 열에너지를 방출하는 상태 변화가 일어날 때 입자 사이의 거리가 (멀어진다 , 가까워진다).

4 그림은 어떤 기체 물질의 냉각 곡선이다.

(1) 각 구간에서 물질의 상태를 쓰시오.

• A 구간: (㉠   )

• B 구간: (㉡   )

• C 구간: (㉢   )

• D 구간: (㉣   )

• E 구간: (㉤   )

(2) 액화가 일어나는 구간과 응고가 일어나는 구간을 순서대로 쓰시오.

(3) (가)의 온도를 무엇이라고 하는지 쓰시오.

02 상태 변화와 열에너지

ⓒ 상태 변화에서 출입하는 열에너지의 이용

1. 상태 변화와 열에너지의 출입

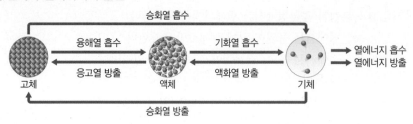

2. 상태 변화에서 출입하는 열에너지의 이용

① 열에너지를 흡수하는 상태 변화의 이용: 융해, 기화, 승화(고체 → 기체)가 일어날 때 물질이 주변으로부터 열에너지를 흡수한다. ➡ 주변의 온도가 낮아진다.

융해 (융해열 흡수)	• 얼음 조각상 옆에 있으면 얼음이 녹으면서 시원해진다. ● • 아이스박스에 얼음을 넣어 음료수를 시원하게 보관한다. • 생선 가게에서 생선에 얼음을 채워 신선하게 보관한다.	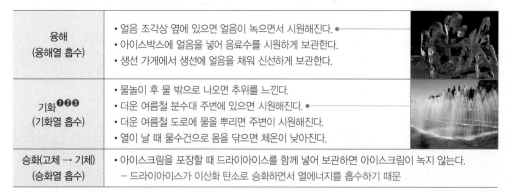
기화❶❷❸ (기화열 흡수)	• 물놀이 후 물 밖으로 나오면 추위를 느낀다. • 더운 여름철 분수대 주변에 있으면 시원해진다. ● • 더운 여름철 도로에 물을 뿌리면 주변이 시원해진다. • 열이 날 때 물수건으로 몸을 닦으면 체온이 낮아진다.	
승화(고체 → 기체) (승화열 흡수)	• 아이스크림을 포장할 때 드라이아이스를 함께 넣어 보관하면 아이스크림이 녹지 않는다. – 드라이아이스가 이산화 탄소로 승화하면서 열에너지를 흡수하기 때문	

② 열에너지를 방출하는 상태 변화의 이용: 응고, 액화, 승화(기체 → 고체)가 일어날 때 물질이 주변으로 열에너지를 방출한다. ➡ 주변의 온도가 높아진다.

응고 (응고열 방출)	• 액체 파라핀으로 찜질을 하여 통증을 줄인다. • 얼음집 안에 물을 뿌려 실내를 따뜻하게 한다. ● • 날씨가 추워지면 오렌지 나무에 물을 뿌려 오렌지의 *냉해를 막는다. • 겨울철 과일 창고에 물이 담긴 그릇을 놓아두어 과일이 어는 것을 막는다.	
액화 (액화열 방출)	• 목욕탕 안이 습기로 후텁지근하다. • 소나기가 내리기 전에는 후텁지근하다. ● • 커피 전문점에서 수증기를 이용하여 우유를 데운다. – 수증기가 액화하면서 방출하는 열로 우유를 데운다.	
승화(기체 → 고체) (승화열 방출)	• 눈이 내릴 때는 날씨가 포근해진다. – 공기 중의 많은 양의 수증기가 얼음으로 승화하면서 열에너지를 방출하기 때문	

3. 상태 변화에서 출입하는 열에너지를 이용하는 장치

에어컨	증기 난방기	냉장고
기화열 흡수 이용	액화열 방출 이용	기화열 흡수 이용
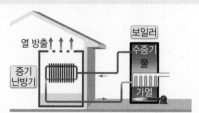		
• 실내기(증발기): 액체 냉매의 기화 ➡ 열에너지(기화열) 흡수 ➡ 실내 온도가 낮아짐 • 실외기(응축기): 기체 냉매의 액화 ➡ 열에너지(액화열) 방출 ➡ 주변의 온도가 높아짐	• 보일러: 물의 기화 ➡ 열에너지(기화열) 흡수 ➡ 주변의 온도가 낮아짐 • 증기 난방기: 수증기의 액화 ➡ 열에너지(액화열) 방출 ➡ 실내 온도가 높아짐	• 증발기: 액체 냉매의 기화 ➡ 열에너지(기화열) 흡수 ➡ 냉장고 내부의 온도가 낮아짐 • 응축기: 기체 냉매의 액화 ➡ 열에너지(액화열) 방출 ➡ 냉장고 뒷면의 온도가 높아짐

》》 개념 더하기

❶ 기화열 흡수의 예
• 사용하고 난 뷰테인 가스통이 차가워진다.
• 운동을 하고 난 후 땀을 흘리면 땀이 마르면서 시원해진다.
• 사막에서 시원한 물을 마시기 위해 가죽으로 만든 물통을 사용한다.

❷ 팟인팟 쿨러
전기가 들어오지 않는 지역에서 음식물을 보관하는 데 사용하는 제품이다. 큰 항아리와 작은 항아리 사이에 넣은 젖은 모래의 물이 기화하면서 항아리 안의 온도를 낮추므로 작은 항아리 안에 음식물을 신선하게 보관할 수 있다.

— 작은 항아리
— 젖은 모래
— 큰 항아리

❸ 동물의 체온 조절
• 사람은 땀을 흘리고, 이 땀이 기화하면서 열에너지(기화열)를 흡수하여 체온을 조절한다.
• 땀샘이 발달하지 않은 개는 혀를 내밀고, 돼지는 진흙 목욕을 하여 체온을 낮춘다. 이때 입 속 수분과 진흙의 수분이 기화하면서 열에너지(기화열)를 흡수한다.

용어 사전

*냉해(찰 冷, 해로울 害)
농작물이 성장하는 과정에서 필요한 것보다 기온이 낮아 생기는 농작물의 피해

5 그림은 물질의 상태 변화를 모형으로 나타낸 것이다. A~F의 과정에서 출입하는 열에너지의 종류와 출입을 쓰시오.

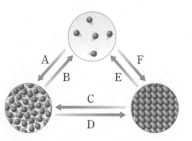

• A: (   )   • B: (   )
• C: (   )   • D: (   )
• E: (   )   • F: (   )

6 다음 현상이 일어날 때 출입하는 열에너지의 종류를 쓰시오.

(1) 비가 오기 전에는 날씨가 후텁지근하다.   (   )
(2) 여름철 얼음 조각상 근처에 있으면 시원하다.   (   )
(3) 수영을 하다 물 밖으로 나오면 추위를 느낀다.   (   )
(4) 몸에 열이 날 때 물수건으로 몸을 닦으면 열이 내린다.   (   )
(5) 추운 겨울 오렌지의 냉해를 막기 위해 오렌지 나무에 물을 뿌린다. (   )
(6) 아이스크림 포장을 할 때 드라이아이스를 함께 넣어 주면 아이스크림이 녹지 않는다.   (   )

7 상태 변화가 일어날 때 주변의 온도가 높아지는 경우는 '증가', 주변의 온도가 낮아지는 경우는 '감소'라고 쓰시오.

(1) 얼음집 안에 물을 뿌린다.   (   )
(2) 더운 여름철 도로에 물을 뿌린다.   (   )
(3) 목욕탕 안이 습기로 후텁지근하다.   (   )
(4) 생선 가게의 진열대에 얼음을 깔아 생선을 신선하게 보관한다.   (   )

8 상태 변화 과정에서 출입하는 열에너지를 이용하는 예에 대한 설명이다. (   ) 안에 알맞은 말을 고르시오.

(1) 알코올을 묻힌 솜으로 손등을 문지르면 알코올이 ㉠ (액화 , 기화)하면서 열에너지를 ㉡ (흡수 , 방출)하므로 주변의 온도가 ㉢ (높아 , 낮아)져 손등이 시원해진다.

(2) 에어컨의 실내기에서 액체 냉매가 ㉠ (액화 , 기화)하면서 열에너지를 ㉡ (흡수 , 방출)하므로 주변의 온도가 ㉢ (높아 , 낮아)져 실내 공기가 시원해진다.

(3) 증기 난방기에서 수증기가 ㉠ (액화 , 기화)하면서 열에너지를 ㉡ (흡수 , 방출)하므로 주변의 온도가 ㉢ (높아 , 낮아)져 실내가 따뜻해진다.

탐구하기 ● Ⓐ 상태 변화가 일어날 때의 온도 변화

정답과 해설 15쪽

목표 에탄올을 가열하고, 물을 냉각하면서 각각 온도 변화를 측정하여 에탄올의 끓는점과 물의 어는점을 찾아본다.

과 정

[유의점]
[실험 1]에서 에탄올은 불이 붙기 쉬우므로 물중탕으로 가열한다.

[실험 1] 에탄올을 가열할 때의 온도 변화

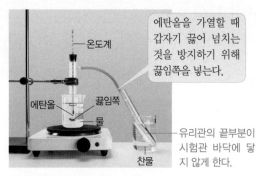

에탄올을 가열할 때 갑자기 끓어 넘치는 것을 방지하기 위해 끓임쪽을 넣는다.

온도계 / 에탄올 / 끓임쪽 / 물 / 찬물 / 유리관의 끝부분이 시험관 바닥에 닿지 않게 한다.

❶ 가지 달린 시험관에 에탄올을 $\frac{1}{4}$ 정도 넣고, 끓임쪽을 넣은 후 그림과 같이 장치한다.

❷ 에탄올을 물중탕으로 가열하면서 에탄올의 온도를 1분 간격으로 측정한다.

[실험 2] 물을 냉각할 때의 온도 변화

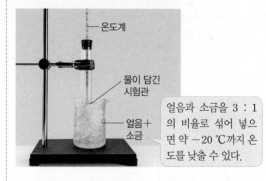

온도계 / 물이 담긴 시험관 / 얼음+소금

얼음과 소금을 3 : 1의 비율로 섞어 넣으면 약 −20 ℃까지 온도를 낮출 수 있다.

❶ 비커에 잘게 부순 얼음과 소금을 3 : 1의 비율로 넣어 섞는다.

❷ 시험관에 물을 $\frac{1}{3}$ 정도 넣고 과정 ❶의 비커에 넣은 후 그림과 같이 장치한다.

❸ 물의 온도를 1분 간격으로 측정한다.

결 과

• 시간에 따른 온도 변화 그래프

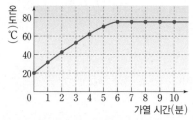

온도(℃) / 가열 시간(분)

➡ 온도가 서서히 높아지다가 78 ℃에서 온도가 일정하게 유지된다.

• 시간에 따른 온도 변화 그래프

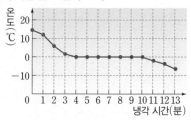

온도(℃) / 냉각 시간(분)

➡ 온도가 서서히 낮아지다가 0 ℃에서 온도가 일정하게 유지되며, 그 이후 다시 낮아진다.

정 리

• 0~6분 구간에서는 열에너지를 에탄올의 온도를 높이는 데 사용하므로 온도가 점점 높아진다.
• 6분 이후의 구간에서는 가해 준 열에너지를 모두 에탄올의 (㉠   )에 사용하므로 온도가 78 ℃로 일정하게 유지된다. ➡ 에탄올의 끓는점은 (㉡   )℃이고, 이 구간에서 (㉢   )을 흡수한다.

• 0~4분 구간에서는 온도가 점점 낮아진다.
• 4분~10분 구간에서는 물의 상태 변화(응고)가 일어나는 동안 방출하는 열에너지가 온도가 낮아지는 것을 막아 주므로 온도가 0 ℃로 일정하게 유지된다. ➡ 물의 어는점은 (㉣   )℃이고, 이 구간에서 (㉤   )을 방출한다.
• 10분 이후의 구간에서는 온도가 다시 낮아진다.

확인 문제

1 위 실험에 대한 설명으로 옳은 것은 ○, 옳지 않은 것은 ×로 표시하시오.

(1) [실험 1]에서 에탄올이 끓어 넘치는 것을 막기 위해 끓임쪽을 넣는다. (   )
(2) [실험 1]에서 6분 이후의 구간에서 융해가 일어나면서 융해열을 흡수한다. (   )
(3) [실험 2]에서 4분~10분 구간에서 응고가 일어나면서 응고열을 방출한다. (   )
(4) [실험 2]에서 4분~10분 구간에서는 물이 고체 상태로 존재한다. (   )

실전 문제

2 그림 (가)와 (나)는 각각 어떤 액체 물질의 가열 곡선과 냉각 곡선을 나타낸 것이다.

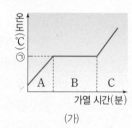

온도(℃) / ㉠ / A / B / C / 가열 시간(분) / (가)

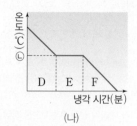

온도(℃) / ㉡ / D / E / F / 냉각 시간(분) / (나)

(가)와 (나)에서 상태 변화가 일어나는 구간을 각각 쓰고, ㉠, ㉡의 온도를 무엇이라고 하는지 쓰시오.

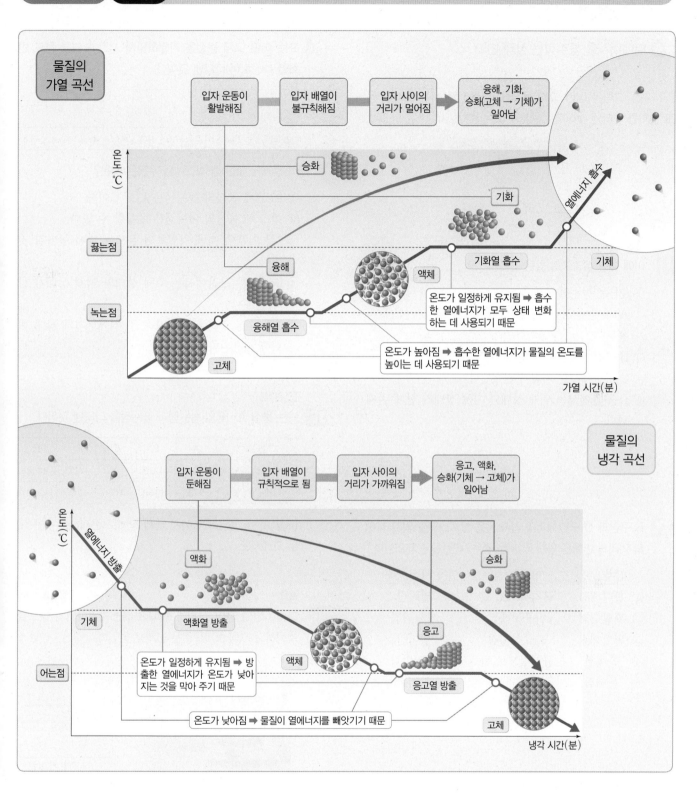

1 고체 물질의 가열·냉각 곡선 해석하기

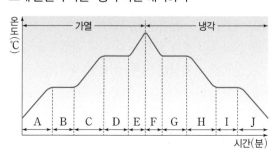

❶ 물질의 상태

· A, J: _____   · B, I: _____   · C, H: _____

· D, G: _____   · E, F: _____

❷ 상태 변화가 일어나는 구간과 그 구간에서 일어나는 상태 변화의 종류

_____

❸ B, D, I 구간의 온도

· B 구간: _____   · D 구간: _____   · I 구간: _____

A 열에너지를 흡수하는 상태 변화

[01~02] 그림은 어떤 고체 물질을 가열할 때 시간에 따른 온도 변화를 나타낸 것이다.

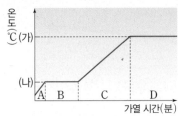

중요

01 이에 대한 설명으로 옳은 것은?

① (가)는 녹는점이고, (나)는 끓는점이다.
② A 구간에서는 흡수한 열에너지가 상태 변화에 사용된다.
③ B 구간에서는 응고가 일어난다.
④ C 구간에서는 기화가 일어난다.
⑤ D 구간에서는 액체 상태와 기체 상태가 함께 존재한다.

02 B 구간과 D 구간에서의 입자 운동, 입자 배열, 입자 사이의 거리의 변화를 옳게 짝 지은 것은? (단, 물은 제외한다.)

	입자 운동	입자 배열	입자 사이의 거리
①	활발해짐	규칙적으로 됨	멀어짐
②	활발해짐	불규칙해짐	가까워짐
③	활발해짐	불규칙해짐	멀어짐
④	둔해짐	규칙적으로 됨	가까워짐
⑤	둔해짐	불규칙해짐	멀어짐

03 그림은 물의 가열 곡선을 나타낸 것이다. 이에 대한 설명으로 옳지 않은 것은?

① 물의 끓는점은 100 °C이다.
② A 구간에서는 열에너지가 온도 변화에 사용된다.
③ A 구간에서는 열에너지를 방출한다.
④ B 구간에서는 기화열을 흡수한다.
⑤ B 구간에서는 물과 수증기가 함께 존재한다.

04 표는 어떤 고체 물질을 가열하면서 시간에 따른 온도 변화를 측정하여 나타낸 것이다.

가열 시간(분)	0	1	2	3	4	5	6	7
온도(°C)	20.5	31.7	37.6	40.7	42.1	43.8	43.8	43.8

이 결과에 대한 해석으로 옳지 않은 것은?

① 이 고체 물질의 녹는점은 43.8 °C이다.
② 이 고체 물질의 어는점은 예상할 수 없다.
③ 7분 이후에 계속 가열하면 온도는 다시 높아질 것이다.
④ 5분~7분 구간에서는 고체 상태와 액체 상태가 함께 존재한다.
⑤ 5분~7분 구간에서는 가해 준 열에너지가 상태 변화에 사용된다.

【주관식】

05 표는 물질 A~E의 녹는점과 끓는점을 나타낸 것이다.

물질	A	B	C	D	E
녹는점(°C)	−218	−210	0	−114	1358
끓는점(°C)	−183	−196	100	78	2862

물질 A~E 중 25 °C에서 액체 상태로 존재하는 것을 모두 고르시오.

중요 탐구 50쪽

06 그림 (가)와 같이 장치하고 에탄올을 가열하면서 온도를 측정하여 그림 (나)와 같은 결과를 얻었다.

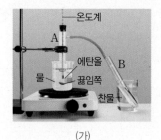
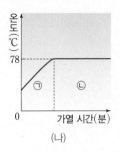

(가)   (나)

이에 대한 설명으로 옳은 것은?

① 에탄올의 녹는점은 78 °C이다.
② 에탄올이 빨리 끓게 하기 위해 끓임쪽을 넣는다.
③ 시험관 A에서는 기화, 시험관 B에서는 액화가 일어난다.
④ ㉠ 구간에서는 가해 준 열에너지가 에탄올의 상태 변화에 사용된다.
⑤ ㉡ 구간에서 에탄올은 모두 기체 상태로 존재한다.

ⓑ 열에너지를 방출하는 상태 변화

[07~08] 그림은 어떤 액체 물질을 냉각할 때 시간에 따른 온도 변화를 나타낸 것이다.

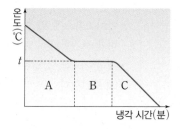

07 이에 대한 설명으로 옳은 것을 모두 고르면? (2개)

① 이 액체의 끓는점은 t ℃이다.
② A 구간에서는 액체 상태로 존재한다.
③ B 구간에서는 액화가 일어난다.
④ B 구간에서는 입자 배열이 규칙적으로 변한다.
⑤ C 구간에서는 2가지 상태가 함께 존재한다.

08 B 구간에서 일어나는 상태 변화를 모형으로 나타낸 것으로 옳은 것은?

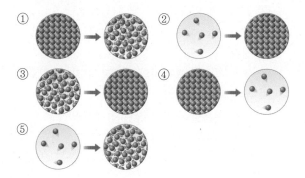

중요

09 그림은 어떤 고체 물질을 가열하여 녹인 후, 다시 냉각할 때의 온도 변화를 나타낸 것이다.

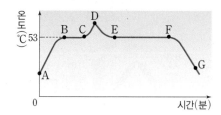

이에 대한 설명으로 옳지 <u>않은</u> 것은?

① AB 구간에서는 입자 배열이 규칙적이다.
② BC 구간에서는 융해열을 흡수하고, EF 구간에서는 응고열을 방출한다.
③ CD 구간과 DE 구간에서는 물질의 상태가 서로 다르다.
④ FG 구간에서는 입자 사이의 거리가 매우 가깝다.
⑤ 이 물질의 녹는점과 어는점은 53 ℃로 같다.

10 그림은 물질의 상태 변화를 모형으로 나타낸 것이다.

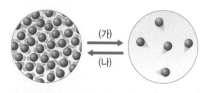

(가)와 (나)에서의 변화를 옳게 나타낸 것은?

		(가)	(나)
①	상태 변화	융해	응고
②	입자 운동	둔해짐	활발해짐
③	입자 배열	규칙적으로 됨	불규칙해짐
④	열에너지의 출입	방출	흡수
⑤	입자 사이의 거리	멀어짐	가까워짐

11 그림과 같이 얼음과 소금을 섞어 넣은 비커에 물이 들어 있는 시험관을 넣고 물의 온도 변화를 측정하였다. 이에 대한 설명으로 옳은 것은?

① 물의 온도가 계속 낮아진다.
② 물이 얼 때 열에너지를 방출한다.
③ 물의 어는점에서는 얼음만 존재한다.
④ 물이 어는 동안 입자 운동이 활발해진다.
⑤ 물의 온도가 일정하게 유지되는 구간에서 입자 배열이 불규칙해진다.

ⓒ 상태 변화에서 출입하는 열에너지의 이용

[주관식]

12 그림은 물질의 상태 변화를 모형으로 나타낸 것이다.

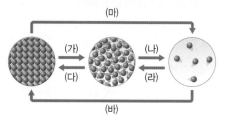

(가)~(바)에서 주변의 온도가 높아지는 상태 변화를 모두 쓰시오.

내신 잡기

중요

13 상태 변화가 일어날 때 출입하는 열에너지의 종류를 옳게 짝 지은 것은?

① 소나기가 내리기 전 날씨가 후텁지근하다. – 액화열
② 수영장에서 물 밖으로 나오면 춥게 느껴진다. – 융해열
③ 더운 여름날 얼음 조각상 옆에 있으면 시원하다. – 승화열
④ 추운 겨울철 과일 창고에 물 항아리를 놓아두면 과일이 어는 것을 막을 수 있다. – 기화열
⑤ 아이스크림을 포장할 때 드라이아이스를 함께 넣으면 아이스크림이 녹지 않는다. – 응고열

14 상태 변화가 일어날 때 출입하는 열에너지의 종류가 나머지와 다른 하나는?

① 더운 여름날 마당에 물을 뿌린다.
② 사용하고 난 후 뷰테인 가스통이 차가워진다.
③ 몸에 열이 날 때 수건에 물을 적셔 몸을 닦는다.
④ 추운 겨울날 화초에 물을 뿌려 화초가 어는 것을 방지한다.
⑤ 음료가 담긴 캔을 젖은 수건으로 감싸면 음료가 시원해진다.

15 다음은 고대 이집트인들이 시원한 물을 얻는 방법을 설명한 것이다.

> 고대 이집트인들은 시원한 물을 얻기 위해 굽지 않고 굳힌 흙그릇을 이용하였다. 굽지 않은 흙그릇에는 매우 작은 구멍이 있어서 물이 조금씩 새어 나온다. 이 흙그릇에 물을 가득 채우고 그 옆에서 부채질을 하면 흙그릇에 담긴 물이 시원해진다.

이때 이용하는 원리로 옳은 것은?

① 물이 기화하면서 열에너지를 흡수한다.
② 물이 기화하면서 열에너지를 방출한다.
③ 물이 액화하면서 열에너지를 흡수한다.
④ 물이 액화하면서 열에너지를 방출한다.
⑤ 물이 응고하면서 열에너지를 방출한다.

[주관식]

16 다음 현상들에서 공통으로 이용하는 열에너지의 종류를 쓰시오.

> • 아이스박스에 얼음을 채운 후 음식물을 넣어 시원하게 보관한다.
> • 생선 가게의 진열대에 얼음을 깔아 생선을 신선하게 보관한다.

17 그림과 같이 얼음집 안을 따뜻하게 하기 위해 얼음집 바닥에 물을 뿌린다. 이때 출입하는 열에너지와 같은 종류의 열에너지의 출입을 이용하는 현상은?

① 눈이 내릴 때 날씨가 포근해진다.
② 음료수에 얼음을 넣으면 시원해진다.
③ 알코올을 묻힌 솜으로 손등을 문지르면 시원해진다.
④ 추운 겨울철 오렌지의 냉해를 막기 위해 오렌지 나무에 물을 뿌린다.
⑤ 더운 여름날 냉방이 잘된 곳에서 밖으로 나오면 후텁지근하게 느껴진다.

중요

18 그림은 에어컨의 구조를 나타낸 것이다.

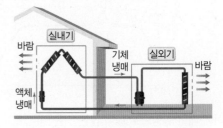

이에 대한 설명으로 옳은 것은?

① 실내기에서 액화열을 방출한다.
② 실외기에서 기화열을 흡수한다.
③ 실내기에서 액체 냉매가 응고한다.
④ 실외기에서 기체 냉매가 액체 냉매로 변한다.
⑤ 실내의 온도는 높아지고, 실외기에서는 찬 바람이 나온다.

>>> 실력의 완성!

서술형 문제

정답과 해설 17쪽

서술형 **Tip**

단계별 서술형

1 그림은 얼음의 가열 곡선을 나타낸 것이다.

(1) 상태 변화가 일어나는 구간을 모두 쓰고, 각 구간에서 일어나는 상태 변화의 종류와 그 구간에서 존재하는 물질의 상태를 각각 서술하시오.

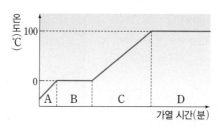

_____

_____

(2) B 구간과 D 구간에서 온도가 일정하게 유지되는 까닭을 서술하시오.

_____

_____

1 (1) 상태 변화가 일어날 때 온도 변화의 특징이 무엇인지 떠올려 본다.
(2) 가열해도 온도가 높아지지 않는 것으로부터 가해 준 열에너지가 어디에 쓰였는지 생각해 본다.
→ 필수 용어: 열에너지, 상태 변화

Plus 문제 **1-1**
B 구간과 D 구간의 온도를 무엇이라고 하는지 쓰고, 이 구간에서 입자 배열은 어떻게 변하는지 서술하시오.

_____

서술형

2 그림은 물질의 상태 변화를 모형으로 나타낸 것이다. A~F 중 다음 현상과 관계있는 상태 변화를 고르고, 이와 같은 현상이 나타나는 까닭을 상태 변화 및 열에너지 출입과 관련지어 서술하시오.

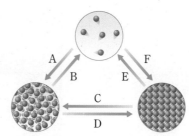

> 공연장에서 드라이아이스를 뿌린 무대 근처에 있으면 시원하다.

_____

2 드라이아이스의 상태 변화의 특징을 떠올려 보고, '시원해진다'는 것으로부터 열에너지가 흡수되는지 방출되는지를 알아내어 서술한다.
→ 필수 용어: 이산화 탄소, 승화, 승화열

단어 제시형

3 그림과 같이 같은 종류의 캔 음료 2개를 하나는 마른 휴지로 감싸고, 다른 하나는 물에 적신 휴지로 감싼 후 부채질을 하였다. 시간이 지난 후 2가지 캔 음료의 온도를 비교하고, 그 까닭을 다음 단어를 모두 포함하고 상태 변화의 종류와 관련지어 서술하시오.

마른 휴지   물에 적신 휴지

> 열에너지, 주변의 온도

_____

3 마른 휴지와 물에 적신 휴지에 부채질을 할 때 나타나는 현상을 생각하고, 이를 상태 변화와 연결해 본다.

서술형

4 그림은 증기 난방기의 구조를 나타낸 것이다. 증기 난방기가 실내를 따뜻하게 할 수 있는 까닭을 상태 변화 및 열에너지 출입과 관련지어 서술하시오.

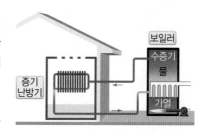

_____

_____

4 증기 난방기에서는 물과 수증기의 상태 변화를 이용한다는 것을 떠올린다.
→ 필수 용어: 수증기, 물, 액화열 방출

이 단원에서 학습한 내용을 확실히 이해했나요?
다음 내용을 잘 알고 있는지 확인해 보세요.

1 물질의 세 가지 상태와 입자 배열

- 고체: 모양과 부피가 모두 ❶□□하다, 압축되지 않는다, 흐르는 성질이 없다.
- ❷□□: 모양은 일정하지 않고, 부피는 일정하다, 거의 압축되지 않는다, 흐르는 성질이 있다.
- ❸□□: 모양과 부피가 모두 일정하지 않다, 압축이 잘된다, 흐르는 성질이 있다.
- 입자 운동의 활발한 정도: 고체<액체<기체
- 입자 배열의 규칙적인 정도: 고체❹□액체❺□기체
- 입자 사이의 거리: 고체<액체<기체

2 물질의 상태 변화

- ❶□□: 고체가 액체로 변하는 현상
  예 얼음이 녹아 물이 된다.
- ❷□□: 액체가 고체로 변하는 현상
  예 흘러내리던 촛농이 굳는다.
- ❸□□: 액체가 기체로 변하는 현상
  예 젖은 빨래가 마른다.
- ❹□□: 기체가 액체로 변하는 현상
  예 풀잎에 이슬이 맺힌다.
- ❺□□(고체 → 기체): 고체가 기체로 변하는 현상
  예 드라이아이스가 점점 작아진다.
- 승화(기체 → 고체): 기체가 고체로 변하는 현상
  예 냉동실에 성에가 생긴다.

3 상태 변화에 따른 여러 가지 변화

- 융해, 기화, 승화(고체 → 기체): 가열할 때 일어난다.
  - 입자 운동: ❶□□해진다.
  - 입자 배열: ❷□□□□해진다.
  - 입자 사이의 거리: 멀어진다.
  - 부피: 일반적으로 ❸□□한다.(물은 융해 시 감소)
  - 질량: 변하지 않는다.
- 응고, 액화, 승화(기체 → 고체): 냉각할 때 일어난다.
  - 입자 운동: ❹□해진다.
  - 입자 배열: 규칙적으로 변한다.
  - 입자 사이의 거리: 가까워진다.
  - 부피: 일반적으로 ❺□□한다.(물은 응고 시 증가)
  - 질량: 변하지 않는다.

4 열에너지를 흡수하는 상태 변화

- 가열 곡선: 온도가 점점 높아지다가 ❶□□해지는 구간이 나타나며, 이 구간에서 상태 변화가 일어난다.
- ❷□□□: 고체가 녹아 액체로 상태가 변하는 동안 일정하게 유지되는 온도
- ❸□□□: 액체가 끓어 기체로 상태가 변하는 동안 일정하게 유지되는 온도
- 녹는점과 끓는점에서 온도가 일정하게 유지되는 까닭: 물질의 상태가 변하는 동안 가해 준 열에너지가 모두 ❹□□ □□ 하는 데 사용되기 때문
- 열에너지를 ❺□□하는 상태 변화: 융해, 기화, 승화(고체 → 기체)

5 열에너지를 방출하는 상태 변화

- 냉각 곡선: 온도가 점점 낮아지다가 ❶□□해지는 구간이 나타나며, 이 구간에서 상태 변화가 일어난다.
- ❷□□□: 액체가 얼어 고체로 상태가 변하는 동안 일정하게 유지되는 온도
- 어는점에서 온도가 일정하게 유지되는 까닭: 물질의 상태가 변하는 동안 ❸□□하는 열에너지가 온도가 낮아지는 것을 막아 주기 때문
- 열에너지를 ❹□□하는 상태 변화: 응고, 액화, 승화(기체 → 고체)

6 상태 변화에서 출입하는 열에너지의 이용

- ❶□□□: 고체가 액체로 변할 때 흡수하는 에너지
- 응고열: 액체가 고체로 변할 때 방출하는 에너지
- ❷□□□: 액체가 기체로 변할 때 흡수하는 에너지
- 액화열: 기체가 액체로 변할 때 방출하는 에너지
- ❸□□□: 고체가 기체로 변할 때 흡수하는 에너지 또는 기체가 고체로 변할 때 방출하는 에너지
- 상태 변화가 일어날 때 주변의 온도 변화
  - 융해, 기화, 승화(고체 → 기체): ❹□아진다.
  - 응고, 액화, 승화(기체 → 고체): ❺□아진다.
- 에어컨은 기화열 흡수를 이용하여 실내를 시원하게 하고, 증기 난방기는 액화열 방출을 이용하여 실내를 따뜻하게 한다.

상 중 **하**

01 표는 물질의 세 가지 상태의 특징을 나타낸 것이다.

구분	(가)	(나)	(다)
모양	일정하지 않음	일정함	일정하지 않음
부피	일정함	일정함	일정하지 않음

25 ℃에서 (가)~(다) 상태에 해당하는 물질의 예를 옳게
짝 지은 것은?

	(가)	(나)	(다)
①	공기	밀가루	우유
②	소금	산소	식초
③	식초	설탕	수증기
④	아세톤	수소	얼음
⑤	모래	식용유	이산화 탄소

상 **중** 하

02 물질의 세 가지 상태에 대한 설명으로 옳은 것은?

① 액체는 쉽게 압축된다.
② 고체는 흐르는 성질이 있다.
③ 액체는 눈에 보이지 않는다.
④ 고체는 담는 그릇을 가득 채우는 성질이 있다.
⑤ 기체는 온도와 압력에 따라 부피가 쉽게 변한다.

【주관식】 상 중 **하**

03 그림은 물질의 상태 변화를 나타낸 것이다.

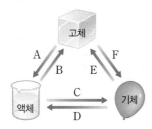

다음 현상에서 공통으로 일어나는 상태 변화를 A~F에
서 골라 쓰시오.

- 젖은 빨래가 마른다.
- 손에 뿌린 손 소독제가 사라진다.
- 염전에서 바닷물을 가두어 소금을 만든다.

상 중 **하**

04 상태 변화가 일어나는 현상이 아닌 것은?

① 뜨거운 차를 따를 때 하얀 김이 생긴다.
② 겨울철 높은 산에 있는 나무에 상고대가 생긴다.
③ 암모니아 기체를 물에 녹여 암모니아수를 만든다.
④ 추운 겨울날 얼어 있는 명태를 말려 황태를 만든다.
⑤ 영하의 날씨에 응달에 있는 눈사람의 크기가 점점
작아진다.

상 **중** 하

05 물질의 상태 변화와 그 예를 옳게 짝 지은 것은?

① 기화 – 쇳물이 식어 단단한 철이 된다.
② 융해 – 냉동실에 넣어 둔 얼음이 조금씩 작아진다.
③ 액화 – 뜨거운 라면을 먹을 때 안경이 뿌옇게 흐려
진다.
④ 응고 – 갓 구운 빵 위에 버터를 올려 두면 버터가
녹는다.
⑤ 승화(기체 → 고체) – 옷장 속에 넣어 둔 나프탈렌
의 크기가 작아진다.

상 **중** 하

06 그림은 양초가 타고 있는 모습을 나타낸
것이다. (가)~(다)에서와 같은 종류의 상
태 변화가 일어나는 예를 〈보기〉에서 골
라 옳게 짝 지은 것은?

보기
ㄱ. 아이스크림이 녹아 흘러내린다.
ㄴ. 가뭄이 들어 논바닥이 갈라진다.
ㄷ. 뜨거운 고깃국이 식으면 기름이 굳는다.
ㄹ. 차가운 음료가 담긴 컵의 표면에 물방울이 맺힌다.

	(가)	(나)	(다)			(가)	(나)	(다)
①	ㄱ	ㄴ	ㄷ		②	ㄱ	ㄴ	ㄹ
③	ㄱ	ㄷ	ㄴ		④	ㄴ	ㄱ	ㄹ
⑤	ㄷ	ㄹ	ㄱ					

[주관식]

07 다음은 우리 조상들이 곡물을 발효하여 얻은 탁한 술에서 맑은 술을 얻는 방법을 나타낸 것이다.

> 소줏고리의 아래쪽 솥에 곡물을 발효하여 얻은 탁한 술을 넣고 가열하면 끓는점이 낮은 에탄올이 먼저 끓어 나와 맑은 술이 되어 모인다.

찬물
소줏고리
탁한 술
맑은 술

이 과정에서 일어나는 상태 변화 2가지가 모두 일어나는 현상을 〈보기〉에서 모두 고르시오.

보기
ㄱ. 설탕을 녹인 후 공기 중에서 굳혀 솜사탕을 만든다.
ㄴ. 금속을 녹인 후 거푸집에 부어 금속 활자를 만든다.
ㄷ. 초콜릿을 녹인 후 원하는 모양의 틀에 부어 새로운 초콜릿을 만든다.
ㄹ. 흙탕물을 담은 그릇의 가운데에 컵을 놓고 그릇 위를 랩으로 느슨하게 덮어 두면 컵에 맑은 물이 모인다.

08 그림과 같이 고체 아이오딘이 들어 있는 비커 위에 찬물이 담긴 둥근바닥 플라스크를 올려놓고 가열하였다. A와 B에서와 같은 상태 변화가 일어나는 현상을 옳게 짝 지은 것은?

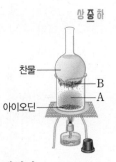

찬물
B
A
아이오딘

① A – 이른 새벽 풀잎에 이슬이 맺힌다.
② A – 손등에 바른 알코올이 사라진다.
③ A – 찌개를 끓이면 국물이 줄어든다.
④ B – 겨울철 유리창에 성에가 생긴다.
⑤ B – 드라이아이스의 크기가 점점 작아진다.

09 다음은 라면 수프를 만드는 원리를 설명한 것이다.

> 식품을 급속으로 냉동하여 식품 속의 물을 얼린 다음, 건조기에 넣어 내부 압력을 낮추어 얼음을 수증기로 만들어 제거한다.

이때 이용하는 상태 변화 2가지를 옳게 나타낸 것은?

① 융해, 응고
② 기화, 액화
③ 융해, 기화
④ 응고, 승화(고체 → 기체)
⑤ 액화, 승화(기체 → 고체)

10 그림은 물질의 세 가지 상태를 입자 모형으로 나타낸 것이다.

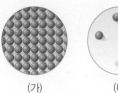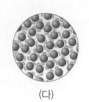

(가)   (나)   (다)

각 상태의 특징을 옳게 비교한 것은?

① 입자의 크기: (가)<(다)<(나)
② 입자 사이의 거리: (나)<(다)<(가)
③ 입자 운동의 빠르기: (가)<(나)<(다)
④ 입자 배열의 규칙적인 정도: (나)<(다)<(가)
⑤ 입자 사이에 서로 잡아당기는 힘: (가)<(다)<(나)

11 그림과 같이 지퍼 백에 드라이아이스 조각을 넣고 입구를 막은 후 변화를 관찰하였다. 이에 대한 설명으로 옳지 않은 것은?

드라이아이스

① 지퍼 백이 점점 부풀어 오른다.
② 드라이아이스 조각의 크기가 작아진다.
③ 드라이아이스에서 승화(고체 → 기체)가 일어난다.
④ 드라이아이스에서 상태 변화가 일어나면서 부피가 증가한다.
⑤ 드라이아이스에서 상태 변화가 일어나면서 입자 배열이 규칙적으로 변한다.

12 그림은 비커에 액체 양초와 물을 넣고 응고시킨 결과를 나타낸 것이다. 이 결과를 통해 양초와 물이 응고할 때의 부피 변화에 대한 설명으로 옳은 것은?

양초   얼음

① 모든 물질은 응고하면 부피가 증가한다.
② 모든 물질은 응고하면 부피가 감소한다.
③ 모든 물질은 응고해도 부피가 변하지 않는다.
④ 양초는 응고하면 부피가 증가하고, 물은 응고하면 부피가 감소한다.
⑤ 양초는 응고하면 부피가 감소하고, 물은 응고하면 부피가 증가한다.

[13~14] 비커에 들어 있는 물에 푸른
색 염화 코발트 종이를 대어 본 후, 그
림과 같이 비커 위에 얼음이 담긴 시계
접시를 올려놓고 가열한 다음, 시계 접
시 아랫부분에 푸른색 염화 코발트 종
이를 대어 보았다.

얼음
시계 접시
물

상중하

13 A에서 일어나는 상태 변화를 입자 배열의 변화로 옳게
나타낸 것은?

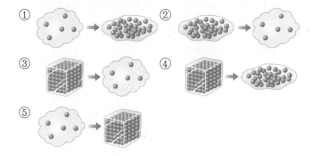

① ② ③ ④ ⑤

상중하

14 이 실험으로 알 수 있는 사실은?
① 상태 변화가 일어나면 물질의 부피가 변한다.
② 상태 변화가 일어나면 입자의 크기가 변한다.
③ 상태 변화가 일어나도 물질의 성질은 변하지 않는다.
④ 상태 변화가 일어나도 물질의 질량은 변하지 않는다.
⑤ 상태 변화가 일어나도 입자의 배열 상태는 변하지
않는다.

상중하

15 물질의 상태 변화가 일어날 때 변하는 것과 변하지 않는
것을 옳게 짝 지은 것은?

변하는 것	변하지 않는 것
① 입자의 배열	입자의 운동
② 물질의 부피	물질의 성질
③ 물질의 질량	물질의 부피
④ 입자의 종류	입자의 개수
⑤ 입자의 크기	입자 사이의 거리

[16~17] 그림은 어떤 고체 물질을 가열할 때 시간에 따른 온도
변화를 나타낸 것이다.

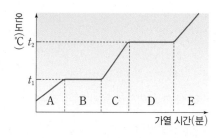
온도(℃)
t_2
t_1
A B C D E
가열 시간(분)

상중하

16 이에 대한 설명으로 옳은 것은?
① t_1은 녹는점이고, t_2는 어는점이다.
② A, C, E 구간에서의 물질의 질량과 부피는 모두
같다.
③ B 구간은 D 구간보다 부피가 크게 증가한다.
④ B와 D 구간에서 가해 준 열에너지는 상태 변화에
사용된다.
⑤ C 구간에서 고체 상태와 액체 상태가 함께 존재한다.

자료 분석 | 정답과 해설 19쪽

[주관식]　　　　　　　　　　　　　　　상중하
17 다음 현상들과 관계있는 열에너지가 출입하는 구간을 쓰
시오.

• 열이 날 때 물수건으로 몸을 닦으면 열이 내린다.
• 사막의 유목민들은 시원한 물을 마시기 위해 가죽으
로 만든 물통을 사용한다.

상중하

18 그림은 에탄올의 끓는점
을 측정하는 실험 장치를
나타낸 것이다. 이에 대
한 설명으로 옳지 않은
것은?

온도계
A
에탄올
물
에탄올
끓임쪽
B
찬물

① 에탄올은 불이 붙기 쉬운 물질이므로 물중탕으로
가열한다.
② 에탄올이 갑자기 끓어 넘치는 것을 방지하기 위해
끓임쪽을 넣는다.
③ 시험관 A에서는 에탄올의 기화, 시험관 B에서는
에탄올의 액화가 일어난다.
④ 시험관 A에서는 에탄올 입자의 운동이 활발해진다.
⑤ 시험관 B에서는 에탄올 입자 사이의 거리가 멀어
진다.

[19~20] 그림은 어떤 액체 물질을 냉각할 때 시간에 따른 온도 변화를 나타낸 것이다.

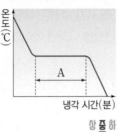

19 A 구간에 대한 설명으로 옳지 <u>않은</u> 것은?

① 응고가 일어난다.
② 입자 운동이 둔해진다.
③ 입자 배열이 불규칙해진다.
④ A 구간의 온도를 어는점이라고 한다.
⑤ 방출하는 열에너지가 온도가 낮아지는 것을 막아 준다.

20 A 구간에서 출입하는 열에너지와 관계있는 현상은?

① 더운 여름날 마당에 물을 뿌린다.
② 목욕탕 안이 습기로 후텁지근하다.
③ 여름철 얼음 조각상 근처에 있으면 시원하다.
④ 얼음집 내부에 물을 뿌려 내부를 따뜻하게 한다.
⑤ 물놀이를 하다 물 밖으로 나오면 추위를 느낀다.

21 그림과 같이 장치하고 액체 스테아르산을 냉각하면서 일정한 시간 간격으로 온도를 측정하였다. 실험 결과를 그래프로 옳게 나타낸 것은? (단, 스테아르산의 어는점은 69 ℃이다.)

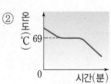

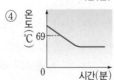

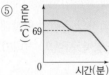

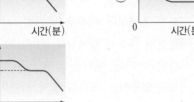

[22~23] 그림은 물질의 상태 변화를 모형으로 나타낸 것이다.

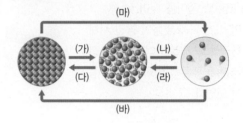

22 (가)~(바)에서 출입하는 열에너지를 옳게 짝 지은 것은?

① (가) - 응고열   ② (나) - 기화열
③ (다) - 액화열   ④ (라) - 승화열
⑤ (바) - 융해열

23 (가)~(바)에 대한 설명으로 옳지 <u>않은</u> 것은?

① (가)에서 열에너지를 흡수하여 입자 운동이 활발해진다.
② (나)에서 입자가 가지는 열에너지가 많아진다.
③ (다)에서 방출한 열에너지가 온도가 낮아지는 것을 막아 준다.
④ (라)에서 열에너지를 흡수하여 주변의 온도가 낮아진다.
⑤ (바)에서 열에너지를 방출하여 입자 사이의 거리가 가까워진다.

24 다음은 물을 뿌렸을 때 일어나는 상태 변화에서 출입하는 열에너지를 이용하는 2가지 현상을 나타낸 것이다.

> (가) 더운 여름날 도로에 물을 뿌리면 시원하다.
> (나) 추운 겨울날 오렌지의 냉해를 막기 위해 오렌지 나무에 물을 뿌린다.

이에 대한 설명으로 옳은 것을 〈보기〉에서 모두 고른 것은?

> 보기
> ㄱ. (가)와 (나)에서 모두 응고가 일어난다.
> ㄴ. (가)에서는 열에너지를 흡수하고, (나)에서는 열에너지를 방출한다.
> ㄷ. (가)에서는 주변의 온도가 낮아지고, (나)에서는 주변의 온도가 높아진다.

① ㄴ   ② ㄷ   ③ ㄱ, ㄴ
④ ㄱ, ㄷ   ⑤ ㄴ, ㄷ

25 상태 변화가 일어날 때 열에너지의 출입 방향이 나머지와 <u>상</u><u>중</u><u>하</u> 다른 하나는?

① 열이 날 때 물수건으로 몸을 닦는다.
② 더운 여름에 분수대 근처에 있으면 시원하다.
③ 아이스박스에 얼음을 채워 음료수를 차갑게 보관한다.
④ 액체 파라핀에 손을 넣어 통증을 줄이는 온열 치료를 한다.
⑤ 아이스크림을 포장할 때 상자 안에 드라이아이스를 넣어 준다.

26 다음은 냉장고 역할을 하는 팟인팟 쿨러에 대한 설명이다. <u>상</u><u>중</u><u>하</u>

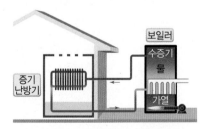

2개의 항아리 사이에 물에 젖은 모래를 넣어 만든 것으로, 전기가 들어오지 않는 곳에서 음식물을 신선하게 보관할 수 있다.

작은 항아리
젖은 모래
큰 항아리

팟인팟 쿨러의 냉장 효과를 좋게 하는 방법으로 옳은 것은?

① 젖은 모래의 양을 줄인다.
② 젖은 수건으로 항아리를 덮는다.
③ 젖은 모래 대신 마른 솜을 사용한다.
④ 젖은 모래 대신 마른 모래를 사용한다.
⑤ 젖은 모래를 제거하여 항아리 사이를 빈 공간으로 만든다.

27 그림은 증기 난방기의 구조를 나타낸 것이다. <u>상</u><u>중</u><u>하</u>

증기 난방기와 보일러에서의 열에너지 출입을 옳게 짝 지은 것은?

	증기 난방기	보일러
①	융해열 흡수	응고열 방출
②	응고열 방출	융해열 흡수
③	기화열 흡수	액화열 방출
④	액화열 방출	기화열 흡수
⑤	승화열 방출	기화열 흡수

28 그림과 같이 주사기에 물과 공기를 각각 넣고, 주사기 끝 <u>상</u><u>중</u><u>하</u> 을 고무마개로 막은 후 같은 크기의 힘으로 피스톤을 눌렀다.

피스톤
물
공기

물과 공기 중 압축이 잘되는 물질을 쓰고, 그 까닭을 입자 사이의 거리를 이용하여 서술하시오.

_____

_____

29 그림과 같이 지퍼 백에 에탄올을 조금 넣고 입구를 밀봉 <u>상</u><u>중</u><u>하</u> 한 후 뜨거운 물이 들어 있는 수조에 담갔다가 꺼냈더니 지퍼 백이 부풀어 올랐다.

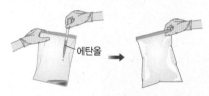

에탄올

이와 같은 결과가 나타나는 까닭을 상태 변화의 종류 및 입자 사이의 거리 변화와 관련지어 서술하시오.

_____

_____

30 그림은 에어컨의 구조를 나타낸 것이다. <u>상</u><u>중</u><u>하</u>

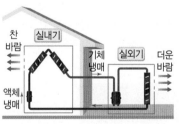

찬 바람
실내기
기체 냉매
실외기
더운 바람
액체 냉매

에어컨의 실내기에서는 찬 바람이 나오고, 실외기에서는 더운 바람이 나오는 원리를 냉매의 상태 변화와 출입하는 열에너지를 이용하여 서술하시오.

_____

_____

VI

빛과 파동

제목으로
미리보기

01 빛과 색

64~69쪽

우리가 물체를 보려면 빛이 있어야 합니다. 이 단원에서는 물체를 보는 과정을 빛의 경로를 이용하여 이해하도록 합니다. 또한, 빛의 삼원색인 빨간색, 초록색, 파란색 빛을 합성하여 다양한 색의 빛을 만들 수 있다는 것을 알고, 영상 장치에서 색이 표현되는 원리를 알아본답니다.

02 거울과 렌즈

70~81쪽

물체를 보기 위해서는 빛이 필요한데, 빛은 거울을 만나면 반사하고 렌즈를 지나갈 때는 굴절합니다. 이 단원에서는 여러 가지 거울과 렌즈에 의해 나타나는 상을 관찰하여 상의 특징을 비교하고, 평면거울에서 상이 생기는 원리를 알아본답니다.

03 파동과 소리

82~89쪽

물체가 진동하면 소리가 나며 소리는 공기의 진동으로 전달됩니다. 이렇게 어떤 곳에서 생긴 진동이 주위로 전달되는 것을 파동이라고 하는데, 파동에는 횡파와 종파가 있으며 소리는 종파에 해당합니다. 이 단원에서는 소리의 특징을 진폭, 진동수, 파형으로 설명할 수 있도록 알아본답니다.

1 | 평면거울에 비친 물체의 모습 ⟩⟩⟩ 초등학교 4학년 그림자와 거울

- 거울에 비친 물체의 색깔은 실제 물체와 (❶   ).
- 거울에 비친 물체는 실제 물체와 상하는 바뀌어 보이지 않지만 (❷   )는 바뀌어 보인다.

2 | 볼록 렌즈를 통과한 빛의 진행 경로 ⟩⟩⟩ 초등학교 6학년 빛과 렌즈

볼록 렌즈에 레이저 지시기의 빛을 비추고 분무기로 물을 뿌려 빛이 나아가는 모습을 관찰한다.
➡ 곧게 나아가던 레이저 지시기의 빛이 볼록 렌즈의 가장자리를 통과하면 볼록 렌즈의 두꺼운 가운데 부분으로 (❸   ) 나아 간다.

3 | 물체에서 소리가 날 때의 공통점 ⟩⟩⟩ 초등학교 3학년 소리의 성질

▲ 소리가 나지 않는 스피커에 손을 대 보기　▲ 소리가 나는 스피커에 손을 대 보기　▲ 소리가 나지 않는 소리 굽쇠를 물에 대 보기　▲ 소리가 나는 소리굽쇠를 물에 대 보기

- 소리가 나는 스피커에 손을 대 보면 손에서 (❹   )이 느껴진다.
- 소리가 나는 소리굽쇠를 물에 대 보면 소리굽쇠의 떨림 때문에 물이 (❺   ).
➡ 소리는 물체의 떨림에 의해 발생한다. 따라서 소리가 나는 물체를 떨리지 않게 하면 더 이상 소리가 나지 않는다.

정답 ❶ 같다 ❷ 좌우 ❸ 꺾여 ❹ 떨림 ❺ 튀어 오른다

01 빛과 색

A 물체를 보는 과정

1. **광원** 스스로 빛을 내는 물체❶ 예 태양, 전등, 반딧불이, 촛불, 영상 장치의 화면 등

2. **빛의 직진** 광원에서 나온 빛이 한 물질 내에서 곧게 나아가는 현상
   - 빛의 직진에 의한 현상: 그림자❷, 일식, 월식, 나무 사이로 들어오는 햇빛 등

3. **물체를 보는 과정** 물체에서 나오거나 *반사된 빛이 눈에 들어오면 물체를 볼 수 있다.

   ① 광원인 물체를 볼 때: 광원에서 나온 빛이 직접 눈에 들어오면 물체를 보게 된다.

   ② 광원이 아닌 물체를 볼 때: 광원에서 나온 빛이 물체에서 반사되어 눈에 들어오면 물체를 보게 된다.

▲ 물체를 보는 과정

B 빛의 합성

1. **빛의 합성** 두 가지 색 이상의 빛이 합쳐져서 또 다른 색의 빛으로 보이는 현상

   ① 빛의 삼원색: 빨간색, 초록색, 파란색

   [빛의 삼원색의 합성]

   - 빨간색+초록색=노란색
   - 빨간색+파란색=자홍색
   - 초록색+파란색=청록색
   - 빨간색+초록색+파란색=흰색
   - 빛의 삼원색을 적절하게 합성하면 다양한 색의 빛을 만들 수 있다.
   - 빛은 합성할수록 밝아지며, 빛의 삼원색을 고르게 합성하면 흰색(백색광❸)이 된다.

   두 가지 색의 빛을 합성하여 흰색이 될 때 이 두 색을 보색 관계라고 한다.
   예 빨간색과 청록색, 초록색과 자홍색, 파란색과 노란색은 서로 보색 관계이다.

   ---

   ② 빛의 합성의 이용: 영상 장치의 화면, 점묘화❹, 무대 조명 등 ┌── 텔레비전, 컴퓨터 모니터, 휴대 전화, 전광판 등

   [영상 장치에서 색이 표현되는 원리]

   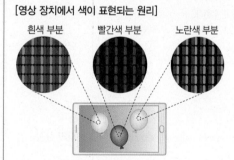

   흰색 부분   빨간색 부분   노란색 부분

   - *화소: 영상 장치의 화면을 구성하고 있는 최소 단위의 색 점으로, 빨간색, 초록색, 파란색 빛을 내는 부분이 모여 하나의 화소를 이룬다.
   - 영상 장치에서는 각 화소에서 나오는 빛을 합성하여 화면에 다양한 색을 표현한다.
     예 흰색 부분: 각 화소에서 빨간색, 초록색, 파란색 빛이 모두 켜진다.
     예 빨간색 부분: 각 화소에서 빨간색 빛만 켜진다.
     예 노란색 부분: 각 화소에서 빨간색, 초록색 빛만 켜진다.

   ---

2. **물체의 색** 물체는 그 물체가 반사하는 빛의 색으로 보인다. ➡ 모든 색의 빛을 반사하면 흰색으로 보이고, 반사하는 빛이 없으면 검은색으로 보인다. (Beyond 특강 66쪽)
   - 조명에 따른 물체의 색 노란색 물체는 빨간색과 초록색 빛을 반사하므로 노란색 바나나는 조명의 색에 따라 다양한 색으로 보인다.

백색광 조명 아래에서 보는 바나나	빨간색 조명 아래에서 보는 바나나	파란색 조명 아래에서 보는 바나나	청록색 조명 아래에서 보는 바나나
빨간색과 초록색 빛을 반사하여 노란색으로 보인다.	빨간색 빛만 반사하여 빨간색으로 보인다.	반사하는 빛이 없으므로 검은색으로 보인다.	초록색 빛만 반사하여 초록색으로 보인다.

개념 더하기

❶ 광원이 아닌 달
달은 스스로 빛을 내지 못하고 태양으로부터 받은 빛을 반사하여 빛이 나는 것처럼 보이는 물체이다.

❷ 그림자
직진하는 빛을 차단하면 그 차단된 곳은 어둡게 그늘이 지는데, 이를 그림자라고 한다. 일식은 달이 직진하는 태양 빛을 가려서 나타나는 현상이고, 월식은 직진하는 태양 빛이 지구에 가려져 만들어진 그림자 속으로 달이 들어가는 현상이다.

❸ 백색광
흰색 빛을 백색광이라고 한다. 빛의 삼원색을 모두 합성하거나 모든 색의 빛을 합성하면 백색광이 되며, 프리즘을 이용하면 백색광을 여러 가지 색의 빛으로 나눌 수 있다.

백색광
프리즘

❹ 점묘화
물감을 섞지 않고 원색의 물감으로 점을 찍어 그린 그림이다. 각 점에서 반사된 빛이 합성되므로 밝은 느낌의 그림으로 보인다.

용어 사전

*반사(돌아올 反, 쏠 射)
일정한 방향으로 나아가던 빛이 다른 물체의 표면에 부딪혀 방향이 바뀌는 현상

*화소(그림 畵, 본디 素, pixel)
텔레비전, 컴퓨터 모니터 등과 같은 영상 장치의 화면에서 영상을 표현하는 가장 작은 점

핵심 Tip
· 광원: 스스로 빛을 내는 물체
· 광원이 아닌 물체를 볼 수 있는 것은 광원에서 나온 빛이 물체에서 반사되어 우리 눈에 들어오기 때문이다.
· 빛의 합성: 두 가지 이상의 빛이 합쳐져서 또 다른 색의 빛으로 보이는 현상
· 빛의 삼원색: 빨간색, 초록색, 파란색
· 영상 장치의 화면은 빨간색, 초록색, 파란색 빛을 내는 최소 단위의 색 점인 화소로 이루어져 있다.
· 우리 눈에 보이는 물체의 색은 물체에서 반사된 빛의 색이다.

1 다음과 같은 현상을 설명할 수 있는 빛의 성질을 쓰시오.

> · 태양이 가려지는 일식 현상이 생긴다.
> · 숲 속에서 나무 사이로 들어온 햇빛이 곧게 나아간다.
> · 빛이 나아가다가 물체에 막히면 물체 뒤쪽에 그림자가 생긴다.

2 다음은 물체를 보는 원리에 대한 설명이다. ㉠~㉢에 알맞은 말을 쓰시오.

> · 광원을 볼 때는 광원에서 나온 (㉠   )이 우리 눈에 들어오면 광원을 볼 수 있다.
> · 광원이 아닌 물체를 볼 때는 광원에서 나온 (㉡   )이 물체에서 (㉢   ) 되어 우리 눈에 들어오면 물체를 볼 수 있다.

원리 Tip   Ⓐ-2
물체를 보는 과정에서 빛의 진행 경로
· 광원을 볼 때: 광원 → 눈
· 광원이 아닌 물체를 볼 때: 광원 → 물체 → 눈

3 빛의 삼원색과 빛의 합성에 대한 설명으로 옳은 것은 ○, 옳지 않은 것은 ×로 표시하시오.

(1) 빛은 합성할수록 밝아진다. ( )
(2) 빛의 삼원색은 빨간색, 초록색, 노란색이다. ( )
(3) 빨간색과 노란색 빛을 적절히 합성하면 흰색 빛을 만들 수 있다. ( )
(4) 빛의 삼원색을 합성하여 만들 수 있는 색의 빛은 총 7가지이다. ( )

4 영상 장치의 어떤 부분을 확대했더니 다음과 같이 각 화소에 빛이 켜져 있었다. 각 부분이 보이는 색을 쓰시오.

(1)

파란색 빛만 켜진다.

(2)

초록색, 파란색 빛이 켜진다.

(3)

빨간색, 초록색, 파란색 빛이 켜진다.

원리 Tip   Ⓑ-1
영상 장치에서 화소를 이용한 색의 표현
· 화면의 색: 화소 안의 빨간색, 초록색, 파란색 빛의 밝기를 다르게 하거나, 꺼지거나 켜지게 하여 다양한 색을 표현한다.
· 화면의 밝기: 같은 색을 표현하더라도 불이 켜진 화소의 수가 많으면 밝은 색을, 불이 켜진 화소의 수가 적으면 어두운 색을 표현한다.

5 물체가 보이는 색에 대한 설명이다. ( ) 안에 알맞은 말을 고르시오.

(1) 빨간색 사과에 빨간색 조명을 비추면 사과는 (빨간색 , 검은색 , 흰색)으로 보인다.
(2) 빨간색 사과에 노란색 조명을 비추면 사과는 (빨간색 , 검은색 , 노란색)으로 보인다.
(3) 빨간색 사과에 파란색 조명을 비추면 사과는 (빨간색 , 검은색 , 파란색)으로 보인다.

[조명에 따른 물체의 색을 찾는 방법]
우리 눈에 보이는 물체의 색은 조명에 포함된 빛의 색과 물체가 반사하는 빛의 색 중 공통적으로 포함된 색이다.

❶ 빛의 삼원색 중 햇빛(백색광) 아래에서 물체가 반사하는 빛의 색을 찾는다.

노란색 바나나는 빨간색과 초록색 빛을 반사한다.

❷ 빛의 삼원색 중 조명에 포함된 빛의 색을 찾는다.

청록색 조명에는 파란색과 초록색 빛이 포함되어 있다.

❸ 물체는 ❶, ❷에 모두 포함된 빛의 색으로 보인다. 모두 포함된 색이 없다면 물체는 검은색으로 보인다.

바나나는 ❶, ❷에 공통적으로 포함된 초록색 빛만 반사하여 초록색으로 보인다.

---

1 햇빛(백색광) 아래에서 ⑴~⑹과 같이 빛을 반사하는 물체들이 있다. 각 물체들에 다양한 색의 조명을 비출 때 물체가 보이는 색을 각각 쓰시오.

햇빛	빨간색 조명	초록색 조명	파란색 조명	노란색 조명 (빨간색＋초록색)	청록색 조명 (초록색＋파란색)	자홍색 조명 (빨간색＋파란색)
⑴ 빨간색 사과 / 빨간색 빛 반사	(㉠)	(㉡)	(㉢)	(㉣)	(㉤)	(㉥)
⑵ 초록색 잎 / 초록색 빛 반사	(㉠)	(㉡)	(㉢)	(㉣)	(㉤)	(㉥)
⑶ 파란색 풍선 / 파란색 빛 반사	(㉠)	(㉡)	(㉢)	(㉣)	(㉤)	(㉥)
⑷ 노란색 바나나 / 빨간색, 초록색 빛 반사	(㉠)	(㉡)	(㉢)	(㉣)	(㉤)	(㉥)
⑸ 청록색 옷 / 초록색, 파란색 빛 반사	(㉠)	(㉡)	(㉢)	(㉣)	(㉤)	(㉥)
⑹ 자홍색 양말 / 빨간색, 파란색 빛 반사	(㉠)	(㉡)	(㉢)	(㉣)	(㉤)	(㉥)

A 물체를 보는 과정

01 그림은 달에 의해 태양 빛이 가려지는 일식 현상을 나타낸 것이다. 이러한 현상은 빛의 어떤 성질 때문에 나타나는가?

① 빛의 합성　　② 빛의 굴절　　③ 빛의 분산
④ 빛의 직진　　⑤ 빛의 반사

02 물체를 보는 것에 대한 설명으로 옳은 것을 〈보기〉에서 모두 고른 것은?

보기
ㄱ. 물체를 보려면 광원이 필요하다.
ㄴ. 달을 보는 것은 광원을 보는 것이다.
ㄷ. 광원이 물체를 비출 때 물체에서 반사된 빛이 우리 눈에 들어오면 그 물체를 볼 수 있다.

① ㄱ　　　　② ㄴ　　　　③ ㄱ, ㄴ
④ ㄱ, ㄷ　　⑤ ㄴ, ㄷ

중요 【주관식】
03 다음은 물체를 볼 때 빛의 이동 경로에 대한 설명이다.

그림의 (가), (나)는 물체를 볼 때 빛의 이동 경로를 나타낸 것이다.

(　㉠　)는 광원인 전등을 볼 때 빛의 이동 경로를 나타낸 것이고, (　㉡　)는 광원이 아닌 책을 볼 때 빛의 이동 경로를 나타낸 것이다.

㉠, ㉡에 알맞은 말을 쓰시오.

04 물체를 보는 과정이 나머지와 <u>다른</u> 하나는?

① 전광판을 본다.
② 텔레비전 화면을 본다.
③ 휴대 전화 화면을 본다.
④ 밤하늘에 떠 있는 달을 본다.
⑤ 밤하늘에 떠다니는 반딧불이를 본다.

05 우리가 물체를 볼 수 있는 까닭으로 옳은 것은?

① 물체가 빛을 합성시키기 때문이다.
② 모든 물체가 스스로 빛을 내기 때문이다.
③ 광원에서 나온 빛이 물체에서 반사된 후 우리 눈에 들어오기 때문이다.
④ 광원에서 나온 빛과 우리 눈에서 나온 빛이 한곳에서 만나기 때문이다.
⑤ 우리 눈에서 나온 빛이 물체에서 반사된 후 다시 우리 눈에 들어오기 때문이다.

B 빛의 합성

중요
06 그림과 같이 스크린에 빨간색, 초록색, 파란색 빛을 조금씩 겹치게 비추었다.

이에 대한 설명으로 옳지 <u>않은</u> 것은?

① A는 자홍색이다.
② B는 노란색이다.
③ C는 청록색이다.
④ D는 검은색이다.
⑤ A와 초록색 빛을 합성하면 흰색 빛을 만들 수 있다.

중요

07 빛의 합성에 대한 설명으로 옳은 것을 〈보기〉에서 모두 고른 것은?

┌─ 보기 ─
ㄱ. 빛은 합성할수록 밝아진다.
ㄴ. 빨간색과 초록색 빛을 같은 밝기로 합성하면 노란색 빛이 된다.
ㄷ. 백색광을 프리즘에 통과시키면 빛의 합성에 의해 여러 가지 색의 빛으로 나누어진다.
ㄹ. 텔레비전, 컴퓨터 모니터, 휴대 전화와 같은 영상 장치의 화면은 빛의 합성을 이용한다.
└─────

① ㄷ　　　　② ㄱ, ㄴ　　　　③ ㄷ, ㄹ
④ ㄱ, ㄴ, ㄹ　　⑤ ㄱ, ㄴ, ㄷ, ㄹ

중요

08 그림과 같이 컴퓨터 모니터에 나타난 노란색 피망을 휴대 전화의 확대경 어플리케이션을 이용해 자세히 보려고 한다.

이때 관찰된 화소의 모습으로 옳은 것은?

①
빨간색
빛만 켜짐

②
빨간색, 파란색
빛이 켜짐

③
빨간색, 초록색
빛이 켜짐

④
초록색, 파란색
빛이 켜짐

⑤
노란색
빛이 켜짐

[09~10] 그림은 흰색 풍선에 빨간색, 초록색, 파란색 조명을 같은 밝기로 동시에 비추는 모습을 나타낸 것이다.

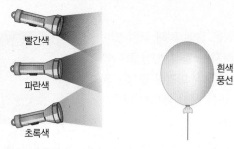

【주관식】

09 풍선은 어떤 색으로 보이는지 쓰시오.

10 (가)빨간색 손전등만 껐을 때와 (나)초록색 손전등만 껐을 때 풍선이 어떤 색으로 보이는지 옳게 짝 지은 것은?

	(가)	(나)
①	흰색	흰색
②	빨간색	초록색
③	자홍색	노란색
④	청록색	자홍색
⑤	노란색	청록색

11 그림과 같이 팽이 윗면의 반에는 파란색, 나머지 반에는 초록색 색종이를 붙였다.

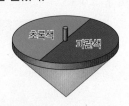

이 팽이를 햇빛 아래에서 빠르게 돌리면 팽이 윗면은 어떤 색으로 보이겠는가?

① 흰색　　　　　　② 검은색
③ 청록색　　　　　④ 자홍색
⑤ 파란색과 초록색이 번갈아 가며 나타난다.

서술형 문제

정답과 해설 22쪽

서술형 **Tip**

단계별 서술형

1

(1) 광원이란 무엇인지 다음 단어를 포함하여 서술하시오.

> 빛, 물체

_____

_____

(2) 다음은 우리 주변의 여러 가지 물체들이다.

> LED 전구, 휴대 전화 화면, 거울, 달, 손전등

각 물체를 광원인 물체와 광원이 아닌 물체로 구분하시오.

_____

_____

1 광원과 광원이 아닌 물체를 구분하는 방법이 무엇인지 광원의 정의를 생각하면서 떠올린다.

서술형

2 그림과 같이 스탠드가 켜진 방 안에서 탁자 위에 놓여 있는 컵을 볼 때 빛의 경로를 화살표로 표시하시오. (단, 스탠드를 제외한 광원은 없다.)

2 컵은 광원이 아니므로 광원이 아닌 물체를 볼 때 빛의 경로를 떠올린다.

Plus 문제 **2-1**

그림과 같이 스탠드가 켜져 있는 경우 스탠드를 볼 때 빛의 경로를 화살표로 표시하시오.

서술형

3 그림과 같이 빨간색 꽃과 초록색 잎을 가진 장미를 빨간색 조명 아래에서 관찰하려고 한다.

(1) 꽃은 어떤 색으로 보이는지 쓰고, 그렇게 보이는 까닭을 서술하시오.

_____

_____

(2) 잎은 어떤 색으로 보이는지 쓰고, 그렇게 보이는 까닭을 서술하시오.

_____

3 물체는 물체가 반사한 빛의 색으로 보인다.

02 거울과 렌즈

A 평면거울에 의한 상 탐구 74쪽

1. 빛의 반사 빛이 진행하다가 물체의 면에 부딪혀 방향을 바꾸어 진행하는 현상❶

입사각이 커지면 반사각도 커진다.

① 반사 법칙: 입사각과 반사각의 크기는 항상 같다.
② 빛의 반사에 의해 거울에 물체를 비춰볼 수 있다.

▲ 빛의 반사

2. 평면거울에 의한 *상

[평면거울에 상이 생기는 원리]

❶ 물체에서 나온 빛이 거울에서 반사된 후 사람의 눈에 들어온다.

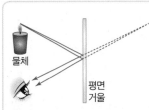

❷ 눈으로 들어온 반사 광선을 거울 뒤쪽으로 연장하면 한 점에서 만난다.

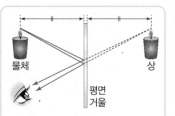

❸ 사람은 연장선이 만난 점에서 빛이 나오는 것으로 느끼므로 그곳에 생긴 물체의 상을 보게 된다.

① 평면거울에 의한 상의 특징: 실제 물체와 크기가 같고 좌우가 바뀌어 보이며, 물체에서 거울까지의 거리와 거울에서 상까지의 거리가 같다.
② 평면거울의 이용: 전신 거울, 잠망경, 만화경, 자동차의 후방 거울 등

B 볼록 거울과 오목 거울에 의한 상 Beyond 특강 75쪽

1. 볼록 거울에 의한 상

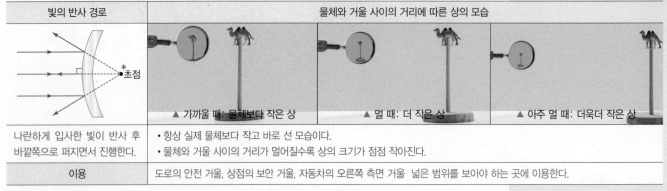

빛의 반사 경로	물체와 거울 사이의 거리에 따른 상의 모습
	▲ 가까울 때: 물체보다 작은 상 ▲ 멀 때: 더 작은 상 ▲ 아주 멀 때: 더욱더 작은 상
나란하게 입사한 빛이 반사 후 바깥쪽으로 퍼지면서 진행한다.	• 항상 실제 물체보다 작고 바로 선 모습이다. • 물체와 거울 사이의 거리가 멀어질수록 상의 크기가 점점 작아진다.
이용	도로의 안전 거울, 상점의 보안 거울, 자동차의 오른쪽 측면 거울 넓은 범위를 보아야 하는 곳에 이용한다.

2. 오목 거울에 의한 상 한 점(초점)에서 나온 빛이 오목 거울에서 반사 후 나란하게 진행하기도 한다.

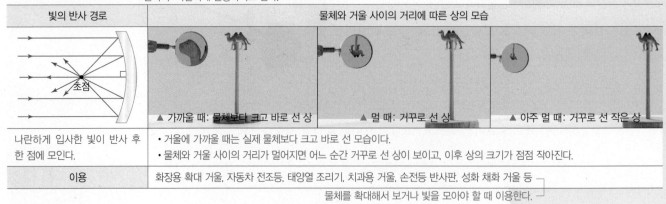

빛의 반사 경로	물체와 거울 사이의 거리에 따른 상의 모습
	▲ 가까울 때: 물체보다 크고 바로 선 상 ▲ 멀 때: 거꾸로 선 상 ▲ 아주 멀 때: 거꾸로 선 작은 상
나란하게 입사한 빛이 반사 후 한 점에 모인다.	• 거울에 가까울 때는 실제 물체보다 크고 바로 선 모습이다. • 물체와 거울 사이의 거리가 멀어지면 어느 순간 거꾸로 선 상이 보이고, 이후 상의 크기가 점점 작아진다.
이용	화장용 확대 거울, 자동차 전조등, 태양열 조리기, 치과용 거울, 손전등 반사판, 성화 채화 거울 등 물체를 확대해서 보거나 빛을 모아야 할 때 이용한다.

1 평면거울에 대한 설명으로 옳은 것은 ○, 옳지 않은 것은 ×로 표시하시오.

(1) 평면거울에 의한 상은 항상 실제 물체보다 크기가 작다. ( )

(2) 거울면을 기준으로 실제 물체와 대칭인 모습의 상이 생긴다. ( )

(3) 거울 앞에 물체를 두면 실제 물체와 상하가 바뀐 모습의 상이 생긴다.
( )

(4) 평면거울의 거울면에서 빛이 반사할 때 입사각과 반사각의 크기는 같다.
( )

2 그림과 같이 평면거울로부터 20 cm 떨어진 곳에 물체를 놓고 상을 관찰하려고 한다. 평면거울에서 물체의 상까지의 거리는 몇 cm인지 구하시오.

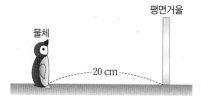

3 그림과 같은 경우에 이용하는 거울의 종류는 무엇인지 쓰시오.

▲ 도로의 안전 거울 　　▲ 상점의 보안 거울 　　▲ 자동차의 오른쪽 측면 거울

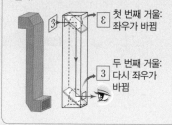
4 그림 (가), (나)는 나란하게 입사한 빛이 어떤 거울면에서 반사되는 모습을 나타낸 것이다. (가), (나)의 거울의 종류를 각각 쓰시오.

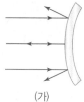 

(가) 　　　　(나)

5 평면거울에 대한 설명이면 '평면', 볼록 거울에 대한 설명이면 '볼록', 오목 거울에 대한 설명이면 '오목'이라고 쓰시오.

(1) 무용실의 전신 거울로 사용한다. ( )

(2) 넓은 범위를 보려고 할 때 사용한다. ( )

(3) 태양열 조리기나 성화 채화 거울에 이용한다. ( )

(4) 물체가 거울 가까이에 있을 때 실제 물체보다 크고 바로 선 상이 생긴다.
( )

(5) 물체와 거울 사이의 거리에 관계없이 항상 실제 물체보다 작고 바로 선 상이 생긴다. ( )

(6) 한 점에서 나온 빛이 거울에서 반사된 후 나란하게 진행하는 성질이 있으므로 자동차 전조등에 이용한다. ( )

개념 더하기

❸ 볼록 렌즈와 오목 렌즈에 의한 상 Beyond 특강 76쪽

1. 빛의 굴절 빛이 진행하다가 다른 물질을 만날 때 두 물질의 경계면에서 진행 방향이 꺾이는 현상

① 빛이 굴절하는 까닭: 물질에 따라 빛이 진행하는 속력이 다르기 때문이다. — 빛이 공기 중에서 물속으로 진행하거나 공기 중에서 렌즈를 통과할 때 속력이 달라져 진행 방향이 꺾인다.

② 빛의 굴절에 의한 현상

• 물의 깊이가 실제보다 얕아 보인다.
• 물이 든 컵 속의 빨대가 꺾여 보인다.
• 안 보이던 컵 속의 동전이 물을 부었더니 떠올라 보인다.❶
• 아지랑이, 신기루 등

▲ 빛의 굴절

❶ 동전이 위로 떠올라 보이는 현상

우리 눈은 빛의 굴절을 인식하지 못하고 직진했다고 생각하므로 동전이 떠올라 보인다.

2. 볼록 렌즈에 의한 상 – 볼록 렌즈는 빛을 모으는 오목 거울과 비슷한 특징의 상이 생긴다.

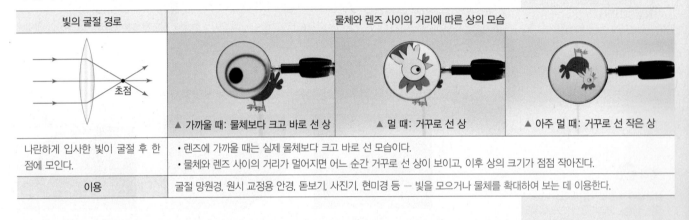

빛의 굴절 경로	물체와 렌즈 사이의 거리에 따른 상의 모습		
	▲ 가까울 때: 물체보다 크고 바로 선 상	▲ 멀 때: 거꾸로 선 상	▲ 아주 멀 때: 거꾸로 선 작은 상
나란하게 입사한 빛이 굴절 후 한 점에 모인다.	• 렌즈에 가까울 때는 실제 물체보다 크고 바로 선 모습이다. • 물체와 렌즈 사이의 거리가 멀어지면 어느 순간 거꾸로 선 상이 보이고, 이후 상의 크기가 점점 작아진다.		
이용	굴절 망원경, 원시 교정용 안경, 돋보기, 사진기, 현미경 등 — 빛을 모으거나 물체를 확대하여 보는 데 이용한다.		

3. 오목 렌즈에 의한 상 – 오목 렌즈는 빛을 퍼지게 하는 볼록 거울과 비슷한 특징의 상이 생긴다.

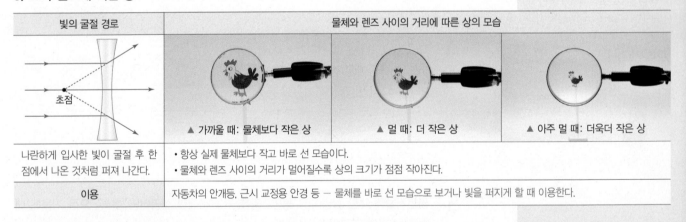

빛의 굴절 경로	물체와 렌즈 사이의 거리에 따른 상의 모습		
	▲ 가까울 때: 물체보다 작은 상	▲ 멀 때: 더 작은 상	▲ 아주 멀 때: 더욱더 작은 상
나란하게 입사한 빛이 굴절 후 한 점에서 나온 것처럼 퍼져 나간다.	• 항상 실제 물체보다 작고 바로 선 모습이다. • 물체와 렌즈 사이의 거리가 멀어질수록 상의 크기가 점점 작아진다.		
이용	자동차의 안개등, 근시 교정용 안경 등 — 물체를 바로 선 모습으로 보거나 빛을 퍼지게 할 때 이용한다.		

[눈의 이상에 따른 렌즈의 이용]

• *원시의 교정: 원시는 상이 망막 뒤에 맺혀 가까이 있는 물체가 잘 보이지 않는 눈의 이상이다. ➡ 원시 교정용 안경에는 빛을 모으게 하는 볼록 렌즈를 사용하여 상이 망막에 맺히도록 한다.

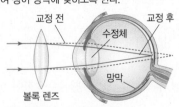

• *근시의 교정: 근시는 상이 망막 앞에 맺혀 멀리 있는 물체가 잘 보이지 않는 눈의 이상이다. ➡ 근시 교정용 안경에는 빛을 퍼지게 하는 오목 렌즈를 사용하여 상이 망막에 맺히도록 한다.

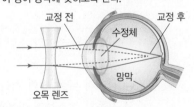

용어 **사전**

*원시(멀 遠, 볼 視)
가까이 있는 것은 잘 보지 못하는 눈의 이상

*근시(가까울 近, 볼 視)
가까이 있는 것은 잘 보아도 먼 곳에 있는 것은 선명하게 보지 못하는 눈의 이상

6 그림은 빛이 공기 중에서 물속으로 진행하는 모습을 나타낸 것이다.

(1) 각 A~D 중 입사각을 고르시오.
(2) 각 A~D 중 굴절각을 고르시오.

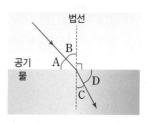

7 다음 현상들은 빛의 어떤 성질 때문에 나타나는 것인지 쓰시오.

• 물속에 잠긴 다리가 실제보다 짧고 굵어 보인다.
• 안 보이던 컵 속의 동전이 물을 부었더니 떠올라 보인다.
• 빛이 렌즈를 통과할 때 렌즈의 두꺼운 부분 쪽으로 진행 방향이 꺾인다.

8 렌즈에 나란하게 입사한 빛의 진행 경로를 옳게 나타낸 것을 〈보기〉에서 모두 고르시오.

보기

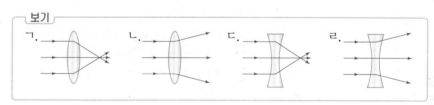

9 볼록 렌즈에 대한 설명으로 옳은 것은 ○, 옳지 않은 것은 ×로 표시하시오.

(1) 물체를 확대해서 볼 때 이용한다. ( )
(2) 볼록 거울과 비슷한 특징의 상이 생긴다. ( )
(3) 렌즈와 물체 사이의 거리가 멀어지면 거꾸로 선 상이 생긴다. ( )
(4) 먼 곳이 잘 보이지 않는 눈의 이상인 근시를 교정할 때 이용한다. ( )
(5) 렌즈와 물체 사이의 거리에 관계없이 항상 실제 물체보다 작고 바로 선 상이 생긴다. ( )

10 일상생활에서 오목 렌즈를 이용하는 예를 〈보기〉에서 모두 고르시오.

보기
ㄱ. 돋보기   ㄴ. 굴절 망원경   ㄷ. 자동차의 안개등
ㄹ. 원시 교정용 안경   ㅁ. 근시 교정용 안경

목표 평면거울에 의한 상을 관찰하고 상의 특징을 알아본다.

과정

[유의점]
과정 ❷에서 물체 A와 B는 같은 물체여야 한다.

❶ 그림과 같이 모눈종이에 중앙선을 그어 책상 위에 놓고, 검은색 종이로 감싼 아크릴 판을 중앙선에 맞춰 세운다.
   ➡ 아크릴 판은 평면거울과는 달리 물체의 상이 생기면서 판의 뒤쪽도 보이기 때문에 평면거울 대신 아크릴 판을 사용한다. 검은색 종이는 판의 뒤쪽을 더 선명하게 보기 위해 사용한다.

❷ 아크릴 판 앞에 물체 A를 놓고 아크릴 판에 비치는 상의 위치에 물체 B를 놓는다.

❸ 아크릴 판을 치우고 모눈종이 위에 놓인 물체 A와 B가 각각 중앙선으로부터 떨어져 있는 거리를 측정한다.

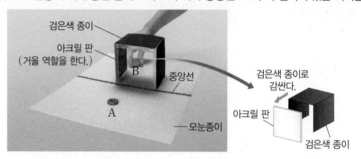

결과

• 중앙선에서 물체 A까지의 거리＝10 cm
• 중앙선에서 물체 B까지의 거리＝10 cm

Plus 탐구

[과정]
❶ 검은색 종이를 깐 책상 위에 CD 용기를 열어 덮개를 수직으로 세운다. ➡ 평면거울과는 달리 거울 뒤쪽도 보이므로 평면거울 대신 CD 용기를 이용한다.

❷ 덮개의 왼쪽에는 그림을 놓고, 흰색 색연필을 이용해서 덮개에 비친 그림의 상을 덮개의 오른쪽에 따라 그린다.

❸ 자를 이용하여 원래 그림의 크기와 따라 그린 그림의 가로, 세로 크기를 측정한다.

[결과]
• 원래 그림과 따라 그린 그림의 가로와 세로 크기는 같다.
• 수직으로 세운 덮개에 대해 원래 그림과 따라 그린 그림은 대칭인 모습이다.

정리

• 평면거울에 의한 상은 실제 물체와 크기가 (㉠   ).
• 평면거울에 상이 생길 때 물체에서 거울까지의 거리와 거울에서 상까지의 거리는 (㉡   ).

1 위 실험에 대한 설명으로 옳은 것은 ○, 옳지 않은 것은 × 로 표시하시오.

(1) 평면거울에 의해 생기는 상은 거울의 뒤쪽에 있는 것 처럼 보인다.   (   )

(2) 아크릴 판에서 물체까지의 거리가 멀어지면 아크릴 판에서 상까지의 거리가 가까워진다.   (   )

(3) 빛이 평면거울을 통과할 때 굴절하기 때문에 평면거 울에 의한 상이 생기는 것이다.   (   )

(4) 과정 ❷에서 아크릴 판 뒤쪽에 생긴 물체 A의 상의 크 기는 물체 B의 크기와 같다.   (   )

실전 문제

2 그림과 같이 평면거울로부터 1.2 m 떨어진 곳에 관찰자가 서 있고, 관찰자의 뒤쪽으로 0.8 m 떨어진 곳에 시계가 걸려 있다.

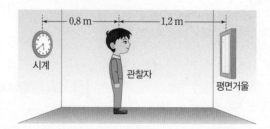

평면거울면에서 거울에 비친 시계의 상까지의 거리는 몇 m 인지 구하시오.

[볼록 거울에 의한 상]
• 볼록 거울에 의해서는 항상 실제 물체보다 작고 바로 선 상이 생긴다.
• 거울이 물체에서 멀어질수록 상의 크기는 점점 작아진다.

[오목 거울에 의한 상]
• 거울과 물체 사이의 거리에 따라 다른 상이 생긴다.
• 거울이 물체에서 멀어질수록 실제 물체보다 크고 바로 선 상 → 거꾸로
선 상 → 실제 물체보다 작고 거꾸로 선 상으로 상의 모습이 변한다.

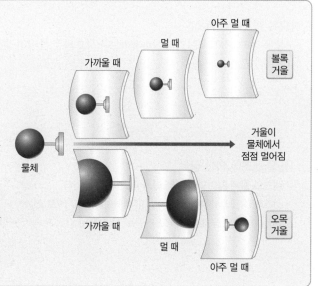

[1~3] 그림과 같이 거울에서 멀리 떨어진 물체를 보았더니 실제 물체보다 작고 바로 선 상이 생겼다.

1 이 거울의 종류를 쓰시오.

2 이 거울로 가까이 있는 물체를 보았을 때 생기는 상에 대한 설명으로 옳은 것은?

① 실제 물체보다 작고 바로 선 상
② 실제 물체보다 크고 바로 선 상
③ 실제 물체보다 작고 거꾸로 선 상
④ 실제 물체보다 크고 거꾸로 선 상
⑤ 실제 물체와 같은 크기의 거꾸로 선 상

3 이 거울을 이용한 예를 〈보기〉에서 모두 고른 것은?

┌ 보기 ┐
ㄱ. 잠망경   ㄴ. 치과용 거울
ㄷ. 도로의 안전 거울   ㄹ. 상점의 보안 거울
└─────────────────────┘

① ㄱ   ② ㄱ, ㄴ   ③ ㄴ, ㄷ
④ ㄷ, ㄹ   ⑤ ㄴ, ㄷ, ㄹ

[4~6] 그림과 같이 거울에서 멀리 떨어진 물체를 보았더니 거꾸로 선 상이 생겼다.

4 이 거울의 종류를 쓰시오.

5 이 거울로 가까이 있는 물체를 보았을 때 생기는 상에 대한 설명으로 옳은 것은?

① 실제 물체보다 작고 바로 선 상
② 실제 물체보다 크고 바로 선 상
③ 실제 물체보다 작고 거꾸로 선 상
④ 실제 물체보다 크고 거꾸로 선 상
⑤ 실제 물체와 같은 크기의 거꾸로 선 상

6 이 거울을 이용한 예로 옳지 <u>않은</u> 것은?

① 태양열 조리기
② 성화 채화 거울
③ 자동차의 전조등
④ 화장용 확대 거울
⑤ 자동차의 오른쪽 측면 거울

[오목 렌즈에 의한 상]
• 오목 렌즈에 의해서는 항상 실제 물체보다 작고 바로 선 상이 생긴다.
• 렌즈가 물체에서 멀어질수록 상의 크기는 점점 작아진다.

[볼록 렌즈에 의한 상]
• 렌즈와 물체 사이의 거리에 따라 다른 상이 생긴다.
• 렌즈가 물체에서 멀어질수록 실제 물체보다 크고 바로 선 상 → 거꾸로 선 상 → 실제 물체보다 작고 거꾸로 선 상으로 상의 모습이 변한다.

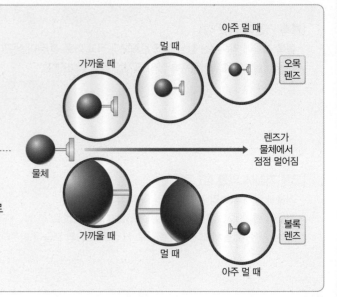

1 그림 (가)와 (나)는 물체를 렌즈 가까이에 놓았을 때 렌즈에 생긴 상의 모습을 나타낸 것이다.

 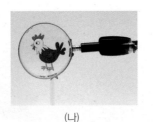

(가)   (나)

(가)와 (나)는 각각 어떤 렌즈에 의해 생긴 상인지 쓰시오.

2 그림 (가)와 (나)는 물체를 렌즈에서 멀리 놓았을 때 렌즈에 생긴 상의 모습을 나타낸 것이다.

(가)   (나)

(가)와 (나)는 각각 어떤 렌즈에 의해 생긴 상인지 쓰시오.

3 거꾸로 선 상을 볼 수 있는 광학 기구를 〈보기〉에서 모두 고른 것은?

보기
ㄱ. 볼록 거울   ㄴ. 오목 거울
ㄷ. 볼록 렌즈   ㄹ. 오목 렌즈

① ㄱ, ㄴ   ② ㄱ, ㄷ   ③ ㄱ, ㄹ
④ ㄴ, ㄷ   ⑤ ㄴ, ㄹ

4 그림과 같이 렌즈에서 멀리 떨어져 있는 물체를 보았더니 실제 물체보다 작고 바로 선 상이 생겼다. 이 렌즈로 가까이 있는 물체를 보았을 때 보이는 상의 모습으로 옳은 것은?

① 실제 물체보다 작고 바로 선 상
② 실제 물체보다 크고 바로 선 상
③ 실제 물체보다 작고 거꾸로 선 상
④ 실제 물체보다 크고 거꾸로 선 상
⑤ 실제 물체와 같은 크기의 거꾸로 선 상

5 그림과 같이 렌즈에서 멀리 떨어져 있는 물체를 보았더니 실제 물체보다 크고 거꾸로 선 상이 생겼다. 이 렌즈로 가까이 있는 물체를 보았을 때 보이는 상의 모습으로 옳은 것은?

① 실제 물체보다 작고 바로 선 상
② 실제 물체보다 크고 바로 선 상
③ 실제 물체보다 작고 거꾸로 선 상
④ 실제 물체보다 크고 거꾸로 선 상
⑤ 실제 물체와 같은 크기의 거꾸로 선 상

A 평면거울에 의한 상

중요

01 그림은 평면거울에 레이저 빛을 비추었을 때 빛이 반사하는 모습을 나타낸 것이다. 이에 대한 설명으로 옳은 것을 〈보기〉에서 모두 고른 것은?

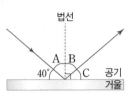

┌─ 보기 ─────────────────────────
ㄱ. 각 A는 입사각이다.
ㄴ. 각 C는 각 B보다 크다.
ㄷ. 반사각의 크기는 50°이다.
└────────────────────────────────

① ㄴ   ② ㄷ   ③ ㄱ, ㄷ
④ ㄴ, ㄷ   ⑤ ㄱ, ㄴ, ㄷ

02 그림 (가), (나)는 나란하게 진행하던 빛이 물체의 표면에서 반사되는 모습을 나타낸 것이다.

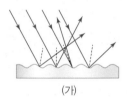 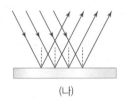

(가)   (나)

이에 대한 설명으로 옳은 것은?

① (가)는 정반사이다.
② (나)는 난반사이다.
③ (나)는 매끄러운 면에서 일어나는 반사이다.
④ (가)에서 각 빛의 입사각은 반사각보다 크다.
⑤ (나)에서 각 빛의 입사각은 반사각보다 작다.

[주관식]

03 그림과 같이 평면거울에 물체를 비추어 보았다.

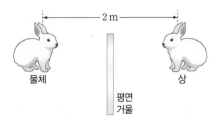

물체   상
평면
거울

물체에서 상까지의 거리가 2 m일 때, 물체와 평면거울 사이의 거리는 몇 m인지 구하시오. (단, 물체와 평면거울의 크기는 무시한다.)

[04~05] 그림과 같이 CD 용기를 열어 덮개를 수직으로 세우고 왼쪽에 그림을 둔 후, 오른쪽의 검은 종이 위에 흰색 색연필로 덮개에 비치는 상을 따라 그렸다.

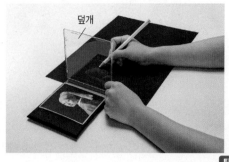

탐구 74쪽

04 이에 대한 설명으로 옳은 것을 〈보기〉에서 모두 고른 것은?

┌─ 보기 ─────────────────────────
ㄱ. 원래 그림의 크기와 검은 종이 위에 따라 그린 그림의 크기는 같다.
ㄴ. 수직으로 세운 CD 용기의 덮개에 대칭인 위치에 원래 그림의 상이 생긴다.
ㄷ. 수직으로 세운 CD 용기의 덮개에 비치는 상은 평면거울에 비치는 상과 같다.
└────────────────────────────────

① ㄱ   ② ㄴ   ③ ㄱ, ㄷ
④ ㄴ, ㄷ   ⑤ ㄱ, ㄴ, ㄷ

중요

05 원래 그림의 가로 길이가 10 cm, 세로 길이가 8 cm이었을 때, 검은 종이 위에 따라 그린 그림의 가로 길이와 세로 길이를 옳게 짝 지은 것은?

	가로 길이(cm)	세로 길이(cm)
①	5	4
②	5	8
③	10	8
④	10	16
⑤	20	16

중요

06 그림은 평면거울에 의한 상과 눈에 들어온 빛의 경로를 나타낸 것이다.

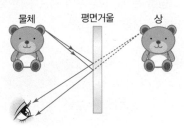

이에 대한 설명으로 옳은 것을 〈보기〉에서 모두 고른 것은?

┌─ 보기 ─────────────────────────────┐
ㄱ. 각각의 광선은 거울면에서 반사 법칙에 따라 반사한다.
ㄴ. 상은 실제 물체와 비교했을 때 상하좌우가 모두 바뀌어 보인다.
ㄷ. 물체에서 평면거울까지의 거리와 평면거울에서 상까지의 거리는 같다.
└────────────────────────────────────┘

① ㄱ   ② ㄴ   ③ ㄱ, ㄴ
④ ㄱ, ㄷ   ⑤ ㄴ, ㄷ

07 그림과 같이 잠수함에서 선원이 잠망경을 이용해 바다 밖을 관찰하고 있다.

이 잠망경에 대한 설명으로 옳은 것은?

① 좌우가 바뀐 상이 보인다.
② 빛의 반사 법칙을 이용한다.
③ 빛의 굴절 현상을 이용한 도구이다.
④ 실제 물체보다 항상 확대된 상이 보인다.
⑤ 가까이 있는 물체는 확대되어 보이고 멀리 있는 물체는 축소되어 보인다.

B 볼록 거울과 오목 거울에 의한 상

08 볼록 거울에 대한 설명으로 옳은 것을 모두 고르면? (2개)

① 더 넓은 범위를 볼 수 있다.
② 성화를 채화할 때 사용한다.
③ 빛을 퍼지게 하는 성질이 있다.
④ 항상 물체보다 크고 바로 선 상이 관찰된다.
⑤ 나란하게 입사한 빛이 거울면에서 반사된 후 한 점에 모인다.

중요

09 그림 (가), (나)는 모양이 다른 두 거울 A, B에 각각 나란하게 입사한 빛이 거울면에서 반사되어 나아가는 모습을 나타낸 것이다.

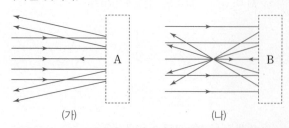

이에 대한 설명으로 옳은 것을 〈보기〉에서 모두 고른 것은?

┌─ 보기 ─────────────────────────────┐
ㄱ. A는 빛을 퍼지게 하는 성질이 있다.
ㄴ. B는 빛을 한 점에 모으는 성질이 있다.
ㄷ. A는 오목 거울이고, B는 볼록 거울이다.
└────────────────────────────────────┘

① ㄱ   ② ㄷ   ③ ㄱ, ㄴ
④ ㄴ, ㄷ   ⑤ ㄱ, ㄴ, ㄷ

10 빛의 반사 현상을 주로 이용한 것으로 가장 적절한 것은?

① 현미경   ② 콘택트 렌즈
③ 태양열 조리기   ④ 근시 교정용 안경
⑤ 원시 교정용 안경

중요

11 그림과 같이 볼록 거울의 가까운 곳에 물체를 세운 후 거울에 비친 물체의 상을 관찰하였다.

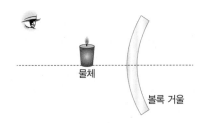

물체의 상에 대한 설명으로 옳은 것은?

① 실제 물체보다 작고 바로 선 상이 생긴다.
② 실제 물체보다 크고 바로 선 상이 생긴다.
③ 실제 물체보다 작고 거꾸로 선 상이 생긴다.
④ 실제 물체보다 크고 거꾸로 선 상이 생긴다.
⑤ 실제 물체와 같은 크기의 바로 선 상이 생긴다.

【주관식】

12 다음은 그림과 같이 희수가 숟가락에 얼굴을 비추어 보았을 때에 대한 설명이다. ㉠, ㉡에 알맞은 말을 쓰시오.

• 숟가락의 오목한 면에 얼굴을 비추어 보았더니 얼굴이 거꾸로 보였다. 이는 오목한 면이 (㉠   )와/과 같은 역할을 하기 때문이다.
• 숟가락의 볼록한 면에 얼굴을 비추어 보았더니 얼굴이 실제보다 작게 보였다. 이는 볼록한 면이 (㉡   )와/과 같은 역할을 하기 때문이다.

13 거울의 종류와 거울을 이용한 예를 짝 지은 것으로 옳지 않은 것은?

① 평면거울 – 잠수함의 잠망경
② 평면거울 – 무용실의 전신 거울
③ 볼록 거울 – 상점의 보안 거울
④ 오목 거울 – 성화 채화 거울
⑤ 오목 거울 – 자동차의 오른쪽 측면 거울

ⓒ 볼록 렌즈와 오목 렌즈에 의한 상

14 그림은 공기 중에서 물로 레이저 빛을 비추었을 때 레이저 빛의 진행 경로를 나타낸 것이다. 이에 대한 설명으로 옳은 것을 〈보기〉에서 모두 고른 것은?

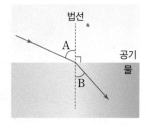

보기
ㄱ. 각 A는 굴절각이다.
ㄴ. 각 B는 입사각이다.
ㄷ. 각 A가 커지면 각 B도 커진다.
ㄹ. 공기 중에서 물속으로 진행할 때 입사각이 굴절각보다 크다.

① ㄱ, ㄴ   ② ㄴ, ㄹ   ③ ㄷ, ㄹ
④ ㄱ, ㄴ, ㄷ   ⑤ ㄱ, ㄴ, ㄷ, ㄹ

【주관식】

15 그림 (가)는 물속에 잠긴 빨대가 꺾여 보이는 모습을 나타낸 것이고, (나)는 물속에 잠긴 다리가 짧아 보이는 모습을 나타낸 것이다.

(가)   (나)

이와 같은 현상은 빛의 어떤 성질 때문에 나타나는 것인지 쓰시오.

16 볼록 렌즈에 대한 설명으로 옳은 것을 〈보기〉에서 모두 고른 것은?

보기
ㄱ. 가장자리보다 가운데가 두꺼운 렌즈이다.
ㄴ. 볼록 렌즈로 물체를 볼 때 항상 실제 물체보다 크게 보인다.
ㄷ. 나란하게 볼록 렌즈에 입사한 빛은 렌즈를 통과한 후 한 점에서 나온 것처럼 퍼져 나간다.

① ㄱ   ② ㄴ   ③ ㄷ
④ ㄱ, ㄴ   ⑤ ㄴ, ㄷ

17 그림은 컵 바닥에 놓여 보이지 않던 동전이 컵 속에 물을 부었을 때 보이는 것을 나타낸 것이다.

동전에서 반사되어 우리 눈에 들어오는 빛의 진행 경로를 가장 적절하게 나타낸 것은?

①    ②

③    ④

⑤

중요
18 나란하게 입사한 빛이 렌즈를 지나 굴절하는 경로를 옳게 나타낸 것을 모두 고르면? (2개)

① 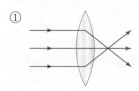   ②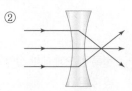

③ 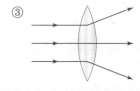   ④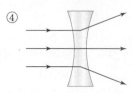

⑤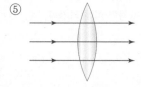

19 그림과 같이 볼록 렌즈 앞에 물체를 놓고 물체와 렌즈 사이의 거리를 다르게 하면서 상의 모습을 관찰하였다.

(가)~(다) 중 거꾸로 선 상을 관찰할 수 있는 위치를 모두 고르면?

① (가)   ② (나)   ③ (다)
④ (나), (다)   ⑤ (가), (나), (다)

중요
20 거울과 렌즈에 대한 설명으로 옳지 않은 것은?

① 볼록 거울과 오목 렌즈는 빛을 퍼지게 할 수 있다.
② 오목 거울과 볼록 렌즈는 빛을 한 점에 모을 수 있다.
③ 거울은 빛을 반사시켜 물체의 상을 관찰할 수 있는 도구이다.
④ 렌즈는 빛을 굴절시켜 물체의 상을 관찰할 수 있는 도구이다.
⑤ 볼록 거울과 오목 렌즈는 물체의 위치에 따라 바로 선 상이 생기기도 하고, 거꾸로 선 상이 생기기도 한다.

21 눈의 상태가 원시인 사람에게 나타나는 현상과 이를 교정하기 위해 필요한 렌즈의 종류를 옳게 짝 지은 것은?

① 먼 곳의 물체를 잘 보지 못한다. – 오목 렌즈
② 가까운 곳의 물체를 잘 보지 못한다. – 볼록 렌즈
③ 빨간색과 초록색을 구별하지 못한다. – 볼록 렌즈
④ 먼 곳에 있는 물체의 색을 구별하지 못한다. – 볼록 렌즈
⑤ 아주 가까운 곳과 먼 곳의 물체를 잘 보지 못한다. – 오목 렌즈

서술형

1 그림은 응급차 앞에 써 놓은 글자의 모습을 나타낸 것이다.

이와 같이 'AMBULANCE'라는 글자의 좌우를 바꾸어 써 놓은 까닭을 서술하시오.

_____

_____

서술형 Tip

1 거울로 물체를 볼 때 좌우가 어떻게 바뀌는지 떠올린다.
→ 필수 용어: 뒤, 좌우

단계별 서술형

2 평면거울 2개를 이용해 그림과 같은 잠망경을 만들었다.

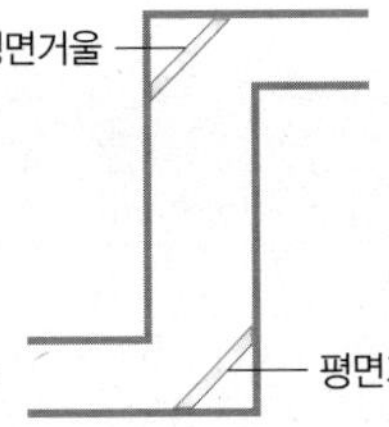

(1) 입사한 빛이 눈까지 진행하는 경로를 그리시오.

_____

(2) 이 잠망경으로 '과학'이라는 글자를 볼 때 어떻게 보이는지 쓰고, 그렇게 답한 까닭을 서술하시오.

_____

_____

2 평면거울에서 빛이 반사할 때 반사 법칙에 따라 반사한다.

Plus 문제 2-1

그림과 같은 잠망경에서 빛이 반사할 때, 첫 번째 거울로 입사한 빛의 입사각이 45°일 때 반사각은 몇 °인지 쓰시오.

_____

단어 제시형

3 그림과 같이 오목 거울로부터 멀리 떨어져 있던 민수가 거울 쪽으로 걸어가기 시작하였다.

민수

오목 거울

민수가 거울에 가까워질수록 거울에 비친 상의 모습은 어떻게 변하는지 제시된 단어를 모두 포함하여 서술하시오.

> 작고, 거꾸로 선, 상의 크기, 크고, 바로 선

_____

_____

3 오목 거울로부터 물체가 가까이 있을 때와 멀리 있을 때 상은 어떻게 변하는지 떠올린다.

03 파동과 소리

Ⓐ 파동

1. 파동 어느 한곳에서 생긴 진동이 주위로 퍼져 나가는 현상

① **파원**: 진동이 처음 시작되는 곳, 즉 파동이 처음 시작되는 곳

② **매질**: 파동을 전달해 주는 물질❶ ─ 파동의 종류에 따라 다르다.

③ **파동의 전파**: 파동이 전파될 때 매질은 제자리에서 진동만 할 뿐 파동을 따라 이동하지 않으며, 파동을 따라 전달되는 것은 에너지이다.❷

공의 진동 │물결파의 진행 방향

▲ 파동의 전파와 매질의 운동

[매질의 진동 방향 찾기]
파동이 진행 방향으로 이동한 잠시 후 모습을 그리면 매질의 진동 방향을 찾을 수 있다.

파동의 진행 방향
실선은 현재의 파동 모습
매질의 진동 방향
A ─ 잠시 후 점 A는 내려간다.
점선은 잠시 후 파동 모습
진동 중심
B ─ 잠시 후 점 B는 올라간다.

---

2. 파동의 표시

마루	매질의 위치가 가장 높은 곳	골	매질의 위치가 가장 낮은 곳
파장	이웃한 마루와 마루, 또는 이웃한 골과 골 사이의 거리		
진폭	진동 중심에서 마루나 골까지의 거리		
주기	매질의 한 점이 한 번 진동하는 데 걸리는 시간 [단위: s(초)]		
진동수	매질의 한 점이 1초 동안 진동하는 횟수 [단위: Hz(헤르츠)] ➡ 진동수와 주기는 서로 역수 관계이다. 진동수$=\dfrac{1}{주기}$		

[파동을 나타내는 그래프]

• **위치 – 거리 그래프**: 거리에 따른 어느 한 순간의 파동의 모습을 나타낸 것으로, 파동의 파장과 진폭을 알 수 있다.

위치 │ 마루 ─ 파장 ─ 마루
진폭
O ────── 진동 중심 거리
진폭 │ 골

• **위치 – 시간 그래프**: 매질의 어느 한 점의 위치를 시간에 따라 나타낸 것으로, 파동의 주기와 진동수, 진폭을 알 수 있다.

위치 │ 마루 ─ 주기 ─ 마루
진폭
O ────── 진동 중심 시간
진폭 │ 골

---

3. 파동의 종류 매질의 진동 방향과 파동의 진행 방향의 관계에 따라 구분한다.

횡파	종파❸
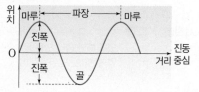 진행 방향 진동 방향 ▲ 용수철을 좌우로 흔들었을 때 용수철 파동의 모습	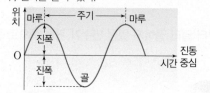 진행 방향 진동 방향　파장 ▲ 용수철을 앞뒤로 흔들었을 때 용수철 파동의 모습
파동의 진행 방향과 매질의 진동 방향이 서로 수직인 파동 예 지진파의 S파❹, 빛, 전파 등	파동의 진행 방향과 매질이 진동 방향이 서로 나란한 파동 예 지진파의 P파, 소리(음파), *초음파 등

---

4. 파동의 이용

① 전자레인지로 음식을 데운다.

② 초음파를 이용해 신체 내부나 태아를 검사한다.

개념 더하기

❶ 파동과 매질

파동	매질
물결파	물
지진파	땅
소리(음파)	고체, 액체, 기체
빛	필요 없다.

❷ 파동이 에너지를 전달하는 예
• 파도에 의해 바위가 깎인다.
• 땅속에서 발생한 지진 때문에 건물이 파괴되기도 한다.

❸ 종파의 표시
• 밀한 곳: 매질이 가장 빽빽한 부분
• 소한 곳: 매질이 가장 듬성한 부분
• 파장: 밀한 곳에서 다음 밀한 곳 또는 소한 곳에서 다음 소한 곳까지의 거리
• 주기: 매질이 앞뒤로 1회 진동하는 데 걸리는 시간

파동의 진행 방향
밀　소　밀　소　밀
매질의 진동 방향　파장

❹ 지진파의 S파와 P파의 전파 모습

S파의 진행 방향
▲ 지진파의 S파

P파의 진행 방향
▲ 지진파의 P파

용어 사전

＊초음파(넘을 超, 소리 音, 물결 波)
진동수가 20000 Hz 이상인 음파(소리)로, 사람은 들을 수 없다.

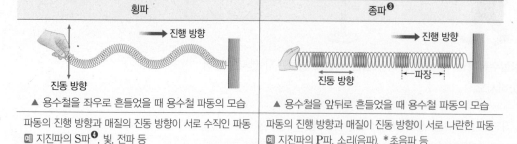

1 다음은 파동의 전파에 대한 설명이다. ㉠~㉢에 알맞은 말을 쓰시오.

파동이 전파될 때 (㉠)은/는 제자리에서 진동만 할 뿐 파동을 따라 이동하지 않으며, 파동을 따라 전달되는 것은 (㉡)이다. 따라서 그림과 같이 물 위에 떠 있는 공은 물결파를 따라 진행하지 않고 제자리에서 위아래로 (㉢)만 한다.

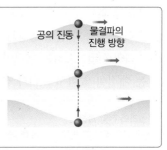

2 그림은 어느 순간 파동의 모습을 나타낸 것이다.

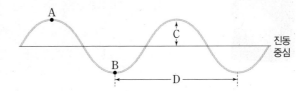

A~D가 의미하는 파동의 요소를 각각 쓰시오.

3 파동에 대한 설명으로 옳은 것은 ○, 옳지 않은 것은 ×로 표시하시오.

(1) 어느 한곳에서 생긴 진동이 주위로 퍼져 나가는 현상을 파동이라고 한다. ( )

(2) 파동의 위치를 시간에 따라 나타낸 그래프에서는 파동의 진폭과 파장을 알 수 있다. ( )

(3) 지진이 발생했을 때 건물이 파괴되는 것은 파동이 에너지를 전달하기 때문에 나타나는 현상이다. ( )

4 다음 물음에 답하시오.

(1) 1초 동안 20회 진동하는 파동의 진동수는 몇 Hz인지 구하시오.

(2) 진동수가 50 Hz인 파동의 주기는 몇 초인지 구하시오.

(3) 주기가 50초인 파동의 진동수는 몇 Hz인지 구하시오.

(4) 어떤 파동이 1회 진동하는 데 4초가 걸렸다. 이 파동의 진동수는 몇 Hz인지 구하시오.

5 횡파에 대한 설명에는 '횡파', 종파에 대한 설명에는 '종파'라고 쓰시오.

(1) 파동의 진행 방향과 매질의 진동 방향이 서로 수직이다. ( )

(2) 파동의 진행 방향과 매질의 진동 방향이 서로 나란하다. ( )

(3) 지진파의 S파, 빛, 전파 등이 해당하는 파동이다. ( )

(4) 지진파의 P파, 소리(음파), 초음파 등이 해당하는 파동이다. ( )

쉽고 정확하게!

개념 학습

03 파동과 소리

B 소리

1. 소리(음파) 소리는 물체의 진동으로 발생하고, 주로 공기를 통해 전달된다. ❶❷

① 소리는 파동의 진행 방향과 매질의 진동 방향이 나란한 종파이다.

② 소리의 전달: 소리는 매질이 고체, 액체, 기체 상태일 때 모두 전달된다. ➡ *진공 중에서는 매질이 없어서 소리가 전달되지 않는다.

[소리의 전달 과정]
물체의 진동이 주변 공기 등의 매질을 통해서 전달된다.

| 물체의 진동 | ➡ | 주변 공기의 진동 | ➡ | 고막의 진동 | ➡ | 소리를 인식 |

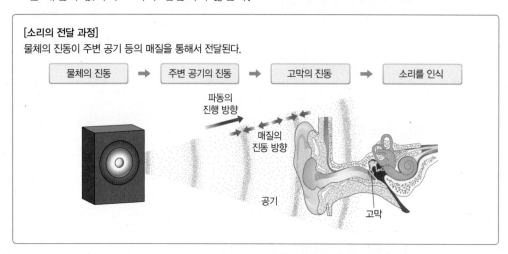

---

2. 소리의 3요소 소리의 크기, 소리의 높낮이, 음색을 소리의 3요소라고 한다.

구분	요인	특징	
소리의 크기	파동의 진폭에 따라 소리의 크기가 달라진다. ➡ 진폭이 클수록 큰 소리가 난다.	▲ 큰 소리: 진폭이 크다.	▲ 작은 소리: 진폭이 작다.
		예 북을 세게 두드리면 진폭이 커서 큰 소리가 나고, 약하게 두드리면 진폭이 작아서 작은 소리가 난다.	
소리의 높낮이	파동의 진동수에 따라 소리의 높낮이가 달라진다. ➡ 진동수가 클수록 높은 소리가 난다. ❸	▲ 높은 소리: 진동수가 크다.	▲ 낮은 소리: 진동수가 작다.
		예 실로폰의 길이가 짧으면 진동수가 커서 높은 소리가 나고, 길이가 길면 진동수가 작아서 낮은 소리가 난다.	
음색	*파형에 따라 음색이 달라진다. ➡ 파형이 다르면 같은 높이의 음이라도 다른 소리가 난다.	▲ 피아노 소리	▲ 바이올린 소리
		예 같은 높이의 음이라도 악기마다 소리의 파형이 다르기 때문에 서로 다른 소리가 난다. 사람마다 목소리를 구분할 수 있는 것은 음색이 모두 다르기 때문이다.	

⟫ 개념 더하기

❶ 소리의 발생

물체의 진동	발생하는 소리
줄의 진동	기타 소리, 바이올린 소리와 같은 현악기 소리
공기의 진동	플룻 소리와 같은 관악기 소리
성대의 진동	사람의 목소리
막의 진동	북소리

❷ 소리의 발생 확인
소리굽쇠를 고무망치로 두드린 다음 수면에 대어 보면 물이 밖으로 튄다. 이를 통해 소리굽쇠의 진동으로 소리가 발생한다는 것을 알 수 있다.

❸ 높은 소리를 내는 방법
소리를 내는 물체의 길이를 짧게 할수록, 두께를 가늘게 할수록, 팽팽하게 할수록 진동수가 커져 높은 소리를 낸다.

용어 사전

*진공(참 眞, 빌 空)
공기 등의 물질이 전혀 없는 공간
*파형(물결 波, 모양 形)
가로축에는 시간을, 세로축에는 시간의 경과에 따른 물리량의 변화를 나타내도록 그린 그래프

6 소리에 대한 설명으로 옳은 것은 ○, 옳지 않은 것은 ×로 표시하시오.

(1) 물체의 진동으로 발생한다. ( )
(2) 소리는 매질이 기체 상태일 때만 전달된다. ( )
(3) 소리는 진공 중에서 가장 빠르게 전달된다. ( )
(4) 공기 중에서 소리가 전파될 때 소리의 진행 방향과 공기의 진동 방향은 서로 수직이다. ( )

7 다음은 소리굽쇠를 진동시켰을 때 소리의 전달 과정을 설명한 것이다. 빈칸에 공통적으로 들어갈 말을 쓰시오.

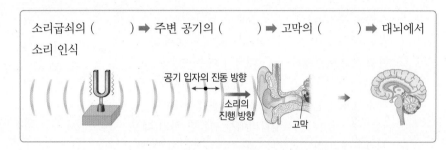

소리굽쇠의 ( ) ➡ 주변 공기의 ( ) ➡ 고막의 ( ) ➡ 대뇌에서 소리 인식

8 소리의 3요소와 관계가 있는 파동의 요소를 옳게 연결하시오.

(1) 음색 •   • ㉠ 진폭
(2) 소리의 크기 •   • ㉡ 파형
(3) 소리의 높낮이 •   • ㉢ 진동수

9 그림 (가), (나)는 동일한 악기에서 나는 소리의 파형을 나타낸 것이다.

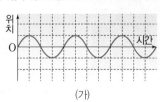   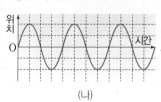

(가)   (나)

(가), (나) 중 더 큰 소리를 고르시오.

10 그림과 같은 실로폰을 같은 세기로 두드릴 때 A~D 중 가장 높은 소리가 나는 경우를 고르시오.

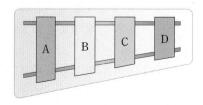

A 파동

01 그림은 연못에 빠진 공을 꺼내기 위해 현수가 공의 뒤쪽으로 돌을 던진 모습을 나타낸 것이다.

공의 움직임과 그렇게 움직인 까닭을 옳게 설명한 것은?

	공의 움직임	그렇게 움직인 까닭
①	현수 쪽으로 이동	파동이 발생했기 때문
②	현수 쪽으로 이동	매질이 현수 쪽으로 이동하기 때문
③	제자리에서 진동	파동이 진행할 때 매질은 제자리에서 진동만 하기 때문
④	제자리에서 진동	파동이 진행할 때 에너지를 전달하지 않기 때문
⑤	정지해 있음	파동이 발생하지 않았기 때문

02 그림 (가)는 파도가 심하게 치는 해안가 절벽에서 암석이 부서져 내린 것을 나타낸 것이고, (나)는 지진이 발생한 지역에서 건물이 파괴된 모습을 나타낸 것이다.

(가)　　　　　　　(나)

이와 같은 현상을 통해 알 수 있는 파동의 특징으로 가장 적절한 것은?

① 파동은 물질의 상태를 변화시킨다.
② 파동이 전파될 때 매질이 함께 이동한다.
③ 파동이 전파될 때 파동이 가진 에너지가 전달된다.
④ 파동의 진행 방향과 매질의 진동 방향은 항상 수직이다.
⑤ 파동의 진행 방향과 매질의 진동 방향은 항상 나란하다.

03 그림은 어떤 파동의 어느 한 순간의 모습을 나타낸 것이다.

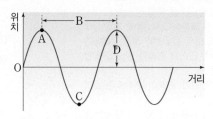

이에 대한 설명으로 옳은 것을 〈보기〉에서 모두 고른 것은?

　보기
ㄱ. A는 골, C는 마루이다.
ㄴ. B는 주기로, 진동수와 역수 관계이다.
ㄷ. D는 진폭이다.

① ㄱ　　　　② ㄷ　　　　③ ㄱ, ㄴ
④ ㄴ, ㄷ　　　⑤ ㄱ, ㄴ, ㄷ

04 그림은 오른쪽으로 진행하는 어떤 파동의 어느 한 순간의 모습을 나타낸 것이다. 다음 순간 P점에 있는 매질의 움직임을 옳게 설명한 것은?

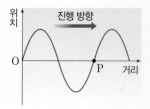

① 왼쪽으로 움직인다.
② 위쪽으로 움직인다.
③ 오른쪽으로 움직이다.
④ 아래쪽으로 움직인다.
⑤ 제자리에 정지해 있다.

[주관식]
05 그림은 1초에 2회 진동하는 어떤 파동의 어느 한 순간의 모습을 나타낸 것이다.

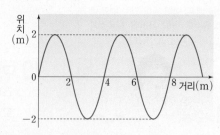

이 파동의 파장과 주기를 각각 구하시오.

[06~07] 그림 (가)는 용수철을 좌우로 흔들었을 때 나타나는 파동의 모습을, (나)는 용수철을 앞뒤로 흔들었을 때 나타난 파동의 모습을 나타낸 것이다.

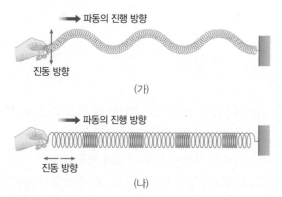

중요 【주관식】

06 (가), (나)와 같이 진행하는 파동을 각각 무엇이라고 하는지 쓰시오.

중요

07 (가), (나)와 같이 진행하는 파동을 옳게 짝 지은 것은?

	(가)	(나)
①	소리	빛
②	소리	지진파의 P파
③	빛	지진파의 S파
④	빛	소리
⑤	지진파의 S파	빛

08 파동을 횡파와 종파로 구분하는 기준으로 옳은 것은?

① 파동의 진폭 차이
② 파동의 주기 차이
③ 파동의 진동수 차이
④ 파동의 진동 방향과 매질의 이동 방향의 관계
⑤ 파동의 진행 방향과 매질의 진동 방향의 관계

ⓑ 소리

09 그림과 같이 북의 앞쪽에 촛불을 켜고 북을 쳤더니 촛불이 앞뒤로 흔들렸다.

이를 통해 알 수 있는 가장 적절한 사실은?

① 소리는 공기를 발생시킨다.
② 소리는 진공에서만 전달된다.
③ 소리는 고체를 통해서 전달된다.
④ 소리는 공기의 진동으로 전달된다.
⑤ 소리는 공기의 온도가 높을수록 빠르게 전달된다.

10 그림과 같이 공기를 모두 뺀 유리 용기 속에서 자명종이 울릴 때 학생은 그 소리를 듣지 못한다.

소리를 듣지 못하는 까닭으로 옳은 것은?

① 유리가 소리를 모두 흡수하기 때문이다.
② 소리를 전달하는 매질이 없기 때문이다.
③ 자명종 소리가 유리에서 모두 반사하기 때문이다.
④ 자명종 소리가 유리에서 모두 굴절하기 때문이다.
⑤ 소리는 액체 상태의 매질에서만 전달되기 때문이다.

중요 【주관식】

11 사람이 소리를 내거나 듣는 과정에 대한 설명으로 옳은 것을 〈보기〉에서 모두 고르시오.

보기
ㄱ. 사람은 모든 진동수의 음파를 들을 수 있다.
ㄴ. 사람의 목소리는 성대가 진동하여 만들어진다.
ㄷ. 공기의 진동이 사람의 고막을 진동시켜 사람이 소리를 듣게 된다.

중요

12 그림은 여러 가지 소리 (가)~(다)를 파형으로 나타낸 것이다.

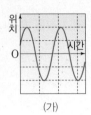 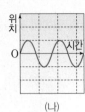 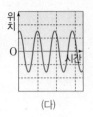

(가)   (나)   (다)

가장 큰 소리와 가장 작은 소리를 옳게 짝 지은 것은?

	가장 큰 소리	가장 작은 소리
①	(가)	(나)
②	(가)	(다)
③	(나)	(가)
④	(나)	(다)
⑤	(다)	(가)

13 그림은 여러 가지 소리 (가)~(라)를 파형으로 나타낸 것이다.

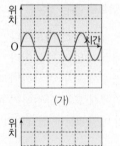 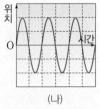

(가)   (나)

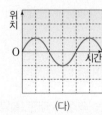 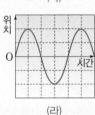

(다)   (라)

이에 대한 설명으로 옳지 않은 것은?

① (가)와 (다)의 소리의 크기는 같다.
② (나)와 (라)의 소리의 크기는 같다.
③ (가)와 (나)는 높이가 같은 소리이다.
④ (가)는 (라)보다 작고 높은 소리이다.
⑤ (가)~(라)는 각각 다른 물체에서 발생한 소리이다.

[14~15] 그림과 같이 동일한 유리병 A, B, C에 각각 물의 양을 다르게 넣었다.

A   B   C

14 유리병의 입구를 입으로 불었을 때 가장 높은 소리가 나는 유리병과 그 까닭을 옳게 설명한 것은?

① A, 병의 무게가 가장 가볍기 때문이다.
② A, 진동하는 공기 기둥의 길이가 가장 길기 때문이다.
③ B, 물의 높이와 공기 기둥의 길이가 거의 비슷하기 때문이다.
④ C, 병의 무게가 가장 무겁기 때문이다.
⑤ C, 진동하는 공기 기둥의 길이가 가장 짧기 때문이다.

15 유리병을 막대로 가볍게 쳤을 때 가장 높은 소리가 나는 유리병과 그 까닭을 옳게 설명한 것은?

① A, 병의 무게가 가장 가볍기 때문이다.
② A, 진동하는 공기 기둥의 길이가 가장 길기 때문이다.
③ B, 물의 높이와 공기 기둥의 길이가 거의 비슷하기 때문이다.
④ C, 병의 무게가 가장 무겁기 때문이다.
⑤ C, 진동하는 공기 기둥의 길이가 가장 짧기 때문이다.

중요

16 소리에 대한 설명으로 옳은 것을 〈보기〉에서 모두 고른 것은?

보기
ㄱ. 진폭이 클수록 높은 소리가 난다.
ㄴ. 일반적으로 남자의 목소리는 여자의 목소리에 비해 진동수가 작다.
ㄷ. 같은 '미' 음이라도 악기마다 소리가 다른 것은 악기마다 음색이 다르기 때문이다.

① ㄱ   ② ㄴ   ③ ㄷ
④ ㄱ, ㄴ   ⑤ ㄴ, ㄷ

정답과 해설 26쪽

서술형 Tip

서술형

1 그림 (가)는 물결파가 진행할 때 나뭇잎이 제자리에서 진동하는 모습을 나타낸 것이고, (나)는 지진이 발생하여 건물이 무너져 내린 모습을 나타낸 것이다.

(가)   (나)

(가)와 (나)를 통해 알 수 있는 파동이 전파될 때의 특징 2가지를 서술하시오.

_____

_____

1 파동이 전파될 때 매질과 에너지는 어떻게 이동하는지 생각해 본다.
→ 필수 용어: 매질, 진동, 에너지, 전달

Plus 문제 1-1
그림 (가)와 같이 나뭇잎이 제자리에서 진동할 때 나뭇잎의 진동 방향을 서술하시오.

_____

_____

단어 제시형

2 그림과 같이 진공 실험 장치 속에 음악 소리가 나는 휴대 전화를 넣은 후 공기를 서서히 빼내는 실험을 하였다. 공기를 서서히 빼내는 동안 음악 소리는 어떻게 들리는지 다음 단어를 모두 포함하여 서술하시오.

> 매질, 소리의 크기, 진공

_____

_____

2 소리를 전달하는 매질에 대해 떠올린다.

단계별 서술형

3 그림은 어떤 소리의 파형을 나타낸 것이다.

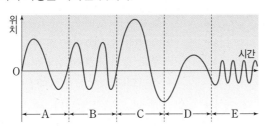

(1) A~E 중 가장 큰 소리가 나는 구간을 고르고, 그렇게 답한 까닭을 서술하시오.

_____

(2) A~E 중 가장 높은 소리가 나는 구간을 고르고, 그렇게 답한 까닭을 서술하시오.

_____

3 (1) 소리의 크기와 관계가 있는 소리의 요소는 무엇인지 떠올린다.
(2) 소리의 높낮이와 관계가 있는 소리의 요소는 무엇인지 떠올린다.

이 단원에서 학습한 내용을 확실히 이해했나요?
다음 내용을 잘 알고 있는지 확인해 보세요.

1 물체를 보는 과정

- 광원: 스스로 ❶□□을 내는 물체
- 빛의 직진: 광원에서 나온 빛이 한 물질 내에서 곧게 나아가는 현상
- 광원인 물체를 보는 과정: 광원에서 나온 빛이 직접 ❷□에 들어오면 물체를 보게 된다.
- 광원이 아닌 물체를 보는 과정: 광원에서 나온 빛이 물체에서 ❸□□되어 ❹□에 들어오면 물체를 보게 된다.

2 빛의 합성

- 빛의 합성: 두 가지 색 이상의 빛이 합쳐져서 또 다른 색의 빛으로 보이는 현상
- 빛의 삼원색: 빨간색, ❶□□색, 파란색
- 빛은 합성할수록 ❷□□지며, 빛의 ❸□□색을 고르게 합성하면 흰색(백색광)이 된다.

3 물체의 색

- 물체는 그 물체가 ❶□□하는 빛의 색으로 보인다. ➡ 모든 색의 빛을 반사하면 흰색으로 보이고, 반사하는 빛이 없으면 ❷□□색으로 보인다.
- 백색광 조명 아래에서 노란색 바나나를 보면 빨간색과 초록색 빛을 반사하여 노란색으로 보인다.
- 빨간색 조명 아래에서 노란색 바나나를 보면 빨간색 빛을 반사하여 ❸□□색으로 보인다.
- 파란색 조명 아래에서 노란색 바나나를 보면 반사하는 빛이 없어 ❹□□색으로 보인다.

4 평면거울에 의한 상

- 빛의 반사: 빛이 진행하다가 물체의 면에 부딪혀 ❶□□을 바꾸어 진행하는 현상
- 반사 법칙: 빛이 반사할 때 입사각과 반사각의 크기는 항상 ❷□□.
- 평면거울에 의한 상: 실제 물체와 크기가 같고 ❸□□가 바뀌어 보이며, 물체에서 거울까지의 거리와 거울에서 상까지의 거리가 ❹□□.
- 평면거울의 이용: 전신 거울, 잠망경, 만화경, 자동차의 후방 거울 등

5 거울과 렌즈에 의한 상 및 빛의 굴절

- 볼록 거울과 ❶□□ 렌즈에 의한 상: 물체와 거울 또는 렌즈 사이의 거리에 관계없이 항상 실제 물체보다 ❷□□ 바로 선 모습이다.
- 오목 거울과 ❸□□ 렌즈에 의한 상: 물체가 거울 또는 렌즈에 가까울 때는 실제 물체보다 ❹□□ 바로 선 모습이고, 멀어지면 어느 순간 거꾸로 선 모습이 보이고 크기가 점점 작아진다.
- 빛의 굴절: 빛이 진행하다가 다른 물질을 만날 때 두 물질의 경계면에서 진행 방향이 꺾이는 현상
- 빛이 굴절하는 까닭: 물질에 따라 빛이 진행하는 ❺□□이 다르기 때문이다.

6 파동

- 파동: 어느 한곳에서 생긴 진동이 주위로 퍼져 나가는 현상 ➡ 파동이 전파될 때 ❶□□은 제자리에서 진동만 할 뿐 파동을 따라 이동하지 않으며, 파동을 따라 전달되는 것은 ❷□□□이다.
- 주기: 매질의 한 점이 한 번 진동하는 데 걸리는 시간
- 진동수: 매질의 한 점이 1초 동안 진동하는 횟수로, 진동수와 주기는 서로 ❸□□ 관계이다.
- 횡파: 파동의 ❹□□ 방향과 매질의 ❺□□ 방향이 서로 수직인 파동
- 종파: 파동의 진행 방향과 매질의 진동 방향이 서로 나란한 파동

7 소리

- 소리(음파): 소리는 물체의 ❶□□으로 발생하고, 주로 공기를 통해 전달된다.
- 소리의 전달: 소리는 매질이 고체, 액체, 기체 상태일 때 모두 전달된다. ➡ 진공 중에서는 ❷□□이 없어서 소리가 전달되지 않는다.
- 소리의 전달 과정: 물체의 진동 → 주변 공기의 진동 → 고막의 진동 → 소리를 인식
- 소리의 3요소
  - 소리의 ❸□□: 진폭이 클수록 큰 소리이다.
  - 소리의 ❹□□□: 진동수가 클수록 높은 소리이다.
  - ❺□□: 파형에 따라 음색이 달라진다.

[내 실력 진단하기]
각 중단원별로 어느 부분이 부족한지 진단해 보고, 부족한 단원은 다시 복습합시다.

01. 빛과 색	01	02	03	04	05	06	27	
02. 거울과 렌즈	07	08	09	10	11	12	13	14
	15	16	28					
03. 파동과 소리	17	18	19	20	21	22	23	24
	25	26	29					

상 중 **하**

01 그림은 등대에서 나아가는 빛과 사람의 그림자를 나타낸 것이다.

▲ 등대에서 나아가는 빛　　　▲ 사람의 그림자

이로부터 알 수 있는 빛의 성질은?

① 빛의 직진　　② 빛의 반사　　③ 빛의 합성
④ 빛의 굴절　　⑤ 빛의 분산

상 **중** 하

02 전등 아래 놓인 장난감 자동차가 우리 눈에 보일 때 빛의 진행 경로를 옳게 나타낸 것은?

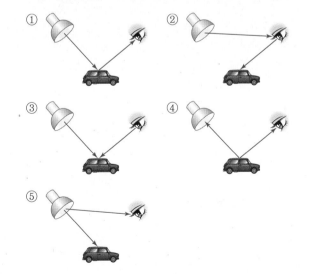

【주관식】　　　　　　　　　　　　　　　상 중 **하**

03 자홍색 빛과 합성시켜 백색광을 만들 수 있는 빛의 색을 쓰시오.

【주관식】　　　　　　　　　　　　　　　상 중 **하**

04 다음은 컴퓨터 모니터 화면에 대한 설명이다.

> 모니터 화면에서 색을 나타내는 최소 단위의 색 점을 화소라고 한다. 화소는 세 가지 색으로 이루어져 있는데, 이 세 가지 색을 각각 켜거나 끄고, 밝기를 다르게 하면서 다양한 색을 화면에 나타낸다.

화소를 이루는 세 가지 색은 무엇인지 쓰시오.

상 중 **하**

05 다음은 어떤 물체에 조명을 비추었을 때 물체가 보이는 색에 대한 설명이다.

> • 빨간색 조명을 비추었더니 빨간색으로 보였다.
> • 초록색 조명을 비추었더니 초록색으로 보였다.
> • 파란색 조명을 비추었더니 검은색으로 보였다.

이 물체를 백색광 아래에서 보았을 때 물체가 보이는 색은?

① 흰색　　　　② 검은색　　　　③ 파란색
④ 노란색　　　⑤ 청록색

상 **중** 하

06 그림과 같이 빨간색 쟁반 위에 노란색 레몬이 놓여 있다.

파란색 조명과 초록색 조명을 동시에 비출 때 쟁반과 레몬의 색을 옳게 짝 지은 것은?

	쟁반의 색	레몬의 색
①	파란색	초록색
②	빨간색	파란색
③	빨간색	빨간색
④	검은색	초록색
⑤	검은색	빨간색

07 그림과 같이 2개의 평면 거울 A, B를 서로 수직으로 붙여 놓은 후 A에 25°의 입사각으로 레이저 빛을 입사시켰다. 이 빛이 B에서 반사될 때 반사각의 크기는?

상중<u>하</u>

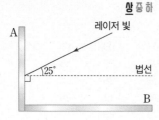

① 25°   ② 45°   ③ 65°
④ 70°   ⑤ 80°

자료 분석 | 정답과 해설 27쪽

08 그림과 같이 평면거울 2개를 이용한 잠망경을 통해 '2'라는 글자를 보고 있다. 이에 대한 설명으로 옳은 것을 〈보기〉에서 모두 고른 것은?

상중<u>하</u>

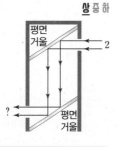

┌─ 보기 ─────────────────────────
│ ㄱ. 잠망경은 빛의 반사를 이용한 기구이다.
│ ㄴ. 실제 '2'라는 글자의 크기보다 확대되어 보인다.
│ ㄷ. '2'라는 글자는 좌우가 바뀐 'S'로 보인다.
└──────────────────────────────

① ㄱ   ② ㄴ   ③ ㄷ
④ ㄱ, ㄴ   ⑤ ㄴ, ㄷ

09 다음은 서로 다른 세 거울 (가)~(다)에 얼굴을 가까이 비추어 볼 때 거울에 나타난 상의 모습에 대한 설명이다.

상<u>중</u>하

• (가) – 실제 얼굴과 같은 크기의 상
• (나) – 실제 얼굴보다 크기가 큰 상
• (다) – 실제 얼굴보다 크기가 작은 상

(가)~(다)의 거울의 종류를 옳게 짝 지은 것은?

	(가)	(나)	(다)
①	평면거울	볼록 거울	오목 거울
②	평면거울	오목 거울	볼록 거울
③	볼록 거울	평면거울	오목 거울
④	오목 거울	평면거울	볼록 거울
⑤	오목 거울	볼록 거울	평면거울

[10~11] 그림은 물체와 거울 사이의 거리에 따른 상의 모습을 나타낸 것이다.

▲ 가까울 때   ▲ 아주 멀 때

10 이 거울에서 빛이 반사하는 모습을 옳게 나타낸 것은?

상중<u>하</u>

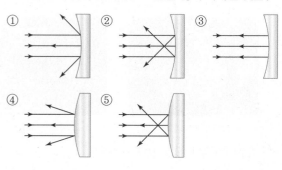

11 이 거울을 이용한 예로 옳은 것은?

상중<u>하</u>

① 태양열 조리기
② 성화 채화 거울
③ 자동차의 전조등
④ 화장용 확대 거울
⑤ 상점의 보안 거울

12 물체를 확대시켜 볼 수 있는 거울이나 렌즈를 옳게 짝 지은 것은?

상<u>중</u>하

① 평면거울, 볼록 렌즈
② 평면거울, 오목 렌즈
③ 오목 거울, 볼록 렌즈
④ 오목 거울, 볼록 거울
⑤ 볼록 거울, 오목 렌즈

13 빛의 성질과 그에 따른 현상을 옳게 짝 지은 것을 〈보기〉에서 모두 고른 것은? 상 **중** 하

> 보기
> ㄱ. 빛의 직진 – 나무 사이로 햇빛이 들어온다.
> ㄴ. 빛의 합성 – 공연장에서 조명을 이용해 다양한 색을 표현한다.
> ㄷ. 빛의 반사 – 물속에 잠긴 다리가 실제보다 짧아 보인다.
> ㄹ. 빛의 굴절 – 볼록 렌즈를 이용해 햇빛을 한 점에 모아 검은색 종이를 태운다.

① ㄱ ② ㄴ, ㄷ ③ ㄷ, ㄹ
④ ㄱ, ㄴ, ㄹ ⑤ ㄱ, ㄴ, ㄷ, ㄹ

14 볼록 렌즈와 오목 렌즈로부터 아주 멀리 떨어진 물체를 관찰할 때, 렌즈에 의해 나타나는 상의 모습을 옳게 짝 지은 것은? 상 **중** 하

	볼록 렌즈	오목 렌즈
①	바로 선 큰 상	바로 선 큰 상
②	바로 선 작은 상	바로 선 작은 상
③	바로 선 작은 상	거꾸로 선 작은 상
④	거꾸로 선 작은 상	바로 선 작은 상
⑤	거꾸로 선 작은 상	거꾸로 선 작은 상

【주관식】 상 **중** 하
15 다음은 현수와 명수의 눈의 이상에 대한 설명이다.

> • 현수: 교과서의 글씨는 잘 보이지만 멀리 떨어진 칠판의 글씨는 잘 보이지 않는다.
> • 명수: 교과서의 글씨는 잘 보이지 않지만 멀리 떨어진 칠판의 글씨는 비교적 잘 보인다.

두 사람이 눈의 이상을 교정하기 위해 안경을 맞췄을 때 각각 어떤 렌즈를 사용하는지 쓰시오.

16 그림은 나란하게 입사한 빛이 어떤 물체를 통과할 때의 진행 경로를 나타낸 것이다. 상 **중** 하

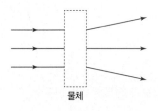
물체

이 물체에 대한 설명으로 옳지 <u>않은</u> 것은?

① 이 물체는 오목 렌즈이다.
② 이 물체를 통과하는 빛은 굴절한다.
③ 이 물체를 이용해서 근시를 교정한다.
④ 이 물체는 가운데 부분이 가장자리보다 얇다.
⑤ 이 물체를 통해서 가까이 있는 물체를 보면 실제 물체보다 크고 바로 선 상이 보인다.

17 파동에 대한 설명으로 옳은 것은? 상 중 **하**

① 물체의 진동이 퍼져 나가는 현상이다.
② 파동이 처음 발생한 지점을 매질이라고 한다.
③ 파동이 진행할 때 매질도 파동과 함께 이동한다.
④ 매질의 한 점이 1초 동안 진동한 횟수를 주기라고 한다.
⑤ 파동이 1회 진동하는 동안 이동하는 거리를 진동수라고 한다.

【주관식】 상 **중** 하
18 그림은 어떤 파동의 어느 순간의 모습을 시간에 따라 나타낸 것이다.

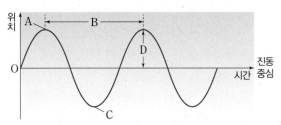

A~D 중 진동수와 역수 관계인 파동의 요소는 어느 것인지 고르시오.

19 그림은 어떤 파동의 어느 순간의 모습을 나타낸 것이다. 상중하

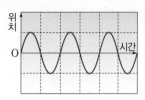

이 파동보다 진폭은 2배, 진동수는 $\frac{1}{2}$인 파동의 모습으로 옳은 것은?

①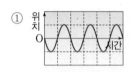

②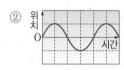

③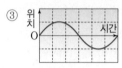

④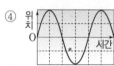

⑤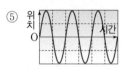

자료 분석 | 정답과 해설 28쪽

20 그림 (가)는 용수철을 좌우로, (나)는 용수철을 앞뒤로 흔들 때 나타나는 파동의 모습을 나타낸 것이다. 상중하

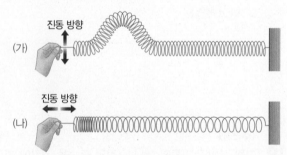

이에 대한 설명으로 옳지 않은 것은?

① (가)는 횡파, (나)는 종파이다.
② (가)의 예로는 전파, (나)의 예로는 소리가 있다.
③ 용수철을 더 세게 흔들면 (가), (나)의 진동수가 커진다.
④ (가)는 매질의 진동 방향과 파동의 진행 방향이 서로 수직이다.
⑤ (가)는 매질의 진동 방향과 파동의 진행 방향이 서로 나란하다.

21 그림은 A가 0.2초 후에 B 위치로 진행한 어떤 파동의 모습을 나타낸 것이다. 상중하

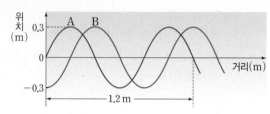

이 파동의 파장, 진폭, 주기를 옳게 짝 지은 것은?

	파장	진폭	주기
①	0.4 m	0.3 m	0.4초
②	0.4 m	0.6 m	0.8초
③	0.8 m	0.3 m	0.8초
④	0.8 m	0.6 m	0.8초
⑤	1.2 m	0.3 m	0.4초

자료 분석 | 정답과 해설 28쪽

22 소리의 크기에 대한 설명으로 옳은 것만을 〈보기〉에서 모두 고른 것은? 상중하

보기
ㄱ. 소리의 크기는 진폭에 따라 결정된다.
ㄴ. 물체가 빠르게 진동할수록 큰 소리가 난다.
ㄷ. 소리를 내는 물체의 진동이 클수록 큰 소리가 난다.

① ㄱ   ② ㄴ   ③ ㄱ, ㄷ
④ ㄴ, ㄷ   ⑤ ㄱ, ㄴ, ㄷ

[주관식] 상중하

23 그림과 같이 길이가 다른 강철차의 한쪽 끝을 고정시키고, 강철자를 같은 세기로 퉁겼다.

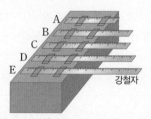

A~E 중 가장 높은 소리를 내는 것을 고르시오.

24 그림 (가)와 (나)는 다양한 소리의 파형을 서로 비교한 것이다.

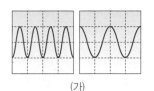 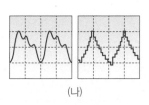

(가)   (나)

(가)와 (나)는 각각 무엇이 다른 소리인지 옳게 짝 지은 것은? (단, 가로축은 시간, 세로축은 위치를 나타낸다.)

　　　(가)　　　　　　(나)
① 크기가 다른 소리　　음색이 다른 소리
② 크기가 다른 소리　　높낮이가 다른 소리
③ 높낮이가 다른 소리　크기가 다른 소리
④ 높낮이가 다른 소리　음색이 다른 소리
⑤ 음색이 다른 소리　　높낮이가 다른 소리

25 그림은 자전거 바퀴를 돌리면서 바퀴살에 종이를 댈 때 나는 소리를 듣는 모습을 나타낸 것이다.

자전거 바퀴를 더 빨리 돌릴 때 듣게 되는 소리의 변화로 가장 적절한 것은?

① 진폭이 커져서 더 큰 소리가 난다.
② 진폭이 작아져서 더 작은 소리가 난다.
③ 진동수가 커져서 더 높은 소리가 난다.
④ 진동수가 작아져서 더 낮은 소리가 난다.
⑤ 음색이 달라져서 점점 다른 소리가 난다.

26 소리가 다르게 들리는 까닭이 나머지와 다른 하나는?

① 기타 줄이 가늘수록 높은 소리가 난다.
② 플룻의 '솔' 음과 '도' 음이 다르게 들린다.
③ 실로폰의 '솔' 음과 피아노의 '솔' 음이 다르게 들린다.
④ 실로폰을 두드릴 때 길이가 짧을수록 높은 소리가 난다.
⑤ 피아노를 칠 때 오른쪽 건반에서가 왼쪽 건반에서보다 높은 소리가 난다.

27 그림과 같은 색팽이를 빠르게 돌렸더니 팽이의 윗면이 흰색으로 보였다. (가) 부분의 색은 무엇인지 쓰고, 그렇게 답한 까닭을 서술하시오.

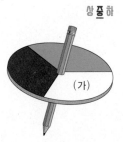

(가)

_____

_____

28 그림과 같이 상이 망막 앞에 맺히는 눈의 이상이 있다.

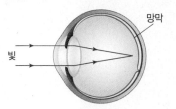

망막

빛

(1) 이러한 눈의 이상을 무엇이라고 하는지 쓰시오.

_____

(2) 이러한 눈의 이상을 교정하기 위해 필요한 렌즈의 종류의 쓰시오.

_____

(3) (2)에서 답한 렌즈를 이용해 눈의 이상을 교정하는 과정을 다음 단어를 모두 포함하여 서술하시오.

상, 망막, 빛

_____

_____

29 그림과 같이 종이컵을 이용하여 만든 전화기로 서로 멀리 떨어져서 통화를 하였더니 상대방의 소리를 들을 수 있었다.

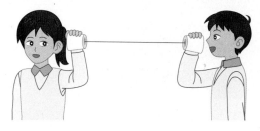

이처럼 상대방의 소리가 들리는 까닭을 서술하시오.

_____

Ⅶ 과학과 나의 미래

제목으로 미리보기

01 과학과 나의 미래

98~104쪽

'과학'의 사전적 의미는 사물의 현상에 관한 보편적 원리 및 법칙을 알아내고 해명하는 것을 목적으로 하는 지식 체계나 학문입니다. 이 단원에서는 과학과 관련된 직업의 종류를 정리하고, 현대 직업과 미래 직업의 특징에 대해 알아봅니다.

로봇 청소기 로봇 청소기를 이용하여 힘들이지 않고 깨끗하게 청소를 할 수 있다.

스마트폰 시간이나 장소에 관계없이, 컴퓨터를 대신해서 알고 싶은 정보를 얻을 수 있다.

기능성 의류 방수, 자외선 차단 등의 기능이 첨가된 의류를 입으면 험한 산악 환경과 같은 극한 환경에서도 안전하게 쾌적함을 느낄 수 있다.

네비게이션 모르는 장소로 이동할 때 길을 쉽게 찾거나 막히는 길에서 가장 빠르게 이동할 수 있도록 돕는다.

스마트워치 통화를 하거나 건강 상태를 확인할 수도 있고, 운동 기록을 저장하여 운동하는 것을 돕는 등의 기능을 한다.

스마트 텔레비전 인터넷과 연결한 텔레비전이라는 의미로, 기존 텔레비전 기능 외에 인터넷 공간의 콘텐츠 등을 이용할 수 있다.

전기 자동차 전기를 동력으로 하여 움직이는 자동차로, 배기 가스가 전혀 없으며, 소음이 아주 적다.

MRI 신체 내부 기관의 염증, 출혈, 종양 등의 확인을 위한 검사에 이용하며, 질병의 유무나 질병의 진행을 확인할 수 있다.

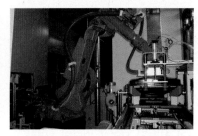

로봇 인간이나 동물과 유사한 모습을 가진 자동 기계로, 인간의 생활을 편리하게 하거나 인간이 할 수 없는 위험한 일을 대신한다.

승강기 고층 건물에서 동력을 이용하여 사람이나 짐을 아래위로 실어나르는 장치이다.

인공위성 지구의 대기권 밖 우주 공간에서 지구 둘레를 도는 장치이다.

디지털 농업 기술 노동력 절감과 편리하고 안정적인 농산물 생산을 위한 자동화 기술이다.

쉽고 정확하게! **개념 학습**

01 과학과 나의 미래

A 과학과 관련된 직업

1. 과학❶ 관련 직업의 종류 과학 기술이 발달함에 따라 과학과 관련된 직업의 종류도 많아 지고 있다.

구분	기초 과학❷과 관련된 직업	응용과학과 관련된 직업
특징	• 과학 지식을 탐구하는 직업 • 대부분 물리학, 화학, 생명 과학, 지구 과학과 같은 기초 과학 분야와 관계가 있다.	• 과학 지식을 이용하여 생활 속 문제를 해결하는 직업 • 대부분 기술, 공학, 의학, 농학 등 응용과학 분야와 관계가 있다.
예	물리학자, 화학자, 생명 과학자, 지구 과학자❸ 등	로봇 연구원, 의학 물리학자, 데이터 과학자, 기계 공학자, 항공 정비사, 휴대전화 개발자, 영양사, 안전 공학자 등

▲ 로봇 연구원
산업용, 의료용 및 실생활에 이용할 수 있는 로봇을 연구하고 개발한다.

▲ 기계 공학자
기계 부품의 설계나 제작과 관련된 기술을 개발한다.

▲ 항공 정비사
항공기를 안전하게 운항할 수 있도록 유지·보수한다.

2. 국가 직무 능력 표준(NCS) 산업 현장에서 직무를 수행하기 위해 요구되는 지식, 기술, 태도 등의 내용을 체계화한 것

① 국가 경쟁력을 유지하기 위해 개개인이 지닌 소질과 적성에 맞게 능력을 키우고, 사회가 이를 공정하게 평가하고 인정하기 위해 개발한 것이다.

② 과학 관련 직업❹을 여러 가지 분야로 분류할 수 있다. ➡ 자연 과학, 화학, 생명 공학, 재료 공학(재료 소재), 보건·의료, 환경·에너지, 전기 전자 분야 직업군 등이 있다.

3. 과학과 관련된 직업에 필요한 *역량

과학적 사고력	• 과학적인 증거와 이론을 바탕으로 합리적으로 추론하는 능력 • 다양하고 독창적인 아이디어를 제안하는 능력
과학적 탐구 능력	• 실험과 조사를 실행하는 탐구 능력 • 다양한 방법으로 자료를 수집·해석·평가하여 새로운 과학 지식을 얻는 능력
과학적 문제 해결력	• 과학 지식을 일상생활의 문제 해결에 활용하는 능력 • 다양한 정보와 자료를 활용한 해결 방안을 제시하고 실행하는 능력
과학적 *의사소통 능력	• 자신의 생각을 말, 글, 그림, 기호 등으로 표현하는 능력 • 자신의 생각을 주장하고 다른 사람의 생각을 이해하고 조정하는 능력
과학적 참여	과학 기술의 사회 문제에 관심을 가지고 의사 결정 과정에 참여하는 능력
평생 학습 능력	새로운 과학 기술 환경에 적응하기 위해 지속해서 학습하는 능력
논리적 사고력	주장과 근거의 관계를 논리적으로 생각하는 능력
창의력	새로운 것을 생각해 내는 능력
수리 능력	수, 통계 자료, 도표 등을 이해하고 응용하는 능력
정보 통신 활용 능력	컴퓨터나 스마트 기기 등을 활용하는 능력

이외에 호기심, 성실성, 자기 직업에의 애정 등이 있다.

>>> **개념 더하기**

❶ 과학
자연에 대한 호기심에서 출발하여 자연의 원리나 법칙을 찾아내고, 이를 해석하여 일정한 지식 체계를 만드는 활동

❷ 연구 대상의 특성에 따른 과학의 연구 분야
• 물리학: 힘과 운동, 빛과 파동, 열과 에너지 등을 연구하는 학문
• 화학: 물질의 구조와 성질, 물질의 변화 등을 연구하는 학문
• 생명 과학: 생명 현상, 생물의 구조, 환경과 생태계 등을 연구하는 학문
• 지구 과학: 지구, 대기와 해양, 우주 등을 연구하는 학문

❸ 과학자
과학적 탐구 과정을 거쳐 자연 현상을 전문적으로 연구하는 사람

❹ 과학 관련 직업의 예
과학 교사, 의사, 자동차 디자이너, 공간 정보 시스템 전문가, 섬유 공학 기술자, 반도체 공학 기술자, 식품과학자, 정신 생리학자, 재료과학자, 컴퓨터 과학자 등

용어 사전

*역량(힘 力, 헤아릴 量)
어떤 일을 해낼 수 있는 힘으로, 능력과 태도를 모두 포함한다.
*의사소통(뜻 意, 생각할 思, 소통할 疏, 통할 通)
가지고 있는 생각이나 뜻이 서로 통하는 것

1 기초 과학과 관련된 직업에 대한 설명은 '기초', 응용과학과 관련된 직업에 대한 설명은 '응용'이라고 쓰시오.

(1) 과학 지식을 탐구하는 직업이다. ( )
(2) 기술, 공학, 의학, 농학과 같은 분야와 관계가 있다. ( )
(3) 과학 지식을 이용하여 생활 속 문제를 해결하는 직업이다. ( )
(4) 물리학, 화학, 생명 과학, 지구 과학과 같은 분야와 관계가 있다. ( )
(5) 직업의 예로는 로봇 연구원, 데이터 과학자, 기계 공학자 등이 있다.
( )
(6) 직업의 예로는 물리학자, 화학자, 생명 과학자, 지구 과학자 등이 있다.
( )

2 연구 대상의 특성에 따른 과학의 연구 분야에 대한 설명으로 옳은 것은 ○, 옳지 않은 것은 ×로 표시하시오.

(1) 지구, 대기와 해양, 우주 등을 연구하는 학문은 지구 과학이다. ( )
(2) 물질의 구조와 성질, 물질의 변화 등을 연구하는 학문은 물리학이다.( )
(3) 힘과 운동, 빛과 파동, 열과 에너지 등을 연구하는 학문은 화학이다.( )
(4) 생명 현상, 생물의 구조, 환경과 생태계 등을 연구하는 학문은 생명 과학이다.
( )

3 다음 설명의 ( ) 안에 알맞은 말을 쓰시오.

> 산업 현장에서 직무를 수행하기 위해 요구되는 지식, 기술, 태도 등의 내용을 체계화한 것을 ( )(이)라고 한다. 이는 국가 경쟁력을 유지하기 위해 개개인이 지닌 소질과 적성에 맞게 능력을 키우고, 사회가 이를 공정하게 평가하고 인정하기 위해 개발한 것이다.

4 다음 설명에 해당하는 과학과 관련된 직업에 필요한 역량을 〈보기〉에서 골라 기호를 쓰시오.

> 보기
> ㄱ. 창의력 ㄴ. 과학적 참여 ㄷ. 과학적 사고력
> ㄹ. 평생 학습 능력 ㅁ. 과학적 문제 해결력 ㅂ. 정보 통신 활용 능력

(1) 새로운 것을 생각해 내는 능력이다. ( )
(2) 컴퓨터나 스마트 기기 등을 활용하는 능력이다. ( )
(3) 새로운 과학 기술 환경에 적응하기 위해 지속해서 학습하는 능력이다.
( )
(4) 과학 기술의 사회 문제에 관심을 가지고 의사 결정 과정에 참여하는 능력이다.
( )
(5) 과학적인 증거와 이론을 바탕으로 합리적으로 추론하는 능력으로, 다양하고 독창적인 아이디어를 제안하는 능력이다. ( )
(6) 과학 지식을 일상생활의 문제 해결에 활용하는 능력으로, 다양한 정보와 자료를 활용한 해결 방안을 제시하고 실행하는 능력이다. ( )

01 과학과 나의 미래

B 현대 사회의 직업과 과학

1. 현대 사회의 직업과 관련된 과학 개별 연구보다 함께 모여 연구하는 일이 많아지면서 과학 분야가 서로 *융합하여 만들어진 직업이나 과학과 다른 분야가 융합하여 만들어진 직업❶이 많아지고 있다.

2. 과학과 융합된 다양한 직업의 예 어떤 과학 지식을 활용하느냐에 따라 하는 일이 각각 다르지만, 새롭게 발견하거나 축적된 과학 지식을 이용한다는 공통점을 가진다.

직업	융합된 분야	과학과의 관련성
영화감독	예술, 과학 등	과학에 관련된 상식과 정보를 바탕으로 과학적이고, 실감 나는 작품을 만든다.
과학 전문 기자	문학, 과학 등	과학 지식과 글쓰기 능력을 가지고 있어 과학 관련 사건을 취재, 기사 작성, 보도하는 일을 한다.
문화재 보존 연구원	미술, 역사, 기술, 과학 등	역사적 지식과 함께 X선 촬영이나 물질의 특성 등 과학 지식을 바탕으로 오래된 문화재를 관리하고, 손상된 유물을 수리하여 원래 모습으로 되돌린다.
재활용 관리사	화학, 전기, 환경 공학, 건축학 등	폐기물 재활용 기술을 개발하거나 관련 활동을 관리한다.
빅 데이터 분석가	사회, 통계, 과학 등	과학적 검증 방법을 이용하여 수많은 정보를 정리하고, 해석하여 필요한 서비스를 제안한다.

이외에 음악 분수 연출가는 분수의 물줄기가 음악에 따라 움직이도록 설계한다.

C 미래 사회의 직업과 과학

1. 과학 기술의 발달과 직업의 변화

① 과학 기술이 발달하면서 기존 직업이 사라지거나 직업의 모습이 달라지고 새로운 직업❷이 생기기도 한다. ➡ 직업이 여러 번 바뀌기도 하고, 여러 가지 일을 동시에 수행할 수도 있다.

② 직업과 취미 생활의 구분이 모호해지고, 여가 활동이 직업으로 발전하기도 할 것이다.

③ 첨단 과학 기술의 융합, 친환경, 삶의 질 향상과 관련된 직업이 나타날 것이다.

2. 미래 사회 직업에 영향을 미칠 과학 기술❸

자율 주행 자동차	운전자의 조작 없이 자율 주행이 가능하게 한다.
인공 지능	인간의 지능으로 할 수 있는 학습, 추론 등을 컴퓨터가 해내는 기술이다. 예 인공 지능이 탑재된 로봇
사물 인터넷	사람과 사물, 사물과 사물의 데이터가 인터넷으로 연결되는 기술이다. 예 스마트폰을 이용한 가전제품의 제어
3D 프린팅	3차원 도면을 이용해 다양한 재료를 분사하여 3차원 물체를 만드는 기술이다.
드론(무인기)	조종사 없이 무선 전파의 유도로 비행 및 조종이 가능하게 한다.

이외에 가상 현실(VR), 바이오 기술 등이 있다.

3. 미래에 나타날 직업❹의 예

고령화 사회에 따른 직업	탈부착 골근격 증강기 연구원	노화로 인해 퇴행된 근육을 대신할 수 있도록 입거나 벗을 수 있는 골근격 증강기를 개발한다.
	인공 장기 조직 개발자	3D 바이오 프린팅 기술을 이용해 인체 조직을 만든다.
다문화에 따른 국제화 사회의 직업	국제 인재 채용 대리인	국가 간 인재 채용을 대신하고 현지에 잘 적응할 수 있도록 돕는다.
	문화 갈등 해결원	인종, 국가, 민족, 종교 등 문화가 다른 사람들 사이의 갈등을 예방하고 분쟁을 조정한다.
스마트 디지털 기술 사회의 직업	아바타 개발자	인간을 대체하는 아바타를 만들고, 아바타 홀로그램을 개발한다.
	데이터 소거원	인터넷에 떠돌고 있는 의뢰인의 부정적인 정보를 찾아서 안전하게 제거한다.
	오감 인식 기술자	표정이나 음성 인식을 이용하여 안전 운행, 장애인 보행을 돕는다.

≫ 개념 더하기

❶ 과학과 관련된 직업의 범위

기초 과학과 관련된 직업
응용과학과 관련된 직업
과학과 다른 분야가 융합하여 만들어진 직업

기초 과학 및 응용과학과 직접 관련된 직업뿐만 아니라 기술, 공학, 사회, 예술, 문학 분야 등과 관련된 직업에서도 과학의 중요성이 커지고 있다.

❷ 기존 직업의 변화와 새로운 직업의 예
• 사라진 직업의 예: 전화 교환원, 마부, 마차 제작자
• 새로운 직업의 예: 앱 개발자, 앱 디자이너
• 직업의 모습이 달라진 예: 컴퓨터로 그림을 그리는 만화가, 원격 진료를 하는 의사

❸ 인공 지능과 로봇의 활용
개인 맞춤형 건강 관리 서비스, 무인 교통 및 운송 서비스, 인공 지능 만능 전문가 서비스 등이 있다.

❹ 직업의 선택
자신에게 맞는 직업을 선택하기 위해서는 다양한 직업에 관심을 가져야 하며, 특히 현재보다 미래에 유망한 직업에 관심을 가지고 꾸준히 노력해야 한다. ➡ 과학 기술은 점점 빠르게 발달할 것이므로 *평생 학습에 대한 강한 의지를 가져야 한다.

용어 사전

*융합(화할 融, 합할 合)
서로 섞이거나 조화되어 하나로 합쳐지는 것
*평생 학습(평평할 平, 날 生, 배울 學, 익힐 習)
학교 교육 이외에 일반인이 참여할 수 있는 평생 교육으로서의 학습으로, 다양한 시기와 장소에서 이루어지는 모든 학습

핵심 Tip

- 과학과 융합된 다양한 직업의 예: 영화감독, 과학 전문 기자, 문화재 보존 연구원, 재활용 관리사, 빅 데이터 분석가
- 미래 사회 직업에 영향을 미칠 과학 기술: 자율 주행 자동차, 인공 지능, 사물 인터넷, 3D 프린팅, 드론(무인기)
- 미래에 나타날 직업의 예: 탈부착 골근격 증강기 연구원, 인공 장기 조직 개발자, 국제 인재 채용 대리인, 문화 갈등 해결원, 아바타 개발자, 데이터 소거원, 오감 인식 기술자

5 현대 사회의 직업과 과학에 대한 설명으로 옳은 것은 ○, 옳지 않은 것은 ×로 표시하시오.

(1) 함께 연구하는 것보다 개별 연구가 많아져 과학 분야가 서로 융합한다. ( )

(2) 과학과 융합된 직업들도 어떤 과학 지식을 활용하느냐에 따라 하는 일이 각각 다르다. ( )

(3) 기술, 공학, 사회, 예술, 문학 분야 등과 관련된 직업에서는 과학의 중요성이 작아지고 있다. ( )

(4) 과학 분야가 서로 융합하여 만들어진 직업이나 과학과 다른 분야가 융합하여 만들어진 직업이 많아지고 있다. ( )

6 다음 설명에 해당하는 과학과 융합된 다양한 직업의 예를 〈보기〉에서 골라 기호를 쓰시오.

┌ 보기 ┐
ㄱ. 영화감독　　ㄴ. 과학 전문 기자　　ㄷ. 재활용 관리사
ㄹ. 문화재 보존 연구원　　ㅁ. 음악 분수 연출가　　ㅂ. 빅 데이터 분석가

(1) 폐기물 재활용 기술을 개발하거나 관련 활동을 관리한다. ( )
(2) 과학과 관련된 상식과 정보를 바탕으로 과학적이고 실감 나는 작품을 만든다. ( )
(3) 과학적 검증 방법을 이용하여 수많은 정보를 정리하고 해석하여 필요한 서비스를 제안한다. ( )
(4) 역사적 지식과 함께 X선 촬영이나 물질의 특성 등 과학 지식을 바탕으로 오래된 문화재를 관리하고, 손상된 유물을 수리하여 원래 모습으로 되돌린다. ( )

원리 Tip　C-1

진로 계획의 점검 과정
희망 직업에 대해 검토하고 탐색한다. → 자신의 특성과 주변 환경을 검토한다. → 희망 직업에 필요한 역량을 검토한다. → 진로 목표를 달성한 후 자신의 모습에 만족하는지 검토한다.

7 미래 사회 직업에 영향을 미칠 과학 기술과 그에 대한 설명을 옳게 짝 지으시오.

(1) 드론 •　　• ㉠ 사람과 사물, 사물과 사물의 데이터가 인터넷으로 연결되는 기술이다.
(2) 인공 지능 •　　• ㉡ 3차원 도면을 이용해 다양한 재료를 분사하여 3차원 물체를 만드는 기술이다.
(3) 사물 인터넷 •　　• ㉢ 조종사 없이 무선 전파의 유도로 비행 및 조종이 가능하게 한다.
(4) 3D 프린팅 •　　• ㉣ 인간의 지능으로 할 수 있는 학습, 추론 등을 컴퓨터가 해내는 기술이다.

적용 Tip　C-2

첨단 과학 기술의 종류

정보 기술	정보의 수집, 저장, 처리, 검색, 전송과 관련된 기술
나노 기술	1 nm에서 수십 nm 크기의 물질이나 구조를 다루는 기술
생명 공학 기술	생명 과학 지식으로 생명 현상을 연구하여 활용하는 기술
문화 기술	문화 및 예술 산업 발전과 관련된 기술
우주 항공 기술	인공위성이나 항공기 등을 개발하는 것과 관련된 기술
환경 기술	환경 오염 예방이나 훼손된 환경 복원 등과 관련된 기술

8 다음은 미래에 나타날 직업에 대한 설명이다. ㉠~㉢에 알맞은 말을 쓰시오.

미래에 나타날 직업 중 탈부착 골근격 증강기 연구원과 인공 장기 조직 개발자는 (㉠) 사회에 따른 직업이다. 국제 인재 채용 대리인과 문화 갈등 해결원은 (㉡)에 따른 국제화 사회의 직업이다. 또한, 아바타 개발자, 데이터 소거원, 오감 인식 기술자는 스마트 (㉢) 기술 사회의 직업이다.

A 과학과 관련된 직업

01 다음은 과학 및 과학과 관련된 직업에 대한 설명이다.

과학 기술이 발달함에 따라 과학과 관련된 직업의 종류가 많아지고 있어.

기초 과학에는 물리학, 화학, 생명 과학, 지구 과학이 있지.

우리의 일상생활은 과학과 관련이 적어지고 있지만 과학과 관련된 직업의 수는 많아지고 있어.

학생 A   학생 B   학생 C

옳게 설명한 학생을 모두 고른 것은?

① A   ② B   ③ A, B
④ A, C   ⑤ B, C

중요

02 기초 과학과 관련된 직업에 대한 설명으로 옳은 것을 〈보기〉에서 모두 고른 것은?

┌─ 보기 ─────────────────────────┐
ㄱ. 과학 지식을 탐구하는 직업이다.
ㄴ. 관련된 직업의 예로는 물리학자, 화학자 등이 있다.
ㄷ. 대부분 물리학, 화학, 공학, 의학과 같은 기초 과학 분야와 관계가 있다.
└────────────────────────────────┘

① ㄱ   ② ㄴ   ③ ㄷ
④ ㄱ, ㄴ   ⑤ ㄴ, ㄷ

03 과학 지식을 이용하여 생활 속 문제를 해결하는 직업의 예와 그에 대한 설명으로 옳지 <u>않은</u> 것은?

① 기계 공학자 – 기계 부품의 설계나 제작과 관련된 기술을 개발한다.
② 생명 과학자 – 지구 내부에서 일어나는 현상과 지층에 대해 연구한다.
③ 항공 정비사 – 항공기를 안전하게 운항할 수 있도록 유지, 보수한다.
④ 영양사 – 식품의 성분을 알고, 영양과 맛을 고려하여 식단을 계획한다.
⑤ 로봇 연구원 – 산업용, 의료용 및 실생활에 이용할 수 있는 로봇을 연구하고 개발한다.

【주관식】

04 다음 설명에 해당하는 것을 쓰시오.

┌────────────────────────────────┐
• 산업 현장에서 직무를 수행하기 위해 요구되는 지식, 기술, 태도 등의 내용을 체계화한 것이다.
• 국가 경쟁력을 유지하기 위해 개개인이 지닌 소질과 적성에 맞게 능력을 키우고, 사회가 이를 공정하게 평가하고 인정하기 위해 개발한 것이다.
└────────────────────────────────┘

중요

05 다음은 과학과 관련된 직업에 필요한 역량에 대한 설명이다.

┌────────────────────────────────┐
(가) 수, 통계 자료, 도표 등을 이해하고 응용하는 능력이다.
(나) 새로운 과학 기술 환경에 적응하기 위해 지속해서 학습하는 능력이다.
(다) 실험과 조사를 실행하는 탐구 능력이며, 다양한 방법으로 자료를 수집 · 해석 · 평가하여 새로운 과학 지식을 얻는 능력이다.
└────────────────────────────────┘

(가)~(다)에 해당하는 역량을 각각 옳게 짝 지은 것은?

	(가)	(나)	(다)
①	창의력	과학적 참여	과학적 탐구 능력
②	창의력	평생 학습 능력	논리적 사고력
③	수리 능력	과학적 참여	과학적 사고력
④	수리 능력	평생 학습 능력	과학적 탐구 능력
⑤	논리적 사고력	창의력	과학적 참여

B 현대 사회의 직업과 과학

06 현대 사회의 직업과 관련된 과학에 대한 설명으로 옳은 것은?

① 함께 모여 연구하는 것보다 개별 연구가 많아졌다.
② 과학 분야가 서로 융합하여 만들어진 직업이 많아졌다.
③ 과학과 다른 분야가 융합하여 만들어진 직업이 사라지고 있다.
④ 어떤 과학 지식을 활용하느냐에 관계없이 하는 일은 모두 같다.
⑤ 새롭게 발견된 과학 지식은 검증할 시간이 필요하기 때문에 직업에 이용하지 않는다.

정답과 해설 **30쪽** >>>

07 다음은 과학 전문 기자가 하는 일을 설명한 것이다.

> 과학 전문 기자는 과학과 관련된 사건을 취재하거나 과학자를 인터뷰하여 대중들에게 소개한다. 또한, 최신 기술이 포함된 다양한 과학 정보나 흥미로운 과학 소식 등을 사람들이 알기 쉽도록 기사로 작성하고 보도하는 일을 한다.

이에 대한 설명으로 옳은 것을 〈보기〉에서 모두 고른 것은?

보기
ㄱ. 과학 전문 기자는 과학과 다른 분야가 융합하여 만들어진 직업이다.
ㄴ. 과학 전문 기자가 되기 위해서는 글쓰기와 의사소통 능력 등이 필요하다.
ㄷ. 과학 전문 기자는 기초 과학에 관련된 지식과 문학 관련 지식만 가지면 된다.

① ㄱ ② ㄴ ③ ㄷ
④ ㄱ, ㄴ ⑤ ㄴ, ㄷ

ⓒ 미래 사회의 직업과 과학

중요
08 과학 기술의 발달과 직업의 변화에 대한 설명으로 옳지 않은 것은?

① 새로운 직업이 생기기도 한다.
② 직업과 취미 생활의 구분이 모호해진다.
③ 사람들의 직업이 여러 번 바뀌기도 한다.
④ 기존 직업이 사라지거나 직업의 모습이 달라지기도 한다.
⑤ 단순하거나 반복적인 일을 하는 직업들이 많아질 것이다.

09 과거에는 있었으나 현재 사라진 직업으로 옳은 것은?

① 앱 개발자 ② 음향 기술자
③ 마차 제작자 ④ 빅 데이터 분석가
⑤ 문화재 보존 연구원

중요 [주관식]
10 다음은 미래 사회 직업에 영향을 미칠 어떤 과학 기술에 대한 설명이다.

> 인간의 지능으로 할 수 있는 학습, 추론 등을 컴퓨터가 해내는 기술이다. 일의 효율성과 안정성을 높일 수 있기 때문에 미래 사회에 많이 쓰일 것이다. 이를 탑재한 로봇은 노인이나 장애인의 생활을 도울 수도 있고, 농업이나 산업에 필요한 인력을 대신할 수도 있다.

이에 해당하는 과학 기술을 쓰시오.

11 미래에 나타날 직업의 예에 대한 설명으로 옳은 것은?

① 오감 인식 기술자 — 문화가 다른 사람들 사이의 갈등을 예방하고 분쟁을 조정한다.
② 아바타 개발자 — 국가 간 인재 채용을 대신하고 현지에 잘 적응할 수 있도록 돕는다.
③ 데이터 소거원 — 표정이나 음성 인식으로 인해 안전 운행, 장애인 보행 등을 돕는다.
④ 문화 갈등 해결원 — 인터넷에 떠돌고 있는 의뢰인의 부정적인 정보를 찾아서 안전하게 제거한다.
⑤ 탈부착 골근격 증강기 연구원 — 노화로 인해 퇴행된 근육을 대신할 수 있도록 입거나 벗을 수 있는 골근격 증강기를 개발한다.

12 미래에 자신에게 맞는 직업을 선택하기 위한 방법으로 옳지 않은 것은?

① 다양한 직업에 관심을 가진다.
② 평생 학습에 대한 의지를 가지고 있어야 한다.
③ 현재보다 미래에 유망한 직업을 가지기 위해 노력한다.
④ 직업에 필요한 능력이나 적성이 자신과 맞는지 확인해야 한다.
⑤ 가치관이나 성격에 맞는지 고려하기보다는 자신의 이익을 최우선으로 할 수 있는 직업을 선택한다.

서술형 Tip

단계별 서술형

1 다음은 과학과 관련된 여러 가지 직업을 나타낸 것이다.

> 영양사, 화학자, 물리학자, 로봇 공학자, 생명 과학자, 기계 공학자, 지구 과학자

(1) 제시된 직업 중 과학 지식을 탐구하는 기초 과학과 관련된 직업을 모두 쓰시오.

_____

(2) 제시된 직업 중 과학 지식을 이용하여 생활 속 문제를 해결하는 응용과학과 관련된 직업을 모두 쓰시오.

_____

(3) (2)에 해당하는 직업 중 1가지 직업의 하는 일을 서술하시오.

_____
_____
_____

1 기초 과학과 응용과학에 관련된 직업을 각각 구분한다.

단어 제시형

2 과학과 관련된 직업을 가지기 위해서는 각 직업에 따라 필요한 역량이 있다. 여러 가지 역량 중 과학적 의사소통 능력에 대해 다음 단어를 모두 포함하여 서술하시오.

> 자신의 생각, 표현, 다른 사람의 생각, 이해, 조정

_____
_____

2 과학적 의사소통 능력에 대해 제시된 단어를 모두 포함하여 서술한다.

Plus 문제 2-1
과학과 관련된 직업에 필요한 역량을 2가지만 쓰시오.

_____
_____

서술형

3 다음은 미래에 유망한 직업들을 나타낸 것이다.

> 아바타 개발자, 데이터 소거원, 문화 갈등 해결원, 인공 장기 조직 개발자, 국제 인재 채용 대리인, 탈부착 골근격 증강기 연구원,

스마트 디지털 기술 사회에서 생겨나거나 유망한 직업을 모두 쓰고, 그중 1가지 직업에 대해 서술하시오.

_____
_____

3 고령화 사회나 다문화에 따른 국제화 사회의 직업과 스마트 디지털 기술 사회에서 생겨나거나 유망한 직업을 구분한다.
→ 필수 용어: 인간을 대체, 부정적인 정보

시험 대비
교재

1 입자의 운동

① 입자: 물질을 이루는 작은 알갱이
- 기체를 포함한 모든 물질은 매우 작은 ❶(　　　)로 이루어져 있다.
- 입자 모형: 눈에 보이지 않는 입자를 눈에 보이는 그림이나 다른 물체를 이용하여 간단한 모형으로 나타낸 것

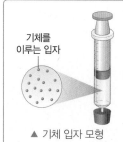

기체를 이루는 입자

- 기체는 작은 입자로 이루어져 있고, 입자들은 서로 떨어진 채 골고루 퍼져 있어 입자 사이에 빈 공간이 있다.
- 주사기의 피스톤을 누르면 밀려 들어간다. ➡ 기체 입자 사이의 거리가 가까워지기 때문

▲ 기체 입자 모형

② 입자의 운동: 물질을 이루는 입자들이 스스로 끊임없이 움직이는 현상
- 입자 운동의 방향: 입자들은 ❷(　　　) 방향으로 운동한다.
- 입자 운동의 빠르기: 온도가 ❸(　　　)수록 입자 운동이 활발하다.
- 입자 운동의 증거가 되는 현상: 확산, 증발

2 확산

① ❹(　　　): 물질을 이루는 입자가 스스로 운동하여 퍼져 나가는 현상

모형	**예 향수 입자의 확산** 향수병의 마개를 열어 놓으면 향기가 퍼진다. ➡ 향수 입자가 스스로 ❺(　　　)하여 공기 중으로 퍼져 나가기 때문 향수 입자
예	• 꽃향기나 향수 냄새가 퍼져 나간다. • 전기 모기향을 피워 모기를 쫓는다. • 마약 탐지견이 냄새로 마약을 찾는다. • 폭발물 탐지견이 냄새로 폭발물을 찾는다. • 멀리 떨어진 곳에서도 음식 냄새를 맡을 수 있다.
잘 일어나는 조건	• 온도: ❻(　　　)수록 • 입자의 질량: 작을수록 • 물질의 상태: 고체<액체<기체 • 일어나는 곳: 액체 속<기체 속<진공 속

② 암모니아 기체의 확산 실험

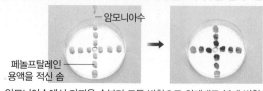

페트리 접시 위에 작게 뭉친 솜을 일정한 간격으로 올려놓고, 각 솜에 페놀프탈레인 용액을 떨어뜨린 후 가운데에 암모니아수를 떨어뜨린다.

암모니아수

페놀프탈레인 용액을 적신 솜

- 암모니아수에서 가까운 솜부터 모든 방향으로 차례대로 붉게 변한다.
- 입자가 스스로 운동하기 때문에 ❼(　　　)이 일어나며, 입자는 모든 방향으로 확산한다.

3 증발

① ❽(　　　): 액체를 이루는 입자가 스스로 운동하여 액체 표면에서 기체로 변하는 현상

모형	**예 물 입자의 증발** 컵 속의 물의 양이 줄어든다. ➡ 물 입자가 스스로 ❾(　　　)하여 물 표면에서 수증기가 되어 공기 중으로 날아가기 때문 물 입자
예	• 젖은 빨래가 마른다. • 풀잎에 맺힌 이슬이 사라진다. • 컵이나 어항 속의 물이 줄어든다. • 가뭄이 들어 땅이나 논바닥이 갈라진다. • 염전에서 바닷물을 가두어 소금을 얻는다.
잘 일어나는 조건	• 온도: ❿(　　　)수록 • 습도: ⓫(　　　)수록 • 바람: 강할수록 • 표면적: ⓬(　　　)수록

② 아세톤의 증발 실험

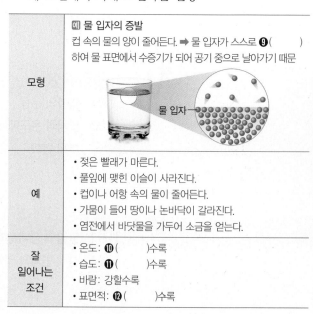

전자저울 위에 거름종이가 놓인 페트리 접시를 올려놓고 영점을 맞춘 후, 거름종이에 아세톤을 떨어뜨린다.

아세톤

- 질량이 점점 ⓭(　　　)하다가 0이 된다.
- 거름종이 주위에서 아세톤 냄새가 난다.
- 입자가 스스로 운동하기 때문에 ⓮(　　　)이 일어난다.

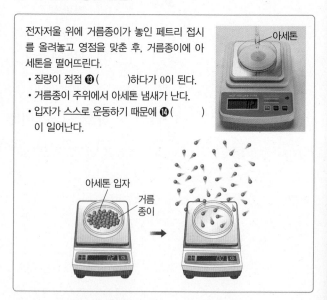

아세톤 입자

거름종이

정답과 해설 **32**쪽

1 기체는 매우 작은 (　　　　)(으)로 이루어져 있다.

　1 _____
　　_____

2 물질을 이루는 입자들은 스스로 끊임없이 (　　　　) 방향으로 운동한다.

　2 _____

3 물질을 이루는 입자가 스스로 운동하여 퍼져 나가는 현상을 (　　　　)(이)라고 한다.

　3 _____

4 향수병의 마개를 열어 놓으면 향기가 퍼지는데, 그 까닭은 향수 입자가 스스로 운동하여 공기 중으로 퍼져 나가 (증발 , 확산)하기 때문이다.

　4 _____

5 확산은 온도가 ㉠(높을 , 낮을)수록, 입자의 질량이 ㉡(클 , 작을)수록 잘 일어나고, ㉢(액체 속 , 기체 속, 진공 속)에서 가장 잘 일어난다.

　5 _____

6 그림과 같이 페트리 접시 위에 작게 뭉친 솜을 일정한 간격으로 올려놓고, 각 솜에 페놀프탈레인 용액을 떨어뜨린 후 페트리 접시 가운데에 암모니아수를 떨어뜨리면 암모니아수에서 ㉠(가까운 , 먼) 솜부터 ㉡(한쪽 , 모든) 방향으로 차례대로 붉게 변한다.

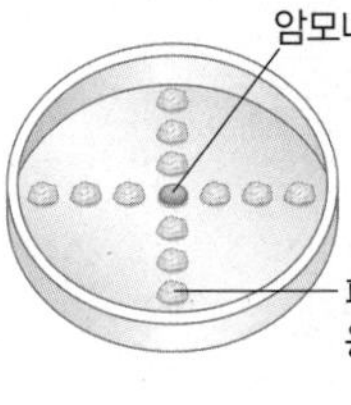

암모니아수

페놀프탈레인 용액을 적신 솜

　6 _____

7 액체를 이루는 입자가 스스로 운동하여 액체 표면에서 기체로 변하는 현상을 (　　　　)(이)라고 한다.

　7 _____

8 컵에 물을 담아 놓으면 물의 양이 점점 줄어드는데, 그 까닭은 물 입자가 스스로 운동하여 물 표면에서 (　　　　)하여 수증기가 되어 공기 중으로 날아가기 때문이다.

　8 _____

9 증발은 온도가 ㉠(높을 , 낮을)수록, 습도가 ㉡(높을 , 낮을)수록, 바람이 ㉢(강할 , 약할)수록, 표면적이 ㉣(넓을 , 좁을)수록 잘 일어난다.

　9 _____

10 확산의 예는 '확산', 증발의 예는 '증발'이라고 쓰시오.

(1) 가뭄이 들어 땅이 갈라진다. 　　　　　(　　　)
(2) 풀잎에 맺힌 이슬이 사라진다. 　　　　(　　　)
(3) 빵을 꺼내 놓으면 빵이 딱딱해진다. 　(　　　)
(4) 전기 모기향을 피워 모기를 쫓는다. 　(　　　)
(5) 폭발물 탐지견이 냄새로 폭발물을 찾는다. (　　　)
(6) 멀리 떨어진 곳에서도 음식 냄새를 맡을 수 있다. (　　　)

　10 _____
　　_____

01 기체 입자에 대한 설명으로 옳은 것을 〈보기〉에서 모두 고른 것은?

┌─ 보기 ────────────────────────────
ㄱ. 기체 입자 사이에는 빈 공간이 있다.
ㄴ. 기체 입자들은 여러 개가 서로 붙어 있다.
ㄷ. 기체 입자들은 위쪽 방향으로만 움직인다.
ㄹ. 주사기에 기체를 넣고 피스톤을 누르면 기체 입자 사이의 거리가 가까워진다.
└──────────────────────────────────

① ㄱ, ㄴ　　　② ㄱ, ㄹ　　　③ ㄴ, ㄷ
④ ㄷ, ㄹ　　　⑤ ㄱ, ㄴ, ㄹ

02 다음 현상들이 일어나는 공통적인 원인은?

• 풀잎에 맺힌 이슬이 사라진다.
• 마약 탐지견이 냄새로 마약을 찾는다.
• 손등에 바른 알코올이 잠시 후 사라진다.

① 입자가 스스로 운동하기 때문이다.
② 입자는 바람을 통해 이동하기 때문이다.
③ 입자는 종류에 따라 성질이 다르기 때문이다.
④ 입자는 다른 종류의 입자로 변할 수 있기 때문이다.
⑤ 입자는 온도가 높을수록 활발하게 운동하기 때문이다.

03 입자가 스스로 운동하고 있다는 증거가 되는 현상이 <u>아닌</u> 것은?

① 폭포의 물이 아래로 떨어진다.
② 전기 모기향을 피워 모기를 쫓는다.
③ 급식실 근처에서 음식 냄새를 맡을 수 있다.
④ 염전에서 바닷물을 증발시켜 소금을 얻는다.
⑤ 물걸레로 바닥을 닦고 시간이 지나면 물이 마른다.

04 확산에 대한 설명으로 옳지 <u>않은</u> 것은?

① 물보다 수증기가 확산 속도가 빠르다.
② 온도가 높을수록 확산 속도가 빠르다.
③ 기체 속보다 진공 속에서 확산 속도가 빠르다.
④ 물질을 이루는 입자의 질량이 클수록 확산 속도가 빠르다.
⑤ 새로 지은 집에서 새집 증후군이 생기는 것의 원인이 된다.

05 그림은 향수병의 뚜껑을 열어 놓았을 때 일어나는 변화를 입자 모형으로 나타낸 것이다.

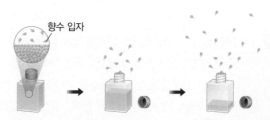

향수 입자

이와 같은 원리로 일어나는 현상이 <u>아닌</u> 것은?

① 노랫소리가 멀리 퍼진다.
② 옷장을 열었더니 나프탈렌 냄새가 난다.
③ 빵집을 지나가면 빵 냄새를 맡을 수 있다.
④ 부엌에서 나는 음식 냄새가 집 전체로 퍼진다.
⑤ 폭발물 탐지견이 냄새로 집 속의 폭발물을 찾는다.

06 그림은 서로 다른 온도의 물이 든 비커에 같은 양의 잉크를 동시에 떨어뜨린 모습이다. 이 결과와 같은 원리로 설명할 수 있는 현상은?

20 ℃ 물　　　60 ℃ 물

① 물이 높은 곳에서 낮은 곳으로 흐른다.
② 헬륨을 넣은 풍선이 하늘 위로 올라간다.
③ 비오는 날보다 맑은 날에 빨래가 더 잘 마른다.
④ 겨울보다 여름에 향수 냄새가 더 빨리 퍼진다.
⑤ 뭉쳐 놓은 빨래보다 펼쳐 놓은 빨래가 더 잘 마른다.

07 다음 중 확산이 가장 잘 일어나는 경우는?

	온도	물질의 상태	일어나는 곳
①	10 ℃	고체	액체 속
②	10 ℃	액체	기체 속
③	10 ℃	기체	진공 속
④	50 ℃	액체	기체 속
⑤	50 ℃	기체	진공 속

[08~09] 그림과 같이 빨대에 만능 지시약 종이를 넣고 한쪽 끝을 마개로 막은 후, 다른 쪽 끝은 암모니아수를 묻힌 솜을 넣은 마개로 막았다.

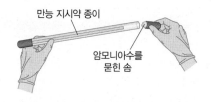

만능 지시약 종이
암모니아수를 묻힌 솜

08 이에 대한 설명으로 옳은 것을 모두 고르면? (2개)

① 암모니아 입자는 왼쪽 방향으로만 운동한다.
② 암모니아 입자가 스스로 운동한다는 것을 알 수 있다.
③ 암모니아수를 묻힌 솜의 색깔이 붉은색으로 변한다.
④ 암모니아수를 묻힌 솜에서 먼 쪽부터 만능 지시약 종이의 색깔이 변한다.
⑤ 암모니아수를 묻힌 솜에서 증발한 암모니아 입자가 빨대 속으로 확산한다.

09 위 실험에서 만능 지시약 종이의 색깔을 더 빨리 변하게 하는 방법으로 옳은 것은?

① 빨대를 얼음물에 담근다.
② 빨대를 냉장고에 넣는다.
③ 암모니아수에 물을 더 넣는다.
④ 빨대를 길이가 더 긴 것으로 바꾼다.
⑤ 헤어드라이어로 빨대에 뜨거운 바람을 불어 준다.

출제율 99%

10 그림과 같이 페트리 접시에 솜을 일정한 간격으로 놓고 각 솜에 페놀프탈레인 용액을 떨어뜨려 적신 후, 가운데에 암모니아수를 떨어뜨렸다. 시간이 지난 후 페놀프탈레인 용액을 적신 솜의 색깔 변화를 옳게 나타낸 것은?

암모니아수
페놀프탈레인 용액을 적신 솜

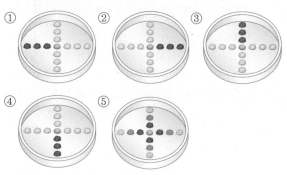

[주관식]

11 다음에서 공통으로 설명하는 현상이 무엇인지 쓰시오.

• 입자 운동의 증거가 되는 현상이다.
• 액체를 이루는 입자가 스스로 운동하여 액체 표면에서 기체로 변하는 현상이다.
• 젖은 머리카락을 헤어드라이어로 말리는 것은 이 현상의 예이다.

12 다음은 일상생활에서 볼 수 있는 2가지 현상이다.

• 고추를 햇빛에 말린다.
• 교실 바닥에 흘린 물이 점점 사라진다.

이 현상들에 대한 설명으로 옳은 것은?

① 온도가 높을 때만 일어난다.
② 습도가 높을수록 잘 일어난다.
③ 액체 전체에서 기체로 변하는 현상이다.
④ 이 현상이 일어나면 입자의 종류가 변한다.
⑤ 입자가 스스로 운동하기 때문에 일어나는 현상이다.

13 그림은 2가지 현상을 모형으로 나타낸 것이다.

(가)   (나)

이에 대한 설명으로 옳은 것을 〈보기〉에서 모두 고른 것은?

보기
ㄱ. (가)는 확산, (나)는 증발 현상의 모형이다.
ㄴ. (가)와 (나) 모두 입자가 스스로 운동하고 있다.
ㄷ. (가)와 (나) 모두 온도가 높을수록 빠르게 일어난다.
ㄹ. 전기 모기향을 피워 모기를 쫓는 것과 관계있는 모형은 (가)이다.

① ㄱ, ㄴ　　　② ㄱ, ㄹ　　　③ ㄴ, ㄷ
④ ㄷ, ㄹ　　　⑤ ㄴ, ㄷ, ㄹ

14 일상생활에서 일어나는 현상 중 원리가 나머지와 다른 하나는?

① 감을 말려 곶감을 만든다.
② 가뭄이 들어 땅이 갈라진다.
③ 어항 속의 물이 점점 줄어든다.
④ 냉면에 식초를 넣으면 국물 전체에 신맛이 난다.
⑤ 수채 물감으로 그린 그림이 말라서 물감만 남는다.

【주관식】
15 그림은 온도만 다른 조건에서 물이 수증기로 변하는 현상을 모형으로 나타낸 것이다.

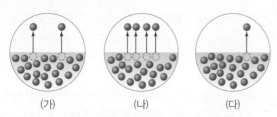

(가)　　　(나)　　　(다)

이에 대한 설명으로 옳은 것을 〈보기〉에서 모두 고르시오.

보기
ㄱ. (가)~(다) 모두 증발이 일어난다.
ㄴ. 온도는 (나)<(가)<(다) 순으로 높다.
ㄷ. 입자의 운동이 가장 활발한 것은 (다)이다.

16 다음 2가지 현상이 나타나는 공통적인 까닭으로 옳은 것은?

• 젖은 빨래를 펼쳐서 말리면 뭉쳐서 말릴 때보다 빨리 마른다.
• 젖은 우산을 펼쳐서 말리면 접어서 말릴 때보다 빨리 마른다.

① 바람이 강할수록 증발이 잘 일어나기 때문이다.
② 온도가 높을수록 증발이 잘 일어나기 때문이다.
③ 습도가 낮을수록 증발이 잘 일어나기 때문이다.
④ 표면적이 넓을수록 증발이 잘 일어나기 때문이다.
⑤ 입자 사이에 서로 잡아당기는 힘이 작을수록 증발이 잘 일어나기 때문이다.

17 다음 설명과 관계있는 현상을 〈보기〉에서 모두 고른 것은?

온도가 높을수록 입자의 운동이 활발하다.

보기
ㄱ. 염화 수소보다 암모니아가 빨리 퍼져 나간다.
ㄴ. 기온이 낮은 날보다 높은 날 빨래가 잘 마른다.
ㄷ. 염전에서 햇빛이 강할수록 소금을 더 많이 얻을 수 있다.
ㄹ. 젖은 머리카락은 찬바람보다 뜨거운 바람으로 말리면 더 빨리 마른다.

① ㄱ, ㄴ　　　② ㄱ, ㄹ　　　③ ㄴ, ㄷ
④ ㄷ, ㄹ　　　⑤ ㄴ, ㄷ, ㄹ

출제율 99%
18 그림과 같이 전자저울 위에 거름종이가 놓인 페트리 접시를 올려놓고 영점을 맞춘 후, 아세톤을 몇 방울 떨어뜨렸다. 이에 대한 설명으로 옳지 않은 것은?

아세톤
거름종이

① 아세톤 입자가 스스로 운동하여 증발한다.
② 저울의 숫자가 점점 작아지다가 0이 된다.
③ 실험실의 습도가 높을수록 질량이 빨리 변한다.
④ 거름종이에 있는 아세톤 입자의 개수가 줄어든다.
⑤ 거름종이에 있는 아세톤 입자의 크기는 변하지 않는다.

19 그림은 액체인 물에서 일어나는 2가지 현상을 모형으로 나타낸 것이다.

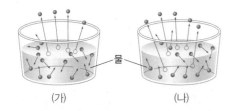

(가)   (나)

이에 대한 설명으로 옳은 것은?

① (가)와 (나)는 모두 물의 성질이 달라진다.

② (가)는 물 전체에서, (나)는 물 표면에서만 일어 난다.

③ (가)는 특정 온도에서, (나)는 모든 온도에서 일어 난다.

④ (가)는 가열에 의해, (나)는 입자 운동에 의해 일어 난다.

⑤ 해가 뜨면 풀잎에 맺힌 이슬이 사라지는 것은 (가) 에 의해 일어나는 현상이다.

자료 분석 | 정답과 해설 33쪽

20 표의 (가)~(다)와 같은 조건에서 같은 양의 액체를 각각 유리판에 떨어뜨린 후, 액체가 모두 증발하는 데 걸리는 시간을 측정하였다.

구분	(가)	(나)	(다)
온도(℃)	20	60	60
액체의 종류	물	에탄올	물

이에 대한 설명으로 옳은 것을 〈보기〉에서 모두 고른 것 은? (단, 입자 사이에 서로 잡아당기는 힘은 물>에탄올 이고, 온도와 액체의 종류 외의 다른 조건은 모두 같다.)

보기

ㄱ. 증발하는 데 걸리는 시간이 가장 짧은 것은 (나) 이다.

ㄴ. (가)와 (나)를 비교하면 온도가 증발 속도에 미치 는 영향을 알 수 있다.

ㄷ. (가)와 (다)를 비교하면 입자 사이에 서로 잡아당 기는 힘이 증발 속도에 미치는 영향을 알 수 있다.

ㄹ. (나)와 (다)를 비교하면 입자 사이에 서로 잡아당 기는 힘이 증발 속도에 미치는 영향을 알 수 있다.

① ㄱ, ㄴ   ② ㄱ, ㄹ   ③ ㄴ, ㄷ

④ ㄱ, ㄷ, ㄹ   ⑤ ㄴ, ㄷ, ㄹ

자료 분석 | 정답과 해설 34쪽

21 다음 (가)~(다)의 조건에서 수소 기체의 확산 속도를 등호 나 부등호를 이용하여 비교하고, 그 까닭을 입자의 운동과 관련지어 서술하시오.

(가) 10 ℃ 공기 속에서 수소 기체가 퍼져 나갈 때
(나) 30 ℃ 공기 속에서 수소 기체가 퍼져 나갈 때
(다) 50 ℃ 공기 속에서 수소 기체가 퍼져 나갈 때

_____

_____

22 그림과 같이 진한 암모니아수를 묻힌 솜과 진한 염산을 묻 힌 솜을 유리관의 양쪽 끝에 동시에 넣고 고무마개로 막았 더니 진한 염산을 묻힌 솜 가까이에 흰 연기가 생겼다.

진한 암모니아수를   흰 연기의 띠   진한 염산을
묻힌 솜   묻힌 솜

(1) 유리관의 온도를 높였을 때 흰 연기가 생기는 데 걸리는 시간이 어떻게 변하는지 쓰고, 그 까닭을 서술하시오.

_____

_____

(2) 유리관을 진공으로 만들었을 때 흰 연기가 생기는 데 걸리는 시간이 어떻게 변하는지 쓰고, 그 까닭 을 서술하시오.

_____

_____

23 그림과 같이 윗접시저울의 양쪽 에 거름종이를 올려놓고 수평을 맞춘 후, 같은 양의 물과 에탄올 을 양쪽 접시에 각각 떨어뜨렸더 니 저울이 물을 떨어뜨린 쪽으로 점점 기울어졌다.

물   에탄올

(1) 저울이 물을 떨어뜨린 쪽으로 기울어진 까닭을 물 과 에탄올의 증발 속도를 이용하여 서술하시오.

_____

(2) 오랜 시간이 지났을 때 저울은 어떻게 움직이는지 쓰고, 그 까닭을 서술하시오.

_____

1 기체의 압력

① ❶( ): 일정한 넓이에 수직으로 작용하는 힘의 크기

② 기체의 압력(기압): 기체 입자들이 끊임없이 운동하면서 용기 벽에 충돌할 때, 용기 벽의 일정한 넓이에 작용하는 힘의 크기

• 기체의 압력의 방향과 크기: 기체의 압력은 ❷( ) 방향에 같은 크기로 작용한다.

• 기체의 압력이 커지는 조건: 기체 입자의 충돌 횟수가 ❸( )수록 기체의 압력이 커진다.

기체 입자 수	많을수록	온도와 부피가 같을 때 기체 입자의 개수가 많을수록 압력 증가
용기의 부피	❹( )수록	온도와 입자의 개수가 같을 때 용기의 부피가 작을수록 압력 증가
온도	❺( )수록	부피와 입자의 개수가 같을 때 온도가 높을수록 압력 증가

③ 대기압: 지구를 둘러싸고 있는 공기가 나타내는 압력 ➡ 보통 1기압이며, 높이 올라갈수록 감소한다.

2 기체의 압력과 부피의 관계

① 압력에 따른 기체의 부피 변화: 온도가 일정할 때 압력이 증가하면 기체의 부피는 ❻( )하고, 압력이 감소하면 기체의 부피는 ❼( )한다.

② 압력에 따른 기체의 부피 변화와 입자의 운동

압력 감소	압력 증가
외부 압력 감소 ➡ 기체의 부피 ❽( ) ➡ 기체 입자의 충돌 횟수 감소 ➡ 기체의 압력 감소	외부 압력 증가 ➡ 기체의 부피 ❾( ) ➡ 기체 입자의 충돌 횟수 증가 ➡ 기체의 압력 증가

③ 보일 법칙: 온도가 일정할 때 일정량의 기체의 부피(V)는 압력(P)에 ❿( )한다. ➡ 온도가 일정할 때 기체의 압력과 부피의 곱은 ⓫( )하다. [문제 공략 10쪽]

$$압력(P) \times 부피(V) = 일정$$

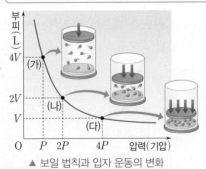

기체의 압력
(가)<(나)<(다)
기체의 부피
(가)>(나)>(다)
입자의 충돌 횟수
(가)<(나)<(다)
입자의 운동 속도
(가)=(나)=(다)

▲ 보일 법칙과 입자 운동의 변화

④ 일상생활에서 보일 법칙과 관련된 현상

• 비행기가 이륙하면 귀가 먹먹해진다.

• 높은 산에 올라가면 과자 봉지가 부풀어 오른다.

• 하늘 높이 올라간 고무풍선이 점점 커지다가 터진다.

• 운동화에 들어 있는 공기 주머니는 발에 전달되는 충격을 완화시켜 준다.

• 물속에서 잠수부가 내뿜은 공기 방울은 수면으로 올라갈수록 점점 커진다.

3 기체의 온도와 부피의 관계

① 온도에 따른 기체의 부피 변화: 압력이 일정할 때 온도가 높아지면 기체의 부피는 ⓬( )하고, 온도가 낮아지면 기체의 부피는 ⓭( )한다.

② 온도에 따른 기체의 부피 변화와 입자의 운동

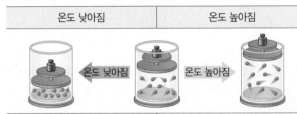

온도 낮아짐	온도 높아짐
온도 낮아짐 ➡ 기체 입자의 운동 속도 감소 ➡ 기체 입자의 충돌 횟수와 세기 감소 ➡ 기체의 부피 감소	온도 높아짐 ➡ 기체 입자의 운동 속도 증가 ➡ 기체 입자의 충돌 횟수와 세기 증가 ➡ 기체의 부피 증가

③ 샤를 법칙: 압력이 일정할 때 일정량의 기체는 종류에 관계없이 온도가 높아지면 부피가 일정한 비율로 ⓮( )한다.

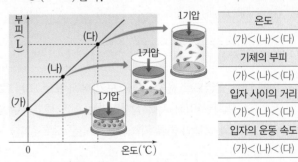

온도
(가)<(나)<(다)
기체의 부피
(가)<(나)<(다)
입자 사이의 거리
(가)<(나)<(다)
입자의 운동 속도
(가)<(나)<(다)

▲ 샤를 법칙과 입자 운동의 변화

④ 일상생활에서 샤를 법칙과 관련된 현상

• 열기구 속 공기를 가열하면 열기구가 위로 떠오른다.

• 찌그러진 탁구공을 뜨거운 물에 넣으면 탁구공이 다시 펴진다.

• 여름철에는 겨울철보다 자동차 타이어에 공기를 적게 넣어 준다.

• 공기가 들어 있는 페트병의 마개를 막고 냉장고에 넣으면 페트병이 찌그러진다.

• 피펫의 위쪽 입구를 손가락으로 막고 중간 부분을 다른 손으로 감싸 쥐면 남은 용액이 빠져나온다.

정답과 해설 **35**쪽

1 일정한 넓이에 수직으로 작용하는 힘의 크기를 (㉠   )(이)라 하고, 기체 입자들이 끊임없이 운동하면서 용기 벽에 (㉡   )할 때 용기 벽의 일정한 넓이에 작용하는 힘의 크기를 기체의 압력이라고 한다.

1 _____
_____

2 기체의 압력은 온도와 부피가 같을 때 기체 입자의 개수가 ㉠(많을 , 적을)수록, 온도와 입자의 개수가 같을 때 용기의 부피가 ㉡(클 , 작을)수록, 부피와 입자의 개수가 같을 때 온도가 ㉢(높을 , 낮을)수록 커진다.

2 _____
_____

3 온도가 일정할 때 기체에 작용하는 압력이 커지면 기체의 부피는 ㉠(증가 , 감소)하고, 기체에 작용하는 압력이 작아지면 기체의 부피는 ㉡(증가 , 감소)한다.

3 _____
_____

4 일정한 온도에서 실린더에 일정량의 기체를 넣고 추를 올려 압력을 가했을 때 실린더 속 기체의 값 중 증가하는 것을 〈보기〉에서 모두 고르시오.

┌─ 보기 ─────────────────────────────────┐
│ ㄱ. 기체의 부피   ㄴ. 기체의 압력   │
│ ㄷ. 기체 입자의 운동 속도   ㄹ. 기체 입자 사이의 충돌 횟수 │
└──┘

4 _____
_____

5 온도가 일정할 때 일정량의 기체의 부피는 압력에 반비례한다는 법칙을 (   ) 법칙이라고 한다.

5 _____
_____

6 0 ℃, 1기압에서 수소 기체의 부피가 4 L이다. 같은 온도에서 압력이 2기압으로 변하면 기체의 부피는 몇 L가 되는지 구하시오.

6 _____
_____

7 압력이 일정할 때 온도가 높아지면 기체의 부피는 ㉠(증가 , 감소)하고, 온도가 낮아지면 기체의 부피는 ㉡(증가 , 감소)한다.

7 _____
_____

8 일정한 압력에서 실린더에 일정량의 기체를 넣고 가열하였을 때 실린더 속 기체의 값 중 증가하는 것을 〈보기〉에서 모두 고르시오.

┌─ 보기 ─────────────────────────────────┐
│ ㄱ. 기체의 부피   ㄴ. 기체 입자의 개수   │
│ ㄷ. 기체 입자의 운동 속도   ㄹ. 기체 입자 사이의 거리   │
└──┘

8 _____
_____

9 압력이 일정할 때 일정량의 기체는 종류에 관계없이 온도가 높아지면 부피가 일정한 비율로 증가한다는 법칙을 (   ) 법칙이라고 한다.

9 _____
_____

10 보일 법칙과 관계있는 현상은 '보일', 샤를 법칙과 관계있는 현상은 '샤를'이라고 쓰시오.

(1) 높은 산에 올라가면 과자 봉지가 팽팽해진다.   (   )
(2) 감압 용기에 풍선을 넣고 용기 속 공기를 빼내면 풍선이 부풀어 오른다.   (   )
(3) 피펫의 윗부분을 손가락으로 막고 중간 부분을 다른 손으로 감싸 쥐면 피펫 끝에 남은 용액이 빠져나온다.   (   )

10 _____
_____

• 보일 법칙
  온도가 일정할 때 일정량의 기체의 부피(V)는 압력(P)에 반비례한다. ➡ 온도가 일정할 때 기체의 압력과 부피의 곱은 일정하다.

$$압력(P) \times 부피(V) = 일정 \Rightarrow P_{처음} \times V_{처음} = P_{나중} \times V_{나중}$$

기체의 부피 구하는 문제 - 글로 자료가 제시된 경우

1 25 ℃, 1기압에서 주사기 속에 60 mL의 공기가 들어 있다. 온도를 일정하게 유지하면서 피스톤을 눌러 4기압으로 만들면 주사기 속 공기의 부피는 몇 mL가 되는지 구하시오.

2 0 ℃, 1기압에서 부피가 5 L인 기체가 있다. 온도를 일정하게 유지하면서 압력을 2배로 높였을 때 기체의 부피는 몇 L인지 구하시오.

기체의 부피 구하는 문제 - 표로 자료가 제시된 경우

3 표는 일정한 온도에서 공기가 들어 있는 주사기의 피스톤을 누르면서 측정한 주사기 속 공기의 부피 변화를 나타낸 것이다.

압력(기압)	1	2	3	4	5
부피(mL)	30	㉠	10	7.5	㉡

㉠과 ㉡을 구하시오.

기체의 부피 구하는 문제 - 그래프로 자료가 제시된 경우

4 그림은 일정한 온도에서 압력에 따른 일정량의 기체의 부피 변화를 나타낸 것이다. 압력이 5기압일 때 기체의 부피는 몇 L인지 구하시오.

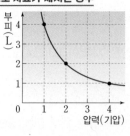

압력 구하는 문제 - 글로 자료가 제시된 경우

5 25 ℃, 1기압에서 45 mL의 공기가 있다. 온도를 일정하게 유지하면서 압력을 변화시켜 공기의 부피를 15 mL로 감소시키면 기체의 압력은 몇 기압이 되는지 구하시오.

6 0 ℃, 1기압에서 부피가 100 mL인 기체가 있다. 온도를 일정하게 유지하면서 부피를 20 mL로 감소시키려면 압력을 몇 배로 해야 하는지 구하시오.

압력 구하는 문제 - 표로 자료가 제시된 경우

7 표는 일정한 온도에서 일정량의 기체의 압력과 부피 관계를 알아보기 위한 실험의 결과를 나타낸 것이다.

압력(기압)	1	2	3
부피(mL)	120	60	40

기체의 부피가 20 mL일 때 기체의 압력은 몇 기압인지 구하시오.

압력 구하는 문제 - 그래프로 자료가 제시된 경우

8 그림은 일정한 온도에서 압력에 따른 일정량의 기체의 부피 변화를 나타낸 것이다. ㉠과 ㉡을 구하시오.

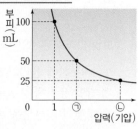

01 그림과 같이 연필의 양쪽 끝을 손가락으로 같은 힘을 가하여 누를 때 A 쪽의 손가락이 더 아픈 까닭으로 옳은 것은?

① 뾰족한 쪽이 면적이 좁아 압력이 크기 때문이다.
② 뾰족한 쪽이 면적이 넓어 압력이 크기 때문이다.
③ 뾰족한 쪽이 받은 힘이 커 압력이 크기 때문이다.
④ 뾰족한 쪽이 받은 힘이 작아 압력이 크기 때문이다.
⑤ 뾰족한 쪽이 면적이 좁아 받은 힘이 크기 때문이다.

02 기체의 압력에 대한 설명으로 옳지 <u>않은</u> 것은?

① 기체의 압력은 모든 방향에 같은 크기로 작용한다.
② 기체 입자의 충돌 횟수가 많을수록 기체의 압력이 커진다.
③ 부피와 입자의 개수가 같을 때 온도가 높을수록 기체의 압력이 커진다.
④ 온도와 입자의 개수가 같을 때 용기의 부피가 클수록 기체의 압력이 커진다.
⑤ 기체 입자들이 용기 벽에 충돌할 때 용기 벽의 일정한 넓이에 작용하는 힘의 크기이다.

03 그림과 같이 온도가 일정할 때 찌그러진 농구공에 공기를 더 넣었더니 농구공이 팽팽해졌다.

공기를 넣음
공기 입자

이에 대한 설명으로 옳지 <u>않은</u> 것은?

① 농구공 속 기체 입자는 끊임없이 운동한다.
② 농구공 속 기체 입자는 모든 방향으로 운동한다.
③ 기체 입자들이 농구공 안쪽 벽에 충돌하여 압력을 가한다.
④ 농구공 속 기체 입자의 개수가 많아질수록 기체의 압력이 커진다.
⑤ 농구공 속 기체 입자의 개수가 많아질수록 기체 입자의 운동 속도가 빨라진다.

04 고무풍선에 공기를 불어 넣으면 고무풍선이 점점 커지는 까닭으로 옳은 것은?

① 풍선 속 기체 입자의 크기가 커지기 때문이다.
② 풍선 속 기체 입자의 개수가 적어지기 때문이다.
③ 풍선 속 기체 입자의 운동 속도가 느려지기 때문이다.
④ 풍선 속 기체 입자들이 풍선의 가장자리에만 있기 때문이다.
⑤ 풍선 속 기체 입자가 풍선 안쪽 벽에 충돌하는 횟수가 증가하기 때문이다.

[주관식]

05 그림은 일정한 온도에서 일정량의 기체가 들어 있는 실린더에 올려놓은 추의 개수를 늘릴 때의 변화를 나타낸 것이다.

이때 실린더 속에서 증가하는 것을 〈보기〉에서 모두 고르시오.

> **보기**
> ㄱ. 입자의 개수　　　　ㄴ. 기체의 부피
> ㄷ. 기체의 압력　　　　ㄹ. 기체의 질량
> ㅁ. 기체 입자의 충돌 횟수　ㅂ. 기체 입자의 운동 속도

출제율 99%

06 그림은 일정한 온도에서 일정량의 기체가 들어 있는 실린더에 작용하는 압력을 낮추었을 때의 변화를 나타낸 것이다.

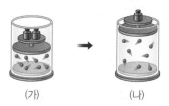
(가)　　　　(나)

이에 대한 설명으로 옳은 것은?

① 기체의 압력은 (가)<(나)이다.
② 기체의 부피는 (가)>(나)이다.
③ 기체 입자의 개수는 (가)<(나)이다.
④ 기체 입자의 운동 속도는 (가)=(나)이다.
⑤ 기체 입자가 실린더 벽에 충돌하는 횟수는 (가)<(나)이다.

[07~08] 그림과 같이 일정한 온도에서 주사기의 끝에 압력계를 연결하여 압력에 따른 주사기 속 기체의 부피를 측정하여 표와 같은 결과를 얻었다.

압력(기압)	1.0	1.5	2.0	ⓒ	3.0
부피(mL)	60	㉠	30	24	20

출제율 99%

07 ㉠과 ⓒ에 해당하는 값을 옳게 짝 지은 것은?

	㉠	ⓒ		㉠	ⓒ
①	35	2.2	②	40	2.2
③	40	2.5	④	50	2.2
⑤	50	2.5			

08 위 실험으로 설명할 수 있는 현상은?

① 빵을 꺼내 놓으면 딱딱하게 굳는다.
② 음식점 앞을 지나면 음식 냄새가 난다.
③ 열기구 속 공기를 가열하면 열기구가 위로 떠오른다.
④ 여름철에는 겨울철보다 자동차 타이어에 공기를 적게 넣는다.
⑤ 물속에서 잠수부가 내뿜은 공기 방울은 수면으로 올라갈수록 점점 커진다.

09 다음은 보일 법칙에 대한 설명이다.

> (㉠)이/가 일정할 때 기체에 가하는 압력을 2배로 증가시키면 기체의 부피는 (ⓒ)배로 된다. 보일은 실험을 통해 '(㉠)이/가 일정할 때 일정량의 기체의 부피는 압력에 (ⓒ)한다.'는 사실을 밝혔다.

㉠~ⓒ에 알맞은 말을 옳게 짝 지은 것은?

	㉠	ⓒ	ⓒ
①	온도	2	비례
②	온도	2	반비례
③	압력	2	비례
④	온도	$\frac{1}{2}$	비례
⑤	온도	$\frac{1}{2}$	반비례

[10~11] 그림은 일정한 온도에서 압력에 따른 일정량의 기체의 부피 변화를 나타낸 것이다.

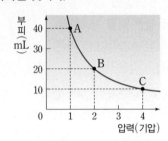

출제율 99%

10 A~C를 비교한 것으로 옳은 것은?

① 기체의 압력: A>B>C
② 기체의 부피: A<B<C
③ 기체 입자의 운동 속도: A>B>C
④ 기체 입자의 충돌 횟수: A<B<C
⑤ 기체 입자 사이의 거리: A<B<C

[주관식]

11 온도를 일정하게 유지하면서 이 기체의 부피를 160 mL로 만들었을 때 기체의 압력은 몇 기압인지 구하시오.

12 다음 현상을 설명할 수 있는 그래프로 옳은 것은?

> 과자 봉지를 가지고 높은 산에 올라가면 과자 봉지가 부풀어 오른다.

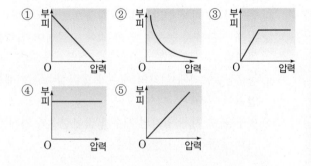

13 다음 현상을 통해 알 수 있는 사실로 옳은 것은?

> • 비행기가 이륙하면 귀가 먹먹해진다.
> • 물속에서 잠수부가 내뿜은 공기 방울은 수면으로 올라갈수록 점점 커진다.

① 기체의 압력과 부피는 반비례한다.
② 온도가 높을수록 기체의 부피가 커진다.
③ 용기의 부피가 클수록 기체의 압력이 커진다.
④ 기체 입자의 개수가 많을수록 기체의 압력이 커진다.
⑤ 힘의 크기가 같을 때 힘을 받는 면적이 좁을수록 압력이 크다.

출제율 99%

14 그림과 같이 일정한 온도에서 감압 용기에 공기가 들어 있는 고무풍선을 넣고 용기 속의 공기를 빼냈다. 이때 풍선의 크기 변화와 그 까닭을 옳게 짝지은 것은?

고무풍선

    크기 변화   까닭
①   커진다.   용기 속 기체의 압력이 커지기 때문
②   커진다.   용기 속 기체의 압력이 작아지기 때문
③   작아진다.   용기 속 기체의 압력이 커지기 때문
④   작아진다.   용기 속 기체의 압력이 작아지기 때문
⑤   변화 없다.   용기 속 기체의 압력이 변하지 않기 때문

[주관식]

15 그림은 헬륨을 넣은 고무풍선을 하늘로 띄울 때의 모습을 나타낸 것이다. 고무풍선이 하늘로 올라갈 때 나타나는 변화에 대한 설명으로 옳은 것을 〈보기〉에서 모두 고르시오.

> **보기**
> ㄱ. 고무풍선에 가해지는 압력이 증가한다.
> ㄴ. 고무풍선 속 기체 입자의 충돌 횟수가 증가한다.
> ㄷ. 고무풍선 속 기체 입자 사이의 거리가 증가한다.
> ㄹ. 고무풍선 속 기체 입자의 크기는 변하지 않는다.

출제율 99%

16 그림은 일정한 압력에서 일정량의 기체가 들어 있는 실린더를 가열할 때의 변화를 모형으로 나타낸 것이다.

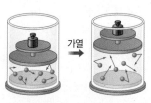
가열

이때 실린더 속에서 일정하게 유지되는 것을 모두 고르면? (단, 화살표의 길이는 입자 운동의 활발한 정도를 나타낸다.) (2개)

① 기체의 부피
② 기체 입자의 개수
③ 기체 입자의 크기
④ 기체 입자의 운동 속도
⑤ 기체 입자 사이의 거리

17 표는 일정한 압력에서 일정량의 기체의 온도를 높이면서 기체의 부피를 측정하여 얻은 결과이다.

온도(℃)	20	40	60	80
부피(mL)	10.0	10.7	11.4	12.1

이를 통해 알 수 있는 사실로 옳은 것은?

① 온도와 기체의 부피는 반비례한다.
② 온도와 기체의 부피의 곱은 일정하다.
③ 온도가 높아지면 기체의 부피는 감소한다.
④ 온도가 변해도 기체의 부피는 변하지 않는다.
⑤ 온도가 높아지면 기체의 부피는 일정한 비율로 증가한다.

18 그림은 일정한 압력에서 온도에 따른 일정량의 기체의 부피 변화를 나타낸 것이다. A~C에 대한 설명으로 옳은 것은?

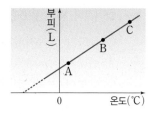

① 기체의 부피는 A가 가장 크다.
② 기체 입자의 크기는 C가 가장 크다.
③ 기체 입자 사이의 거리는 A가 가장 멀다.
④ 기체 입자의 운동 속도는 C에서 가장 빠르다.
⑤ 온도와 기체의 부피를 곱한 값은 A~C에서 모두 같다.

[19~20] 그림과 같이 일정한 압력에서 일정량의 공기가 들어 있는 주사기의 입구를 막은 후, 물이 들어 있는 비커에 넣고 물을 가열하면서 주사기 속 공기의 부피를 측정하였다.

19 위 실험에서 알아보려고 하는 것은?

① 기체의 온도와 질량의 관계
② 기체의 온도와 부피의 관계
③ 기체의 압력과 부피의 관계
④ 기체의 온도와 기체 입자 개수의 관계
⑤ 기체의 압력과 기체 입자 개수의 관계

출제율 99%

20 위 실험으로 설명할 수 있는 현상은?

① 높은 산에 올라가면 과자 봉지가 부풀어 오른다.
② 헬륨이 든 풍선이 하늘 높이 올라가면 점점 커진다.
③ 찌그러진 탁구공을 뜨거운 물에 넣으면 다시 펴진다.
④ 잠수부가 내뿜은 공기 방울이 수면으로 올라갈수록 점점 커진다.
⑤ 감압 용기에 마시멜로를 넣고 용기 안의 공기를 빼내면 마시멜로가 커진다.

21 그림과 같이 뜨거운 물에 담갔다가 꺼낸 유리컵의 입구를 고무풍선에 대면 풍선이 컵 안으로 빨려 들어간다. 이와 같은 현상이 나타나는 까닭으로 옳은 것은?

① 온도가 낮아져 컵 속 기체의 질량이 감소하기 때문이다.
② 압력이 커져 컵 속 기체 입자의 개수가 증가하기 때문이다.
③ 압력이 작아져 컵 속 기체 입자의 운동 속도가 느려지기 때문이다.
④ 온도가 높아져 컵 속 기체 입자의 운동 속도가 빨라지기 때문이다.
⑤ 온도가 낮아져 컵 속 기체 입자의 운동 속도가 느려지기 때문이다.

22 그림과 같이 일정한 압력에서 빈 삼각 플라스크의 입구에 고무풍선을 씌운 후, 삼각 플라스크를 뜨거운 물에 담갔다가 다시 얼음물에 담갔다.

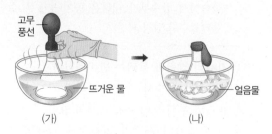

(가)와 (나)의 삼각 플라스크와 고무풍선 속 기체에 대한 설명으로 옳은 것은?

① 기체의 부피는 (가)<(나)이다.
② 기체의 온도는 (가)=(나)이다.
③ 기체 입자의 개수는 (가)>(나)이다.
④ 기체 입자 사이의 거리는 (가)>(나)이다.
⑤ 기체 입자의 운동 속도는 (가)<(나)이다.

출제율 99%

23 다음 현상 중 일어나는 원리가 나머지와 다른 하나는?

① 도로를 달리면 자동차의 타이어가 팽팽해진다.
② 샴푸통의 꼭지 부분을 누르면 내용물이 흘러나온다.
③ 풍등에 달린 고체 연료에 불을 붙이면 풍등이 떠오른다.
④ 햇빛이 비치는 곳에 놓아둔 과자 봉지가 부풀어 오른다.
⑤ 공기가 들어 있는 페트병의 마개를 막고 냉장고에 넣으면 페트병이 찌그러진다.

24 부피가 10 L인 기체가 있다. 다음 중 이 기체의 부피를 가장 크게 만드는 방법은?

① 온도와 압력을 모두 높인다.
② 온도와 압력을 모두 낮춘다.
③ 온도를 높이고, 압력을 낮춘다.
④ 온도를 낮추고, 압력을 높인다.
⑤ 온도는 그대로 두고, 압력을 높인다.

고난도 문제

25 표는 일정량의 어떤 기체의 압력과 온도에 따른 부피 변화를 나타낸 것이다.

구분	압력(기압)	온도(℃)	부피
(가)	1	0	A
(나)	2	0	B
(다)	1	273	C

이에 대한 설명으로 옳은 것을 〈보기〉에서 모두 고른 것은?

┌ 보기 ┐
ㄱ. 부피를 비교하면 A<B<C이다.
ㄴ. (가)와 (나)의 결과를 비교하면 보일 법칙을 확인할 수 있다.
ㄷ. (나)와 (다)의 결과를 비교하면 샤를 법칙을 확인할 수 있다.
└─────┘

① ㄱ   ② ㄴ   ③ ㄷ
④ ㄱ, ㄴ   ⑤ ㄴ, ㄷ

자료 분석 | 정답과 해설 37쪽

26 그림은 일정한 온도에서 압력에 따른 일정량의 기체의 부피 변화를 나타낸 것이다.

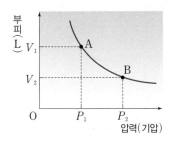

이에 대한 설명으로 옳은 것은?

① 기체 입자의 충돌 횟수는 A가 B보다 많다.
② 기체의 부피와 압력을 곱한 값은 A가 B보다 크다.
③ 사각형 OP_1AV_1의 넓이는 사각형 OP_2BV_2의 넓이보다 크다.
④ 헬륨을 넣은 풍선이 하늘 위로 올라가면 풍선 속 헬륨에서는 A → B로의 변화가 일어난다.
⑤ 감압 용기에 과자 봉지를 넣고 용기 속 공기를 빼내면 과자 봉지 속 기체에서는 B → A로의 변화가 일어난다.

자료 분석 | 정답과 해설 37쪽

서술형 문제

27 그림은 일정량의 기체가 들어 있는 실린더 속 기체 입자를 모형으로 나타낸 것이다.

(가)   (나)   (다)

(가)에서 (나)로 될 때 변화시킨 조건과 (가)에서 (다)로 될 때 변화시킨 조건을 각각 서술하시오. (단, 화살표의 길이는 입자 운동의 활발한 정도를 나타내며, 화살표의 길이는 (가)=(나)<(다)이다.)

_____

_____

28 그림은 감압 용기에 과자 봉지를 넣은 후 용기 속의 공기를 빼내는 모습을 나타낸 것이다.

과자 봉지

(1) 과자 봉지의 부피 변화를 서술하시오.

_____

(2) (1)에서 답한 결과가 나타나는 까닭을 '기체의 압력'과 '기체의 부피'와 관련지어 서술하시오.

_____

_____

29 그림과 같이 차가운 빈 병의 입구에 물을 묻힌 후 동전을 올려놓고, 병을 양손으로 감싸 쥐면 동전이 들썩거린다. 그 까닭을 서술하시오.

동전

_____

_____

정답과 해설 38쪽

1 물질의 세 가지 상태

구분	고체	❷( )	기체
모양	일정함	일정하지 않음	일정하지 않음
부피	❶( )	일정함	❸( )
압축되는 성질	압축되지 않음	거의 압축되지 않음	압축이 잘됨
흐르는 성질	없음	있음	있음

2 물질의 상태 변화

① 상태 변화: 물질이 한 상태에서 다른 상태로 변하는 현상

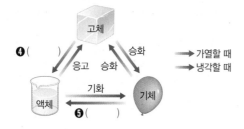

❹( ) 응고 승화 승화 가열할 때 / 냉각할 때
기화
❺( )
고체 / 액체 / 기체

② 상태 변화의 종류

가열할 때 일어나는 상태 변화	
융해 (고체 → 액체)	• 얼음이 녹아 물이 된다. • 용광로에서 철을 녹인다.
❻( ) (액체 → 기체)	• 젖은 빨래가 마른다. • 물이 끓어 수증기가 된다.
승화 (고체 → 기체)	• 추운 겨울날 언 빨래가 마른다. • 드라이아이스가 점점 작아진다.

냉각할 때 일어나는 상태 변화	
❼( ) (액체 → 고체)	• 흘러내리던 촛농이 굳는다. • 고깃국을 식히면 기름이 굳는다.
액화 (기체 → 액체)	• 이른 새벽 풀잎에 이슬이 맺힌다. • 얼음물이 든 컵 표면에 물방울이 맺힌다.
승화 (기체 → 고체)	• 냉동실에 성에가 생긴다. • 추운 겨울철 새벽 서리가 생긴다.

3 물질의 상태와 입자 배열

구분	고체	액체	기체
입자 모형			
입자 운동	제자리에서 진동함	비교적 자유롭게 운동함	매우 활발하게 운동함
입자 배열	❽( )임	고체보다 불규칙함	매우 불규칙함
입자 사이의 거리	매우 가까움	고체보다 조금 더 멂	매우 멂
입자 사이에 서로 잡아당기는 힘	매우 강함	고체보다 약함	거의 작용하지 않음

4 상태 변화에 따른 여러 가지 변화

① 상태 변화에 따른 입자 배열의 변화

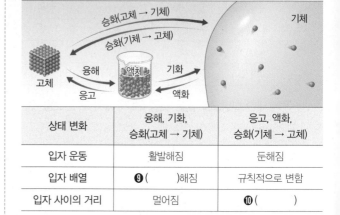

승화(고체 → 기체) / 기체 / 승화(기체 → 고체) / 융해 / 기화 / 응고 / 액화 / 고체 / 액체

상태 변화	융해, 기화, 승화(고체 → 기체)	응고, 액화, 승화(기체 → 고체)
입자 운동	활발해짐	둔해짐
입자 배열	❾( )해짐	규칙적으로 변함
입자 사이의 거리	멀어짐	❿( )

② 상태 변화에 따른 물질의 부피 변화: 물질의 부피가 변한다. ➡ 물질을 이루는 입자의 배열과 입자 사이의 거리가 달라지기 때문

일반적인 물질	• 융해, 기화, 승화(고체 → 기체): 부피 ⓫( ) ➡ 입자 사이의 거리가 멀어지기 때문 • 응고, 액화, 승화(기체 → 고체): 부피 ⓬( ) ➡ 입자 사이의 거리가 가까워지기 때문
물	응고할 때 부피 증가, 융해할 때 부피 감소

③ 상태 변화에 따른 물질의 질량과 성질 변화: 물질의 질량과 성질은 변하지 않는다. ➡ 물질을 이루는 입자의 종류와 ⓭( )가 변하지 않기 때문

④ 상태 변화에 따른 물질의 성질, 질량, 부피의 변화 실험

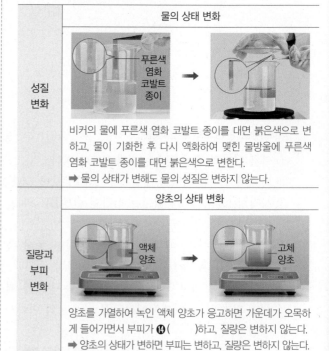

	물의 상태 변화
성질 변화	푸른색 염화 코발트 종이 비커의 물에 푸른색 염화 코발트 종이를 대면 붉은색으로 변하고, 물이 기화한 후 다시 액화하여 맺힌 물방울에 푸른색 염화 코발트 종이를 대면 붉은색으로 변한다. ➡ 물의 상태가 변해도 물의 성질은 변하지 않는다.

	양초의 상태 변화
질량과 부피 변화	액체 양초 / 고체 양초 양초를 가열하여 녹인 액체 양초가 응고하면 가운데가 오목하게 들어가면서 부피가 ⓮( )하고, 질량은 변하지 않는다. ➡ 양초의 상태가 변하면 부피는 변하고, 질량은 변하지 않는다.

정답과 해설 **38**쪽

1 물질의 세 가지 상태 중 모양과 부피가 일정하지 않고, 압축이 잘되는 것은 (　　　　)이다.

1 _____
_____

2 25 ℃에서 각 물질의 상태를 쓰시오.

(1) 금 (　　　)　　(2) 수소 (　　　)　　(3) 식용유 (　　　)

2 _____
_____

3 다음 현상과 관계있는 상태 변화의 종류를 쓰시오.

(1) 어항 속의 물이 점점 줄어든다. (　　)
(2) 추운 겨울철 새벽에 서리가 생긴다. (　　)
(3) 뜨거운 프라이팬 위의 버터가 녹는다. (　　)
(4) 얼음물이 든 컵 표면에 물방울이 맺힌다. (　　)

3 _____
_____

4 그림은 물질의 세 가지 상태를 입자 모형으로 나타낸 것이다. 각각 어떤 상태를 나타내는지 쓰시오.

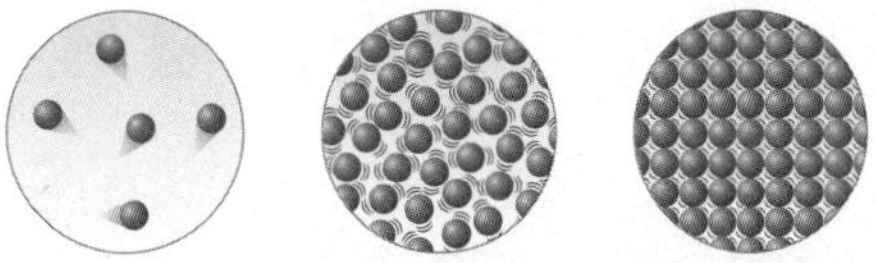

(가)　　(나)　　(다)

4 _____
_____

5 물질의 세 가지 상태 중 입자 배열이 가장 규칙적인 것은 (㉠　　　)이고, 입자 운동이 가장 활발한 것은 (㉡　　　)이다.

5 _____

6~8 그림은 물질의 상태 변화를 입자 모형으로 나타낸 것이다.

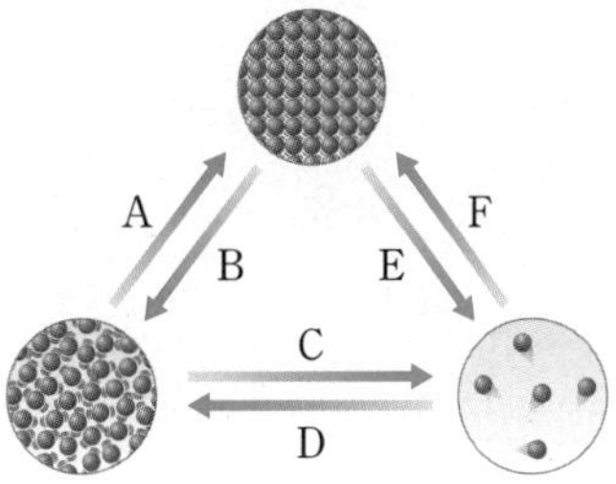

6 A, D, F는 ㉠(가열 , 냉각)할 때 일어나는 상태 변화이고, B, C, E는 ㉡(가열 , 냉각)할 때 일어나는 상태 변화이다.

6 _____
_____

7 A~F 중 입자 운동이 활발해지는 상태 변화를 모두 고르시오.

7 _____
_____

8 A~F 중 일반적으로 물질의 부피가 가장 크게 증가하는 상태 변화는 (　　　)이다.

8 _____
_____

9 대부분의 물질은 응고가 일어날 때 부피가 ㉠(증가 , 감소)하고, 예외적으로 물은 응고가 일어날 때 부피가 ㉡(증가 , 감소)한다.

9 _____

10 물질의 상태가 변할 때 변하지 않는 것을 〈보기〉에서 모두 고르시오.

┌ 보기 ┐
ㄱ. 입자의 개수　　ㄴ. 물질의 성질　　ㄷ. 물질의 부피
ㄹ. 입자의 운동　　ㅁ. 물질의 질량　　ㅂ. 입자의 배열

10 _____

정답과 해설 38쪽

01 물질의 세 가지 상태에 대한 설명으로 옳지 <u>않은</u> 것은?

① 액체는 흐르는 성질이 있다.
② 기체는 담는 그릇에 따라 모양과 부피가 변한다.
③ 기체는 온도와 압력에 따라 부피가 크게 변한다.
④ 고체는 담는 그릇에 관계없이 모양과 부피가 일정하다.
⑤ 밀가루는 담는 그릇에 따라 모양이 변하므로 액체이다.

출제율 99%

02 25 ℃에서 다음과 같은 특징을 가지는 물질끼리 옳게 짝지은 것은?

> • 흐르는 성질이 있다.
> • 주사기에 넣고 피스톤을 누르면 거의 압축되지 않는다.
> • 담는 그릇에 따라 모양은 변하지만 부피는 변하지 않는다.

① 얼음, 소금, 식초   ② 철, 쇠구슬, 설탕
③ 우유, 알코올, 주스   ④ 물, 식용유, 수증기
⑤ 공기, 산소, 이산화 탄소

03 표는 우리 주변의 물질을 (가)~(다)로 분류한 것이다.

(가)	(나)	(다)
물, 아세톤	수증기, 헬륨	얼음, 금

(가)~(다)의 물질에 대한 설명으로 옳은 것은?

① (가)는 눈에 보이지 않는다.
② (나)는 힘을 받으면 쉽게 압축된다.
③ (나)는 모양과 부피가 모두 일정하다.
④ (다)는 담는 그릇을 가득 채운다.
⑤ (다)는 사방으로 퍼지는 성질이 있다.

[04~05] 그림은 물질의 상태 변화를 나타낸 것이다.

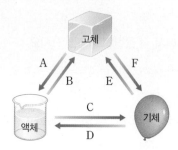

【주관식】

04 A~F 중 가열할 때 일어나는 상태 변화를 모두 고르시오.

출제율 99%

05 A~F와 각 과정에 해당하는 상태 변화의 예를 옳게 짝지은 것은?

① A – 겨울철 처마 끝에 고드름이 생긴다.
② B – 이른 새벽 풀잎에 이슬이 맺힌다.
③ C – 손에 뿌린 손 소독제가 사라진다.
④ D – 용암이 식어서 암석이 된다.
⑤ F – 겨울철 유리창에 성에가 생긴다.

06 융해가 일어나는 현상이 <u>아닌</u> 것은?

① 얼었던 강물이 녹는다.
② 아이스크림이 녹아 흘러내린다.
③ 용광로에서 철이 녹아 쇳물이 된다.
④ 물에 염화 수소를 녹여 염산을 만든다.
⑤ 낮이 되면 처마 끝의 고드름에서 물이 떨어진다.

【주관식】

07 다음 현상들에서 공통으로 일어나는 상태 변화를 쓰시오.

> • 이른 새벽 풀잎에 이슬이 맺힌다.
> • 차가운 음료가 담긴 컵의 표면에 물방울이 맺힌다.
> • 겨울철 따뜻한 실내로 들어가면 안경이 뿌옇게 흐려진다.

08 다음은 양초가 탈 때의 상태 변화에 대한 설명이다.

> 고체 양초가 녹아 액체인 촛농으로 (㉠)한 후 심지를 타고 올라가 기체로 (㉡)하여 탄다. 그리고 촛농의 일부가 흘러내려 고체 양초로 (㉢)한다.

㉠~㉢에 알맞은 상태 변화를 옳게 짝 지은 것은?

	㉠	㉡	㉢
①	융해	기화	액화
②	융해	기화	응고
③	응고	액화	융해
④	응고	액화	기화
⑤	기화	융해	승화

09 그림은 주전자에 물을 넣고 끓일 때의 모습을 나타낸 것이다. 이에 대한 설명으로 옳은 것은? (단, A는 주전자의 입구 바로 윗부분에 있는 물질로, 눈에 보이지 않는다.)

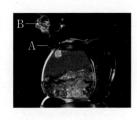

① A와 B의 물질의 상태는 같다.
② A는 물이 응고되어 생성된 것이다.
③ B는 물이 끓을 때 발생한 수증기이다.
④ B는 물이 끓을 때 물이 튀어 나온 것이다.
⑤ B는 물이 끓을 때 발생한 수증기가 찬 공기에 의해 액화한 것이다.

출제율 99% 【주관식】

10 그림과 같이 물이 들어 있는 비커 위에 얼음이 담긴 시계 접시를 올려놓고 가열하였다. 이에 대한 설명으로 옳은 것을 〈보기〉에서 모두 고르시오.

> **보기**
> ㄱ. A에서는 기화, B에서는 응고, C에서는 융해가 일어난다.
> ㄴ. 시계 접시의 얼음은 물의 응고가 잘 일어나도록 도와 준다.
> ㄷ. A와 B에 푸른색 염화 코발트 종이를 대면 모두 붉은색으로 변한다.
> ㄹ. B에서는 이른 새벽에 안개가 생기는 것과 같은 상태 변화가 일어난다.

출제율 99%

11 그림은 물질의 세 가지 상태를 모형으로 나타낸 것이다.

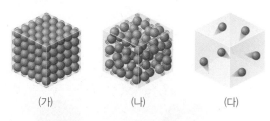

(가)   (나)   (다)

이에 대한 설명으로 옳지 <u>않은</u> 것은?

① (가)는 입자 배열이 가장 규칙적이다.
② (가)는 입자가 제자리에서 진동한다.
③ (나)는 입자 운동이 가장 둔하다.
④ (다)는 입자 사이의 거리가 가장 멀다.
⑤ (다)는 입자 사이에 서로 잡아당기는 힘이 거의 작용하지 않는다.

12 25 °C에서 다음과 같은 특징을 가지는 물질끼리 옳게 짝 지은 것은?

> • 입자 사이의 거리가 매우 멀다.
> • 입자가 매우 자유롭게 운동한다.
> • 입자가 매우 불규칙적으로 배열되어 있다.

① 아세톤, 돌　　　　② 나무, 구리
③ 간장, 수소　　　　④ 소금, 바닷물
⑤ 공기, 이산화 탄소

13 그림은 물질의 세 가지 상태를 투명한 플라스틱 컵에 넣은 구슬 모형을 이용하여 나타낸 것이다.

흔들기 전　　약하게 흔들 때　　세게 흔들 때
(가)　　　　　(나)　　　　　(다)

이에 대한 설명으로 옳지 <u>않은</u> 것은?

① 구슬은 물질을 구성하는 입자라고 할 수 있다.
② (가)는 고체, (나)는 액체, (다)는 기체를 나타낸다.
③ (가)와 (나)의 물질은 담는 그릇에 관계없이 부피가 일정하다.
④ (가)와 (다)의 물질은 힘을 가해도 부피가 변하지 않는다.
⑤ (나)와 (다)의 물질은 담는 그릇에 따라 모양이 변한다.

[14~15] 그림은 물질의 상태 변화를 입자 모형으로 나타낸 것이다.

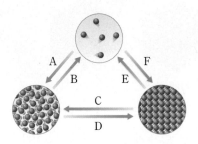

14 A~E에 해당하는 상태 변화의 종류를 옳게 짝 지은 것은?

① A - 응고　　② B - 기화　　③ C - 승화
④ D - 액화　　⑤ E - 융해

출제율 99%

15 이에 대한 설명으로 옳은 것은?

① A에서 입자 운동이 활발해진다.
② B에서 입자 배열이 불규칙해진다.
③ C에서 물질의 질량이 증가한다.
④ E에서 물질의 부피가 감소한다.
⑤ F에서 입자 사이의 거리가 멀어진다.

16 그림과 같이 물이 들어 있는 삼각 플라스크에 알루미늄 포일을 씌우고 가운데에 작은 구멍을 뚫은 후, 가열하여 물이 끓을 때 알루미늄 포일의 구멍 바로 윗부분과 김이 생기는 부분에 각각 푸른색 염화 코발트 종이를 대어 보았다. 이에 대한 설명으로 옳은 것을 모두 고르면? (2개)

① 물이 끓으면 액체 상태의 물이 작은 구멍으로 빠져 나온다.
② 김이 생기는 부분에 푸른색 염화 코발트 종이를 대면 붉은색으로 변한다.
③ 알루미늄 포일의 구멍 바로 윗부분에 푸른색 염화 코발트 종이를 대면 색깔이 변하지 않는다.
④ 상태 변화가 일어나도 물질의 성질이 변하지 않음을 알 수 있다.
⑤ 상태 변화가 일어날 때 물질을 이루는 입자의 종류가 변함을 알 수 있다.

출제율 99%

17 다음과 같은 변화가 나타나는 상태 변화가 일어나는 현상은?

- 입자 운동이 활발해진다.
- 입자 배열이 불규칙해진다.
- 입자 사이의 거리가 멀어진다.

① 목욕탕 유리에 김이 서린다.
② 냉동실 벽면에 성에가 생긴다.
③ 쇳물이 식어 단단한 철이 된다.
④ 겨울철 처마 끝에 고드름이 생긴다.
⑤ 젖은 머리카락을 헤어드라이어로 말린다.

[18~19] 그림과 같이 공기를 모두 빼낸 지퍼 백에 얼음과 드라이아이스를 각각 넣은 후 전자저울 위에 올려놓았다.

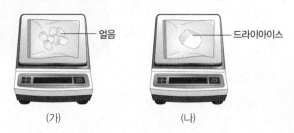

(가)　　　　　　　　(나)

18 이에 대한 설명으로 옳은 것은?

① (가)와 (나)는 모두 질량이 변하지 않는다.
② (가)와 (나)는 모두 지퍼 백이 부풀어 오른다.
③ (가)와 (나)에서는 같은 상태 변화가 일어난다.
④ (가)와 (나)에서는 모두 입자 운동이 둔해진다.
⑤ (가)와 (나)는 모두 지퍼 백 안에 액체가 생긴다.

19 그림은 위 지퍼 백에 넣은 드라이아이스를 입자 모형으로 나타낸 것이다. 시간이 지난 후 지퍼 백 속 드라이아이스의 상태를 모형으로 옳게 나타낸 것은?

① 　② 　③

④ 　⑤

고난도 문제

20 다음은 거푸집에 대한 설명이다.

> 거푸집은 쇳물을 부은 후 굳혀서 금속 제품을 만들 때 사용하는 틀이다. 거푸집의 크기는 실제 만들려고 하는 금속 제품보다 조금 더 크다.

밑줄 친 내용과 같은 원리로 설명할 수 있는 현상은?

① 추운 겨울날 물이 얼어 수도관이 터진다.
② 더운 여름날 철도 레일이 늘어나 휘어진다.
③ 물을 가득 채운 유리병을 얼리면 유리병이 깨진다.
④ 비닐봉지에 아세톤을 조금 넣고 뜨거운 바람을 불어 주면 비닐봉지가 부풀어 오른다.
⑤ 비커에 양초 조각을 담고 가열하여 모두 녹인 후 식히면 가운데 부분이 오목하게 들어간다.

21 그림은 물의 상태 변화를 입자 모형으로 나타낸 것이다.

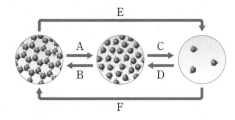

이에 대한 설명으로 옳은 것을 〈보기〉에서 모두 고른 것은?

보기
ㄱ. A, C, E 과정에서 입자의 개수가 많아진다.
ㄴ. A, C, E 과정에서 물질의 부피가 증가한다.
ㄷ. B, D, F 과정에서 입자 사이에 서로 잡아당기는 힘이 강해진다.
ㄹ. D 과정에서 같은 부피 속에 포함된 입자의 개수가 많아진다.

① ㄱ, ㄴ   ② ㄱ, ㄷ   ③ ㄷ, ㄹ
④ ㄱ, ㄴ, ㄹ   ⑤ ㄴ, ㄷ, ㄹ

자료 분석 | 정답과 해설 39쪽

서술형 문제

22 그림은 이른 새벽 거미줄에 맺힌 물방울인 이슬을 나타낸 것이다. 물방울이 생성되는 과정을 상태 변화를 이용하여 서술하시오.

_____

_____

23 그림과 같이 페트병에 물을 가득 채우고 냉동실에 넣어 물을 얼리면 페트병이 볼록하게 튀어나온다. 그 까닭을 상태 변화 및 부피 변화와 관련지어 서술하시오.

_____

24 그림과 같이 양초 조각을 비커에 담아 가열하여 액체로 만들어 질량과 부피를 측정한 후, 액체 양초를 굳혀 다시 고체로 만들어 부피와 질량을 측정하였다.

(1) 액체 양초에서 고체 양초로 상태가 변했을 때 부피와 질량은 어떻게 변하는지 서술하시오.

_____

(2) (1)과 같이 답한 까닭을 양초를 이루는 입자와 관련지어 각각 서술하시오.

_____

_____

1 열에너지를 흡수하는 상태 변화

① 물질의 가열 곡선: 물질을 가열하면 온도가 점점 높아
지다가 일정해지는 구간이 나타나며, 이 구간에서 물
질의 상태 변화가 일어난다.

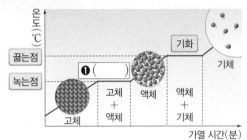

• ❷( ): 고체가 녹아 액체로 상태가 변하는 동안 일
정하게 유지되는 온도

• ❸( ): 액체가 끓어 기체로 상태가 변하는 동안 일
정하게 유지되는 온도

• 녹는점과 끓는점에서 온도가 일정한 까닭: 가해 준 열
에너지가 모두 상태 변화 하는 데 사용되기 때문

② 열에너지를 흡수하는 상태 변화와 입자 배열 변화: 융해,
기화, 승화(고체 → 기체)

열에너지	입자 운동	입자 배열	입자 사이의 거리
흡수	❹( )	불규칙해짐	멀어짐

2 열에너지를 방출하는 상태 변화

① 물질의 냉각 곡선: 물질을 냉각하면 온도가 점점 낮아
지다가 일정해지는 구간이 나타나며, 이 구간에서 물
질의 상태 변화가 일어난다.

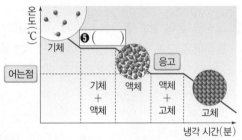

• ❻( ): 액체가 얼어 고체로 상태가 변하는 동안 일
정하게 유지되는 온도

• 어는점에서 온도가 일정한 까닭: 물질의 상태가 변하
는 동안 방출하는 열에너지가 온도가 낮아지는 것을
막아 주기 때문

• 한 물질의 녹는점과 어는점은 같다.

② 열에너지를 방출하는 상태 변화와 입자 배열 변화: 응고,
액화, 승화(기체 → 고체)

열에너지	입자 운동	입자 배열	입자 사이의 거리
방출	❼( )	규칙적으로 됨	가까워짐

3 상태 변화에서 출입하는 열에너지의 이용

① 상태 변화와 열에너지의 출입

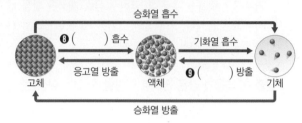

② 열에너지를 흡수하는 상태 변화의 이용: 주변으로부터
열에너지를 흡수하므로 주변의 온도가 ❿( ).

융해열 흡수	• 얼음 조각상 옆에 있으면 얼음이 녹으면서 시원해진다. • 아이스박스에 얼음을 넣어 음료수를 시원하게 보관한다.
⓫( ) 흡수	• 물놀이 후 물 밖으로 나오면 추위를 느낀다. • 더운 여름철 도로에 물을 뿌리면 주변이 시원해진다.
승화열 흡수	• 아이스크림을 포장할 때 드라이아이스를 함께 넣어 보관하면 아이스크림이 녹지 않는다.

③ 열에너지를 방출하는 상태 변화의 이용: 주변으로 열에
너지를 방출하므로 주변의 온도가 ⓬( ).

⓭( ) 방출	• 얼음집 안에 물을 뿌려 실내를 따뜻하게 한다. • 날씨가 추워지면 오렌지 나무에 물을 뿌려 오렌지의 냉해를 막는다.
액화열 방출	• 목욕탕 안이 습기로 후텁지근하다. • 소나기가 내리기 전에는 후텁지근하다.
승화열 방출	• 눈이 내릴 때는 날씨가 포근해진다.

④ 상태 변화에서 출입하는 열에너지를 이용하는 장치

에어컨 (기화열 흡수 이용)	• 실내기(증발기): 액체 냉매의 기화 ➡ ⓮( ) 흡수 ➡ 실내 온도가 낮아짐 • 실외기(응축기): 기체 냉매의 액화 ➡ 액화열 방출 ➡ 주변의 온도가 높아짐
증기 난방기 (액화열 방출 이용)	• 보일러: 물의 기화 ➡ 기화열 흡수 ➡ 주변의 온도가 낮아짐 • 증기 난방기: 수증기의 액화 ➡ ⓯( ) 방출 ➡ 실내 온도가 높아짐

정답과 해설 **40쪽**

답안지

1~3 그림은 어떤 고체 물질을 가열할 때 시간에 따른 온도 변화를 나타낸 것이다.

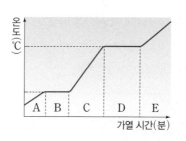

1 상태 변화가 일어나는 구간을 모두 쓰시오.

2 C 구간에서는 물질이 (㉠   ) 상태로 존재하고, D 구간에서는 물질이 (㉡   ) 상태로 존재한다.

3 B와 D 구간에서 온도가 일정하게 유지되는 까닭은 가해 준 열에너지가 모두 (   ) 하는 데 사용되기 때문이다.

4 그림은 어떤 액체 물질을 냉각할 때 시간에 따른 온도 변화를 나타낸 것이다. B 구간의 온도를 (㉠   )(이)라고 하고, C 구간에서 물질은 (㉡   ) 상태로 존재한다.

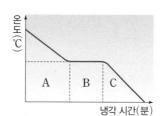

5 물질이 열에너지를 방출하면 입자 운동이 ㉠(활발해져 , 둔해져) 입자 배열이 ㉡(규칙적 , 불규칙적)으로 되면서 입자 사이의 거리가 ㉢(멀어 , 가까워)진다.

6 융해, 기화, 승화(고체 → 기체)는 열에너지를 (㉠   )하는 상태 변화이고, 응고, 액화, 승화(기체 → 고체)는 열에너지를 (㉡   )하는 상태 변화이다.

7 열에너지를 흡수하는 상태 변화가 일어나면 주변의 온도가 (㉠   )지고, 열에너지를 방출하는 상태 변화가 일어나면 주변의 온도가 (㉡   )진다.

8 다음 현상에서 출입하는 열에너지의 종류를 쓰시오.

(1) 여름철 얼음 조각상 옆에 있으면 시원해진다.   (   )
(2) 물놀이 후 물 밖으로 나오면 추위를 느낀다.   (   )
(3) 얼음집 안에 물을 뿌려 실내를 따뜻하게 한다.   (   )

9 다음 현상이 일어날 때 열에너지를 흡수하면 '흡수', 방출하면 '방출'이라고 쓰시오.

(1) 목욕탕 안이 습기로 후텁지근하다.   (   )
(2) 더운 여름철 도로에 물을 뿌리면 주변이 시원해진다.   (   )
(3) 아이스크림을 포장할 때 드라이아이스를 넣으면 아이스크림이 녹지 않는다.

                                                       (   )

10 에어컨은 액체 냉매가 기화하면서 열에너지를 (㉠   )하므로 찬 바람이 나오고, 증기 난 방기는 수증기가 물로 액화하면서 열에너지를 (㉡   )하므로 실내가 따뜻해진다.

1 _____
_____

2 _____
_____

3 _____
_____

4 _____
_____

5 _____
_____

6 _____
_____

7 _____
_____

8 _____
_____

9 _____
_____

10 _____
_____

[01~03] 그림은 어떤 고체 물질을 가열할 때 시간에 따른 온도 변화를 나타낸 것이다.

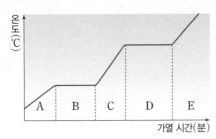

<u>출제율 99%</u>

01 이에 대한 설명으로 옳은 것은?

① A 구간에서 응고가 일어난다.
② B 구간에서 입자 운동이 둔해진다.
③ C 구간에서 고체와 액체가 함께 존재한다.
④ D 구간의 온도를 끓는점이라고 한다.
⑤ E 구간에서 기화열을 흡수한다.

02 B와 D 구간에서 온도가 일정하게 유지되는 까닭으로 옳은 것은?

① 주변의 온도가 낮기 때문이다.
② 약한 불로 가열했기 때문이다.
③ 가열하다가 불을 껐기 때문이다.
④ 가해 준 열에너지가 외부로 빠져나갔기 때문이다.
⑤ 가해 준 열에너지가 모두 상태 변화에 사용되었기 때문이다.

[주관식]

03 B와 D 구간에서 일어나는 변화를 모형으로 옳게 나타낸 것을 보기에서 각각 고르시오.

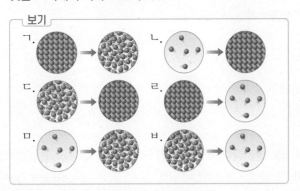

04 표는 어떤 고체 물질을 가열할 때의 온도 변화를 측정한 결과를 나타낸 것이다.

가열 시간(분)	0	1	2	3	4	5	6	7
온도(℃)	23.5	34.3	44.6	53.9	62.2	63.0	63.0	63.0

가열하기 시작한 지 5분~7분일 때, 이 물질에 대한 설명으로 옳은 것은?

① 고체 상태로 존재한다.
② 물질을 이루는 입자 운동이 둔해진다.
③ 물질을 이루는 입자 사이의 거리가 멀어진다.
④ 물질을 이루는 입자 배열이 규칙적으로 변한다.
⑤ 가해 준 열에너지는 물질의 온도를 높이는 데 사용된다.

05 그림은 어떤 물질의 녹는점과 끓는점을 나타낸 것이다.

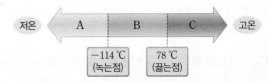

이에 대한 설명으로 옳은 것을 〈보기〉에서 모두 고른 것은?

보기
ㄱ. 이 물질은 25 ℃에서 액체 상태로 존재한다.
ㄴ. 이 물질은 −114 ℃에서 고체 상태로 존재한다.
ㄷ. B 상태에서 A 상태로 변할 때 주변의 온도가 높아진다.
ㄹ. B 상태에서 C 상태로 변할 때 융해열을 흡수한다.

① ㄱ, ㄴ   ② ㄱ, ㄷ   ③ ㄴ, ㄷ
④ ㄷ, ㄹ   ⑤ ㄱ, ㄴ, ㄹ

<u>출제율 99%</u>

06 그림은 어떤 액체 물질을 냉각할 때 시간에 따른 온도 변화를 나타낸 것이다. A 구간에 대한 설명으로 옳은 것은? (단, 물의 경우는 제외한다.)

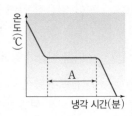

① 액화가 일어난다.
② 열에너지를 흡수한다.
③ 물질이 액체 상태로 존재한다.
④ 입자 사이의 거리가 가까워진다.
⑤ 이 구간의 온도를 끓는점이라고 한다.

07 그림 (가)와 같이 얼음과 소금을 섞어 넣은 비커에 물이 담긴 시험관을 넣고 물의 온도 변화를 측정하여 그림 (나)와 같은 결과를 얻었다.

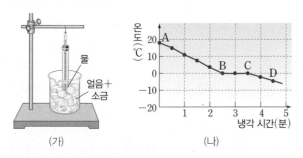

(가)   (나)

이에 대한 설명으로 옳지 <u>않은</u> 것은?

① 물의 어는점은 0 ℃이다.
② AB 구간에서 물이 응고한다.
③ BC 구간에서 열에너지를 방출한다.
④ BC 구간에서 물과 얼음이 함께 존재한다.
⑤ CD 구간에서 얼음으로 존재한다.

08 그림은 상태 변화를 입자 모형으로 나타낸 것이다.

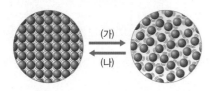

(가)와 (나)에서의 변화를 옳게 나타낸 것은? (단, 물은 제외한다.)

	(가)	(나)
① 상태 변화	기화	액화
② 열에너지의 출입	방출	흡수
③ 주변의 온도	낮아짐	높아짐
④ 입자 운동	둔해짐	활발해짐
⑤ 물질의 부피	감소	증가

[주관식]

09 그림은 어떤 고체 물질을 가열하여 녹인 후, 다시 냉각할 때의 온도 변화를 나타낸 것이다.

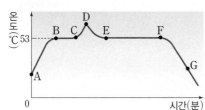

물질의 상태 변화가 일어나는 구간을 모두 고르고, 각 구간에서 출입하는 열에너지의 종류를 쓰시오.

10 그림과 같이 종이컵에 물을 넣고 알코올램프로 가열하면 종이컵이 타지 않고 물이 끓는다. 그 까닭을 옳게 설명한 것은?

① 종이컵이 물에 젖어 있기 때문이다.
② 물이 끓으면서 열에너지를 방출하기 때문이다.
③ 종이컵에서 새어 나온 물이 불을 끄기 때문이다.
④ 종이컵은 불에 타지 않는 물질로 만들기 때문이다.
⑤ 물이 끓는 동안에는 가해 준 열에너지가 모두 상태 변화에 사용되기 때문이다.

11 상태 변화가 일어날 때 출입하는 열에너지의 종류와 출입을 옳게 짝 지은 것은?

① 목욕탕 안이 습기로 후텁지근하다. – 기화열 흡수
② 얼음 조각상 옆에 있으면 시원해진다. – 응고열 방출
③ 소나기가 내리기 전에는 후텁지근하다. – 승화열 방출
④ 더운 여름철 도로에 물을 뿌리면 시원해진다. – 융해열 흡수
⑤ 생선 가게에서 생선에 얼음을 채워 신선하게 보관한다. – 융해열 흡수

12 다음은 주위에서 볼 수 있는 몇 가지 현상을 나타낸 것이다.

> • 물에 얼음을 넣으면 물이 시원하다.
> • 더운 여름 분수대 근처에 있으면 시원하다.
> • 공연장에서 드라이아이스를 뿌린 무대 근처에 있으면 시원하다.

이 현상의 공통점으로 옳은 것은?

① 융해가 일어난다.
② 열에너지를 흡수한다.
③ 주변의 온도가 높아진다.
④ 물질을 이루는 입자의 운동이 둔해진다.
⑤ 물질을 이루는 입자의 배열이 규칙적으로 변한다.

13 그림은 물질의 상태 변화를 모형으로 나타낸 것이다.

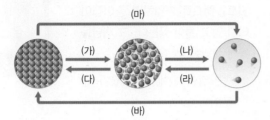

이에 대한 설명으로 옳은 것을 〈보기〉에서 모두 고른 것은?

보기
ㄱ. 열에너지를 흡수하는 상태 변화는 (가), (나), (마)이다.
ㄴ. 주변의 온도가 높아지는 상태 변화는 (가), (나), (마)이다.
ㄷ. 입자 운동이 활발해지는 상태 변화는 (다), (라), (바)이다.
ㄹ. 아이스박스에 얼음을 채워 음료수를 시원하게 보관하는 것과 관계있는 상태 변화는 (가)이다.

① ㄱ, ㄴ   ② ㄱ, ㄹ   ③ ㄴ, ㄷ
④ ㄷ, ㄹ   ⑤ ㄱ, ㄷ, ㄹ

14 기화열을 이용하는 예가 <u>아닌</u> 것은?

① 운동을 한 후 땀이 마르면서 시원해진다.
② 오렌지 주스에 얼음을 넣으면 시원해진다.
③ 더운 여름철 도로에 물을 뿌리면 시원해진다.
④ 알코올을 묻힌 솜으로 손등을 문지르면 시원해진다.
⑤ 휴대용 버너의 뷰테인 가스를 사용하면 가스통이 차가워진다.

출제율 99%
15 다음 현상이 일어날 때 주변의 온도 변화가 나머지와 <u>다른</u> 하나는?

① 얼음집 안에 물을 뿌린다.
② 아이스박스에 얼음을 채워 음식물을 보관한다.
③ 더운 여름철에 공원의 분수 옆에 있으면 시원하다.
④ 열이 날 때 물수건으로 몸을 닦으면 체온이 낮아진다.
⑤ 아이스크림을 포장할 때 드라이아이스를 함께 넣는다.

16 다음 현상이 일어나는 공통적인 원인으로 옳은 것은?

• 추운 겨울철 화초에 물을 뿌려 화초가 어는 것을 막는다.
• 추운 겨울철 과일이 어는 것을 막기 위해 과일 저장 창고에 물이 든 그릇을 놓아둔다.

① 물이 기화하면서 열에너지를 흡수하기 때문이다.
② 물이 기화하면서 열에너지를 방출하기 때문이다.
③ 물이 응고하면서 열에너지를 흡수하기 때문이다.
④ 물이 응고하면서 열에너지를 방출하기 때문이다.
⑤ 얼음이 융해하면서 열에너지를 흡수하기 때문이다.

【주관식】
17 그림은 증기 난방기의 구조를 나타낸 것이다.

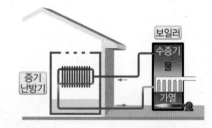

이에 대한 설명으로 옳은 것을 〈보기〉에서 모두 고르시오.

보기
ㄱ. 보일러에서는 수증기가 물로 변한다.
ㄴ. 증기 난방기에서는 물이 수증기로 변한다.
ㄷ. 보일러에서는 열에너지를 흡수하는 상태 변화가 일어난다.
ㄹ. 증기 난방기에서는 열에너지를 방출하는 상태 변화가 일어난다.

출제율 99%
18 그림은 냉장고의 구조를 나타낸 것이다. 이에 대한 설명으로 옳지 <u>않은</u> 것은?

① (가)에서 냉매는 액체 상태이다.
② (나)에서 냉매는 기체 상태이다.
③ 증발기에서는 냉매의 기화가 일어난다.
④ 응축기에서는 냉매의 액화가 일어난다.
⑤ 응축기는 냉장고의 내부에 설치되어 있다.

19 표는 물질 A~E의 녹는점과 끓는점을 나타낸 것이다.

물질	A	B	C	D	E
녹는점(℃)	−218	−98	0	81	1358
끓는점(℃)	−183	65	100	218	2862

이에 대한 설명으로 옳은 것을 모두 고르면? (2개)

① −10 ℃에서 B는 기체 상태로 존재한다.
② 25 ℃에서 C만 액체 상태로 존재한다.
③ 25 ℃에서 입자 운동이 가장 활발한 것은 A이다.
④ 고체 D를 가열하면 81 ℃에서 온도가 일정하게 유지된다.
⑤ 고체 E를 액체로 만들기 위해서는 가열하여 온도를 2862 ℃보다 높여야 한다.

자료 분석 | 정답과 해설 42쪽

【주관식】
20 다음 ㉠, ㉡에 알맞은 말을 쓰시오.

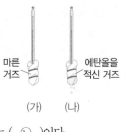

그림과 같이 일정한 온도에서 2개의 온도계에 각각 마른 거즈와 에탄올을 적신 거즈를 감싼 후 놓아두었다. 얼마 후 (가)와 (나)의 온도계 중 온도가 낮아진 것은 (㉠)이고, 그 까닭이 되는 열에너지는 (㉡)이다.

21 그림은 에어컨의 구조를 나타낸 것이다.

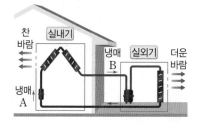

이에 대한 설명으로 옳은 것은?

① 냉매 A가 냉매 B보다 입자 운동이 활발하다.
② 실내기에서는 액화, 실외기에서는 기화가 일어난다.
③ 실내기에서는 열에너지를 방출하고, 실외기에서는 열에너지를 흡수한다.
④ 눈이 내릴 때 날씨가 포근해지는 것은 실외기에서 일어나는 열에너지의 종류 및 출입과 관계있다.
⑤ 사막에서 시원한 물을 마시기 위해 가죽으로 만든 물통을 사용하는 것은 실내기에서 일어나는 열에너지의 종류 및 출입과 관계있다.

22 그림은 어떤 액체 물질을 냉각할 때 시간에 따른 온도 변화를 나타낸 것이다.

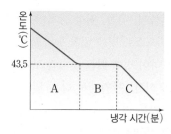

(1) 물질의 상태 변화가 일어난 구간을 쓰고, 그 구간에서 입자 운동, 입자 배열, 입자 사이의 거리는 어떻게 되는지 서술하시오.

(2) B 구간에서 온도가 일정하게 유지되는 까닭을 서술하시오.

23 다음은 물의 상태 변화를 이용하는 2가지 경우를 나타낸 것이다.

(가) 더운 여름철 도로에 물을 뿌리면 시원해진다.
(나) 얼음집 안에 물을 뿌리면 실내가 따뜻해진다.

(가)와 (나)에서 모두 물을 뿌리지만 주변의 온도 변화가 서로 다른 까닭을 상태 변화 및 출입하는 열에너지와 관련지어 서술하시오.

24 그림은 손에 통증이 있을 때 액체 파라핀에 손을 넣어 통증 부위를 따뜻하게 하여 치료하는 모습을 나타낸 것이다. 통증 부위가 따뜻해지는
까닭을 액체 파라핀의 상태 변화와 출입하는 열에너지를 이용하여 서술하시오.

1 빛의 직진

① 광원: 스스로 ❶( )을 내는 물체 **예** 태양, 전등, 반딧불이, 촛불, 영상 장치의 화면 등

• 달은 스스로 빛을 내지 못하고 태양으로부터 받은 빛을 반사하여 빛이 나는 것처럼 보이므로 광원이 아니다.

② 빛의 직진: 광원에서 나온 빛이 한 물질 내에서 곧게 나아가는 현상

③ 빛의 직진에 의한 현상: 그림자, 일식, 월식, 나무 사이로 들어오는 햇빛 등

▲ 그림자　　▲ 일식　　▲ 나무 사이로 들어오는 햇빛

2 물체를 보는 과정　물체에서 나오거나 반사된 빛이 눈에 들어오면 물체를 볼 수 있다.

① 광원인 물체를 볼 때: 광원에서 나온 ❷( )이 직접 눈에 들어오면 물체를 보게 된다.

② 광원이 아닌 물체를 볼 때: 광원에서 나온 빛이 물체에서 ❸( )되어 눈에 들어오면 물체를 보게 된다.

3 빛의 합성　두 가지 색 이상의 빛이 합쳐져서 또 다른 색의 빛으로 보이는 현상

① 빛의 삼원색의 합성: 빛의 삼원색인 빨간색, 초록색, 파란색을 적절하게 합성하면 다양한 색의 빛을 만들 수 있다. ➡ 빛은 합성할수록 ❹( )지며, 빛의 삼원색을 고르게 합성하면 흰색(백색광)이 된다.

• 빨간색＋초록색＝노란색
• 빨간색＋파란색＝자홍색
• 초록색＋파란색＝❺( )
• 빨간색＋초록색＋파란색 ＝흰색(백색광)

② 빛의 합성의 이용: 텔레비전, 컴퓨터 모니터, 휴대 전화, 전광판 등과 같은 영상 장치의 화면, 점묘화, 무대 조명 등

4 영상 장치에서 색이 표현되는 원리

① 화소: 영상 장치의 화면을 구성하고 있는 최소 단위의 색 점으로, 빨간색, ❻( ), 파란색 빛을 내는 부분이 모여 하나의 화소를 이룬다.

② 영상 장치에서는 각 화소에서 나오는 빛을 ❼( ) 하여 화면에 다양한 색을 표현한다.

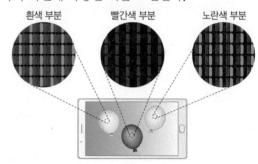

흰색 부분　　빨간색 부분　　노란색 부분

화면의 흰색 부분	각 화소에서 빨간색, 초록색, 파란색이 모두 켜져 빨간색, 초록색, 파란색 빛이 모두 합성된 흰색으로 보이는 것이다.
화면의 빨간색 부분	각 화소에서 ❽( )만 켜져 빨간색으로 보이는 것이다.
화면의 노란색 부분	각 화소에서 빨간색과 초록색만 켜져 빨간색과 초록색 빛이 합성된 노란색으로 보이는 것이다.

5 물체의 색

① 물체의 색: 물체는 그 물체가 ❾( )하는 빛의 색으로 보인다. ➡ 모든 색의 빛을 반사하면 흰색으로 보이고, 반사하는 빛이 없으면 ❿( )으로 보인다.

② 조명에 따른 물체의 색

백색광 조명 아래에서 보는 바나나	빨간색 조명 아래에서 보는 바나나
빨간색과 초록색 빛을 반사하여 노란색으로 보인다.	빨간색 빛만 반사하여 빨간색으로 보인다.
파란색 조명 아래에서 보는 바나나	청록색 조명 아래에서 보는 바나나
반사하는 빛이 없으므로 검은색으로 보인다.	초록색 빛만 반사하여 ⓫( )으로 보인다.

정답과 해설 **43**쪽

1 다음 물체들 중에서 광원인 물체를 모두 고르시오.

> 태양   달   거울   촛불   손전등

1 _____

2 그림은 물체를 보는 두 과정 (가), (나)를 나타낸 것이다. (가), (나) 중 광원인 물체를 보는 과정은 (㉠   )이고, 광원이 아닌 물체를 보는 과정은 (㉡   )이다.

2 _____

3 두 가지 색 이상의 빛이 합쳐져서 또 다른 색의 빛으로 보이는 현상을 무엇이라고 하는지 쓰시오.

3 _____

4 빛의 삼원색을 쓰시오.

4 _____

5 빛의 색을 합성했을 때 흰색(백색광)이 나타나는 경우를 〈보기〉에서 모두 고르시오.

> **보기**
> ㄱ. 빨간색＋초록색   ㄴ. 빨간색＋파란색
> ㄷ. 빨간색＋청록색   ㄹ. 빨간색＋초록색＋파란색

5 _____

6 그림과 같이 흰색 종이 위에 빨간색과 초록색 빛을 겹쳐지게 비추었다. 두 빛이 겹쳐지는 부분이 띠는 색을 쓰시오.

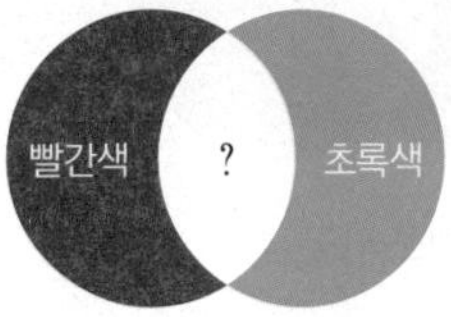

6 _____

7 영상 장치의 화면을 구성하고 있는 최소 단위의 색 점을 (㉠   )라고 하며, 이 색 점은 빨간색, 초록색, (㉡   )을 내는 부분이 모여 하나의 최소 단위를 이룬다.

7 _____

8 물체가 반사하는 빛이 없으면 그 물체는 어떤 색으로 보이는지 쓰시오.

8 _____

9 백색광 아래에서 볼 때 자홍색으로 보이는 가방이 있다. 이 가방을 빨간색 조명 아래에서 보면 (㉠   )으로 보이고, 초록색 조명 아래에서 보면 (㉡   )으로 보이며, 파란색 조명 아래에서 보면 (㉢   )으로 보인다.

9 _____

• 빛의 합성: 두 가지 색 이상의 빛이 합쳐져서 또 다른 색의 빛으로 보이는 현상
• 빛의 삼원색: 빨간색, 초록색, 파란색 ➡ 빛의 삼원색을 적절히 합성하면 다양한 색의 빛을 만들 수 있다.

빛의 삼원색의 합성

1 그림과 같이 두 빛을 흰색 종이 위에 서로 겹쳐지게 비추었다.

두 빛이 겹쳐지는 부분 A~C가 띠는 색을 각각 쓰시오.

2 그림과 같이 빛의 삼원색을 흰색 종이 위에 서로 겹쳐지게 비추었다.

A~D가 띠는 색을 각각 쓰시오.

3 그림과 같이 두 빛을 흰색 종이 위에 서로 겹쳐지게 비추었다.

두 빛이 겹쳐지는 부분 A~C가 띠는 색을 각각 쓰시오.

원판을 빠르게 돌렸을 때 빛의 합성

4 다음과 같이 원판에 색종이를 붙이고 빠르게 회전시켰다. 원판은 각각 어떤 색으로 보이는지 쓰시오.

(1)

(2)

(3)

(4)

5 그림과 같이 원판을 반으로 나누어 빨간색과 어떤 색 A를 칠하고 원판을 빠르게 돌렸더니 원판이 자홍색으로 보였다. A의 색을 쓰시오.

6 그림과 같이 원판을 반으로 나누어 빨간색과 어떤 색 A를 칠하고 원판을 빠르게 돌렸더니 원판이 흰색으로 보였다. A의 색을 쓰시오.

개념 문제 공략 물체의 색 관련

- 물체의 색: 물체가 반사하는 빛의 색이 그 물체가 보이는 색이다. ➡ 물체가 모든 색의 빛을 반사하면 흰색으로 보이고, 반사하는 빛이 없으면 검은색으로 보인다.
- 조명에 따른 물체의 색: 물체에 비추는 조명의 색에 따라 물체가 반사하는 빛의 색이 달라져 물체가 다른 색으로 보인다.

물체가 빛의 삼원색 중 한 가지 색의 빛만 반사하는 경우

1 그림은 빨간색 피망과 초록색 꼭지에 빛의 삼원색으로 이루어진 백색광을 비추는 모습을 나타낸 것이다.

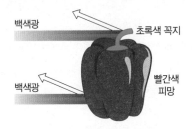

(1) 백색광을 비췄을 때 빨간색 피망에서 반사하는 빛의 색과 흡수하는 빛의 색을 각각 쓰시오.

(2) 백색광을 비췄을 때 초록색 꼭지에서 반사하는 빛의 색과 흡수하는 빛의 색을 각각 쓰시오.

2 그림은 빨간색 피망과 초록색 꼭지에 조명을 비추는 모습을 나타낸 것이다. 빈칸에 알맞은 말을 쓰시오.

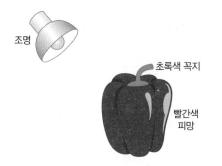

(1) 빨간색 조명을 비출 때 빨간색 피망은 (㉠   )으로 보이고, 초록색 꼭지는 (㉡   )으로 보인다.

(2) 초록색 조명을 비출 때 빨간색 피망은 (㉠   )으로 보이고, 초록색 꼭지는 (㉡   )으로 보인다.

(3) 파란색 조명을 비출 때 빨간색 피망은 (㉠   )으로 보이고, 초록색 꼭지는 (㉡   )으로 보인다.

물체가 빛의 삼원색 중 여러 가지 색의 빛을 반사하는 경우

3 그림은 축구공에 백색광을 비추는 모습을 나타낸 것이다.

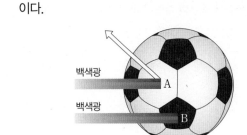

(1) 축구공의 A 부분에 백색광을 비추었더니 모든 색의 빛을 전부 반사하였다. A 부분은 어떤 색으로 보이는지 쓰시오.

(2) 축구공의 B 부분에 백색광을 비추었더니 모든 색의 빛을 전부 흡수하였다. B 부분은 어떤 색으로 보이는지 쓰시오.

4 그림은 자홍색 상자에 조명을 비추는 모습을 나타낸 것이다. 빈칸에 알맞은 말을 쓰시오.

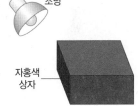

(1) 빨간색 조명을 비출 때 자홍색 상자는 (   )으로 보인다.

(2) 초록색 조명을 비출 때 자홍색 상자는 (   )으로 보인다.

(3) 파란색 조명을 비출 때 자홍색 상자는 (   )으로 보인다.

(4) 자홍색 조명을 비출 때 자홍색 상자는 (   )으로 보인다.

(5) 노란색 조명을 비출 때 자홍색 상자는 (   )으로 보인다.

(6) 청록색 조명을 비출 때 자홍색 상자는 (   )으로 보인다.

(7) 흰색 조명을 비출 때 자홍색 상자는 (   )으로 보인다.

정답과 해설 43쪽

01 빛의 직진에 의한 현상으로 옳은 것을 〈보기〉에서 모두 고른 것은?

보기
ㄱ. 거울에 상이 맺힌다.
ㄴ. 나무 사이로 햇빛이 곧게 비친다.
ㄷ. 등대의 불빛이 앞으로 곧게 나아간다.
ㄹ. 잔잔한 호수의 수면에 주변의 경치가 비친다.

① ㄱ, ㄴ   ② ㄱ, ㄷ   ③ ㄴ, ㄷ
④ ㄴ, ㄹ   ⑤ ㄷ, ㄹ

02 광원인 물체끼리 옳게 짝 지은 것은?

① 달, 태양   ② 달, LED 전구
③ 태양, 거울   ④ 태양, LED 전구
⑤ 거울, LED 전구

출제율 99%

03 불이 꺼진 방 안에서 책상 위의 스탠드를 켜고 책을 볼 때, 빛의 진행 경로를 화살표로 옳게 나타낸 것은?

①    ②

③    ④

⑤

출제율 99%

04 그림 (가)는 현수가 전등을 보는 모습을 나타낸 것이고, (나)는 현수가 책을 보는 모습을 나타낸 것이다.

(가)   (나)

이에 대한 설명으로 옳은 것을 〈보기〉에서 모두 고른 것은?

보기
ㄱ. 전등과 책은 모두 광원이다.
ㄴ. (가)에서 빛의 진행 경로는 전등 → 눈이다.
ㄷ. (나)에서 빛의 진행 경로는 책 → 전등 → 눈이다.

① ㄱ   ② ㄴ   ③ ㄱ, ㄷ
④ ㄴ, ㄷ   ⑤ ㄱ, ㄴ, ㄷ

【주관식】

05 다음은 우현이가 낮에 운동장에서 나무를 보기까지의 과정을 순서 없이 나열한 것이다.

(가) 햇빛이 나무에 도달한다.
(나) 태양에서 햇빛이 나온다.
(다) 햇빛이 나무에서 반사된다.
(라) 햇빛이 우현이의 눈에 도달한다.

우현이가 나무를 보는 과정을 순서대로 나열하시오.

중요

06 그림과 같이 빛의 삼원색을 흰색 종이 위에 서로 겹쳐지게 비추었다. 이에 대한 설명으로 옳지 않은 것은?

① A는 노란색이다.
② B는 자홍색이다.
③ C는 청록색이다.
④ A, B, C를 모두 합성하면 검은색이 된다.
⑤ 빨간색 빛과 C를 합성하면 D와 같은 색이 된다.

중요

07 그림은 어두운 방 안에서 빨간색, 초록색, 파란색 조명을 흰색 스크린에 겹쳐지게 비추었을 때의 모습을 나타낸 것이다.

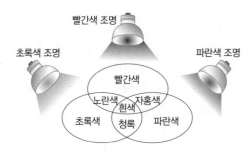

이 상태에서 빨간색 조명만 껐을 때 흰색이었던 부분에 보이는 색은?

① 흰색   ② 노란색   ③ 청록색
④ 자홍색   ⑤ 빨간색

08 어두운 방 안에서 여러 가지 색의 조명을 이용해 자홍색 빛을 합성하는 방법으로 옳은 것은?

① 빨간색 조명의 세기를 약하게 하여 비춘다.
② 빨간색과 초록색 조명을 한곳에 겹쳐지게 비춘다.
③ 빨간색과 파란색 조명을 한곳에 겹쳐지게 비춘다.
④ 초록색과 파란색 조명을 한곳에 겹쳐지게 비춘다.
⑤ 빨간색, 초록색, 파란색 조명을 한곳에 겹쳐지게 비춘다.

09 다음 현상과 가장 관계가 있는 빛의 성질은?

- 밝은 느낌을 주기 위해 점묘화를 그린다.
- 연극 무대에서 다양한 색의 무대 조명을 사용한다.
- 텔레비전이나 컴퓨터 모니터, 전광판과 같은 영상 장치의 화면을 나타낼 때 빛의 삼원색을 이용한다.

① 빛의 직진   ② 빛의 합성   ③ 빛의 반사
④ 빛의 굴절   ⑤ 빛의 분산

10 그림과 같이 어두운 방 안에서 빨간색, 초록색, 파란색 조명을 손에 비추면서 벽에 그림자를 만드는 실험을 하였다.

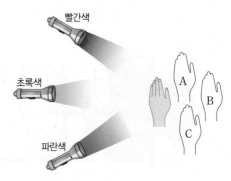

A~C에 보이는 그림자의 색을 옳게 짝 지은 것은? (단, 그림자가 보이는 벽은 흰색이다.)

	A	B	C
①	빨간색	초록색	파란색
②	파란색	초록색	빨간색
③	노란색	자홍색	청록색
④	자홍색	청록색	노란색
⑤	검은색	검은색	검은색

11 같은 세기로 합성했을 때 백색광이 나타나는 경우를 모두 고르면? (2개)

① 빨간색 빛과 청록색 빛을 합성한다.
② 빨간색 빛과 자홍색 빛을 합성한다.
③ 노란색 빛과 청록색 빛을 합성한다.
④ 초록색 빛과 자홍색 빛을 합성한다.
⑤ 파란색 빛과 청록색 빛을 합성한다.

【주관식】 출제율 99%

12 그림과 같이 텔레비전 화면의 A 부분을 확대하여 관찰하였더니 빨간색과 초록색 불이 켜진 작은 영역들이 모여 있었다.

A 부분을 확대하여 관찰한 모습

A 부분은 어떤 색으로 보이는지 쓰시오.

[주관식]

13 그림은 스마트 기기의 화면에 보이는 노란색 바나나를 확대 어플리케이션으로 관찰한 모습을 나타낸 것이다. ㉠은 켜져 있고, ㉡은 꺼져 있었으며, 초록색 화소는 켜져 있었다.

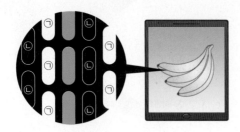

㉠, ㉡은 어떤 색의 화소인지 각각 쓰시오.

14 그림과 같이 연극 무대 위에 흰색 옷을 입은 사람이 서 있다. 이 사람의 옷이 청록색으로 보이기 위한 방법으로 옳은 것은?

① 빨간색과 파란색 조명을 비춘다.
② 빨간색과 초록색 조명을 비춘다.
③ 초록색과 파란색 조명을 비춘다.
④ 빨간색과 자홍색 조명을 비춘다.
⑤ 빨간색과 청록색 조명을 비춘다.

15 햇빛 아래에서 흰색으로 보이는 물체 A와 파란색으로 보이는 물체 B가 있다. A와 B를 빨간색 조명 아래에서 보았을 때 물체가 보이는 색을 옳게 짝 지은 것은?

	A	B
①	흰색	파란색
②	흰색	검은색
③	빨간색	빨간색
④	빨간색	파란색
⑤	빨간색	검은색

[주관식] 출제율 99%

16 다음은 어떤 물체에 비추는 조명의 색을 다르게 하며 관찰했을 때에 대한 설명이다.

- 파란색 조명을 비추었더니 검은색으로 보였다.
- 빨간색 조명을 비추었더니 빨간색으로 보였다.
- 초록색 조명을 비추었더니 초록색으로 보였다.

이 물체를 백색광 아래에서 관찰했을 때 물체가 어떤 색으로 보이는지 쓰시오.

출제율 99%

17 다음과 같이 철수와 명수가 물체의 색을 관찰하였다.

- 철수: 파란색 조명 아래에서 노란색 레몬을 관찰하였다.
- 명수: 청록색 조명 아래에서 파란색 가방을 관찰하였다.

철수와 명수가 관찰한 물체의 색을 옳게 짝 지은 것은?

	철수	명수
①	파란색	파란색
②	파란색	청록색
③	검은색	파란색
④	검은색	청록색
⑤	노란색	파란색

18 햇빛 아래에서 흰색으로 보인 차가 노란색 조명이 비추는 터널 안으로 들어갔다. 터널 안에서 보이는 차의 색은?

① 흰색 ② 빨간색 ③ 초록색
④ 노란색 ⑤ 검은색

[19~20] 그림과 같이 2개의 구멍이 뚫린 상자 안에 레이저 광원을 넣고 제자리에서 레이저 광원을 회전시키면서 구멍으로 레이저 빛이 새어 나올 때 진행 경로를 관찰하였다. 화살표는 레이저 빛의 진행 경로를 나타낸 것이다.

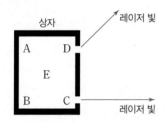

19 상자 안에 놓인 레이저 광원의 위치로 가장 적절한 것은?

① A 　　　　② B 　　　　③ C
④ D 　　　　⑤ E

자료 분석 | 정답과 해설 44쪽

【주관식】
20 다음은 상자 안에 놓인 레이저 광원의 위치를 알 수 있는 까닭에 대한 설명이다. 빈칸에 알맞은 말을 쓰시오.

> 레이저 광원에서 나온 레이저 빛은 한 방향으로 (　　　)
> 한다. 따라서 두 화살표의 연장선이 만나는 곳에 레이저 광원이 위치한다.

21 다음은 빨간색 사과와 노란색 레몬에 각각 빛의 삼원색 A, B, C로 이루어진 백색광을 비추었을 때에 대한 설명이다.

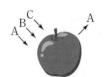 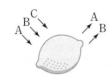

빨간색 사과에 백색광을 비추면 A만 반사하여 우리 눈에 빨간색으로 보인다.

노란색 레몬에 백색광을 비추면 A와 B를 반사하여 우리 눈에는 노란색으로 보인다.

A, B, C의 색을 옳게 짝 지은 것은?

	A	B	C
①	빨간색	초록색	파란색
②	빨간색	파란색	초록색
③	초록색	빨간색	파란색
④	초록색	파란색	초록색
⑤	파란색	빨간색	초록색

자료 분석 | 정답과 해설 44쪽

22 그림은 그림자 연극을 하고 있는 모습을 나타낸 것이다.

이와 같이 그림자가 생기는 까닭을 서술하시오.

_____

23 그림은 어두운 방 안에서 영희가 불이 꺼진 스탠드와 책이 놓여 있는 책상에 앉아 있는 모습을 나타낸 것이다.

(1) 이 상태에서 영희가 볼 수 있는 물체를 고르고, 그 까닭을 서술하시오.

_____

(2) 영희가 책을 보려면 어떻게 해야 하는지 서술하시오. (단, 방 안의 광원은 스탠드만 있다고 가정한다.)

_____

24 그림과 같이 무대 위에 흰색 드레스를 입은 성악가가 있다. 이 성악가에게 같은 밝기의 빨간색, 초록색, 파란색 조명을 각각 끄거나 켜면서 비출 때 나타날 수 있는 드레스의 색은 몇 가지인지 쓰고, 그렇게 답한 까닭을 서술하시오. (단, 1가지 이상의 조명은 반드시 켠다.)

_____

1 빛의 반사 빛이 진행하다가 물체의 면에 부딪혀 방향을 바꾸어 진행하는 현상 ➡ 반사 법칙에 의해 빛이 반사할 때 입사각과 반사각의 크기는 항상 ❶( ).

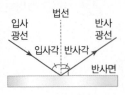

▲ 빛의 반사

2 평면거울에 의한 상

① 평면거울에 상이 생기는 원리: 사람은 거울에서 반사되어 눈에 들어온 반사 광선을 거울 뒤쪽의 상에서 직진했다고 느끼므로 물체의 상을 보게 된다.

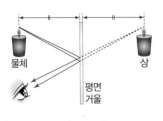

② 평면거울에 의한 상의 특징: 실제 물체와 크기가 ❷( ) 좌우가 바뀌어 보이며, 물체에서 거울까지의 거리와 거울에서 상까지의 거리가 ❸( ).

③ 평면거울의 이용: 전신 거울, 잠망경, 만화경, 자동차의 후방 거울 등

3 볼록 거울과 오목 거울에서 빛의 반사

① 빛이 반사되는 모습과 이용

구분	볼록 거울	오목 거울
반사 모습	빛을 퍼지게 한다.	빛을 한 점에 모은다.
이용	도로의 안전 거울, 상점의 보안 거울, 자동차의 오른쪽 측면 거울 등	화장용 확대 거울, 자동차 전조등, 태양열 조리기, 성화 채화 거울 등

② 거울과 물체 사이의 거리에 따른 상의 특징

구분	가까울 때	멀 때	아주 멀 때
볼록 거울			

· 항상 물체보다 작고 바로 선 모습이다.
· 물체와 거울 사이의 거리가 멀어질수록 상의 크기가 점점 ❹( ).

오목 거울			

· 거울에 가까울 때는 물체보다 ❺( ) 바로 선 모습이다.
· 물체와 거울 사이의 거리가 멀어지면 어느 순간 거꾸로 선 상이 보이고, 이후 상의 크기가 점점 작아진다.

4 빛의 굴절 빛이 진행하다가 다른 물질을 만날 때 두 물질의 경계면에서 진행 방향이 꺾이는 현상

① 빛이 굴절하는 까닭: 물질에 따라 빛이 진행하는 ❻( )이 다르기 때문이다.

▲ 빛의 굴절

② 빛의 굴절에 의한 현상
· 물이 깊이가 실제보다 얕아 보인다.
· 물이 든 컵 속의 빨대가 꺾여 보인다.
· 안 보이던 컵 속의 동전이 물을 부었더니 떠올라 보인다.
· 아지랑이, 신기루 등

5 볼록 렌즈와 오목 렌즈에서의 빛의 굴절

① 빛이 굴절되는 모습과 이용

구분	볼록 렌즈	오목 렌즈
굴절 모습	빛을 한 점에 모은다.	빛을 ❼( ) 한다.
이용	굴절 망원경, 원시 교정용 안경, 돋보기, 사진기, 현미경 등	자동차의 안개등, 근시 교정용 안경 등

② 렌즈와 물체 사이의 거리에 따른 상의 특징

구분	가까울 때	멀 때	아주 멀 때
볼록 렌즈			

· 렌즈에 가까울 때는 물체보다 ❽( ) 바로 선 모습이다.
· 물체와 렌즈 사이의 거리가 멀어지면 어느 순간 거꾸로 선 상이 보이고, 이후 상의 크기가 점점 작아진다.

오목 렌즈			

· 항상 물체보다 ❾( ) 바로 선 모습이다.
· 물체와 렌즈 사이의 거리가 멀어질수록 상의 크기가 점점 작아진다.

③ 눈의 이상과 렌즈의 이용

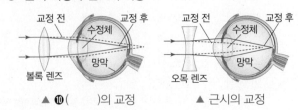

▲ ❿( )의 교정　　　　　　▲ 근시의 교정

중단원 퀴즈

02 거울과 렌즈   Ⅵ » 빛과 파동

정답과 해설 45쪽

답안지

1 빛이 진행하다가 물체의 면에 부딪혀 방향을 바꾸어 진행하는 현상을 빛의 (　　　　)(이)라고 한다.

1 _____

2 그림과 같이 평면거울에 레이저 빛을 70°로 입사시켰다. 레이저 빛이 반사했을 때 반사각은 몇 °인지 구하시오.

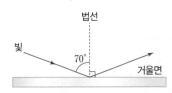

2 _____

3 빛을 한 점에 모으는 성질을 가진 거울은 ㉠(볼록 거울 , 오목 거울)이고, 빛을 퍼지게 하는 성질을 가진 거울은 ㉡(볼록 거울 , 오목 거울)이다.

3 _____

4 평면거울의 이용 예로 옳은 것을 〈보기〉에서 모두 고르시오.

┌ 보기 ┐
ㄱ. 잠망경　　　　　　　ㄴ. 성화 채화 거울
ㄷ. 전신 거울　　　　　　ㄹ. 상점의 방범용 거울

4 _____

5 빛이 진행하다가 다른 물질을 만날 때 두 물질의 경계면에서 진행 방향이 꺾이는 현상을 빛의 (　　　　)(이)라고 한다.

5 _____

6 그림 (가), (나)는 나란하게 입사한 빛이 렌즈에서 굴절하여 진행하는 모습을 나타낸 것이다. (가), (나)에서 렌즈의 종류를 각각 쓰시오.

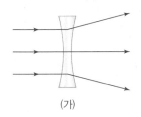 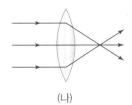

(가)　　　　　　　(나)

6 _____

7 물체와 렌즈 사이의 거리에 관계없이 항상 물체보다 작고 바로 선 상이 생기는 렌즈는 ㉠(볼록 , 오목) 렌즈이고, 물체가 렌즈 가까이 있을 때 물체보다 크고 바로 선 상이 생기는 렌즈는 ㉡(볼록 , 오목) 렌즈이다.

7 _____

8 가까운 곳이 잘 보이지 않는 눈의 이상인 원시는 ㉠(볼록 , 오목) 렌즈로 교정하고, 먼 곳이 잘 보이지 않는 눈의 이상인 근시는 ㉡(볼록 , 오목) 렌즈로 교정한다.

8 _____

02. 거울과 렌즈 **37**

01 그림은 평면거울에 입사시킨 레이저 빛이 진행하는 모습을 나타낸 것이다.

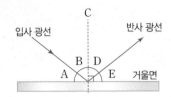

이에 대한 설명으로 옳은 것을 〈보기〉에서 모두 고른 것은?

　보기
ㄱ. A는 입사각, E는 반사각이다.
ㄴ. B가 커지면 D도 커진다.
ㄷ. C는 반사면에 대해 수직인 선으로 법선이라고 한다.

① ㄱ　　　　② ㄴ　　　　③ ㄱ, ㄷ
④ ㄴ, ㄷ　　　⑤ ㄱ, ㄴ, ㄷ

02 평면거울에 비친 물체의 상을 볼 때 빛의 진행 경로를 옳게 나타낸 것은?

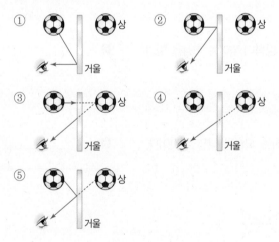

【주관식】 출제율 99%

03 그림과 같이 평면거울에서 30 cm 떨어진 곳에 물체를 놓았다.

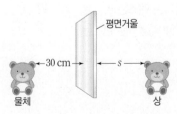

평면거울에서 물체의 상까지의 거리 s는 몇 cm인지 구하시오.

[04~05] 다음은 평면거울에서 반사하는 빛에 대한 실험이다.

[과정]
(1) 그림과 같이 모눈종이에 평면거울을 수직으로 세우고 레이저 포인터로 거울의 중심 P에 빛을 비춘다.
(2) P에 비추는 빛의 각도를 달리하면서 입사 광선과 반사 광선의 경로를 표시한다.
(3) 거울면에 수직인 선을 그은 다음, 입사 광선과 거울면에 수직인 선, 반사 광선과 거울면에 수직인 선 사이의 각을 측정한다.

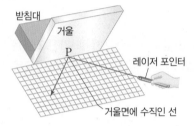

[결과]

입사 광선과 거울면에 수직인 선 사이의 각(°)	반사 광선과 거울면에 수직인 선 사이의 각(°)
30	30
45	㉠
60	60

04 이에 대한 설명으로 옳은 것을 〈보기〉에서 모두 고른 것은?

　보기
ㄱ. ㉠은 45이다.
ㄴ. 이 실험을 통해 입사각이 커지면 반사각이 작아진다는 것을 알 수 있다.
ㄷ. 입사 광선과 거울면에 수직인 선 사이의 각은 입사각이고, 반사 광선과 거울면에 수직인 선 사이의 각은 반사각이다.

① ㄱ　　　　② ㄴ　　　　③ ㄱ, ㄴ
④ ㄱ, ㄷ　　　⑤ ㄱ, ㄴ, ㄷ

【주관식】

05 입사 광선과 거울면에 수직인 선 사이의 각이 30°일 때 입사 광선과 거울면 사이의 각은 몇 °인지 쓰시오.

06 그림은 거울에 평행 광선을 비췄을 때 빛의 진행 경로를 나타낸 것이다. 이 거울에 대한 설명으로 옳은 것은?

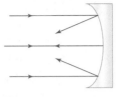

① 이 거울은 볼록 거울이다.
② 나란하게 들어온 빛을 퍼지게 하는 역할을 한다.
③ 물체가 거울에 가까이 있거나 멀리 있거나 항상 실제 물체보다 작은 상이 보인다.
④ 한 점에서 나온 빛은 거울에서 반사된 후 곧게 나아가므로 자동차의 전조등에 이용된다.
⑤ 실제 물체보다 작게 보이므로 시야를 넓게 보려는 자동차의 오른쪽 측면 거울에 이용한다.

출제율 99%

07 그림은 어떤 거울에 나란하게 입사한 빛이 반사 후 진행하는 모습을 나타낸 것이다. 이 거울의 종류와 이 거울에 의한 상의 특징을 옳게 짝 지은 것은?

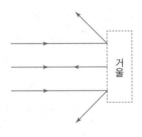

	거울의 종류	상의 특징
①	평면거울	항상 실제 물체와 같은 크기의 상
②	평면거울	항상 실제 물체보다 작은 상
③	볼록 거울	항상 실제 물체와 같은 크기의 상
④	볼록 거울	항상 실제 물체보다 작은 상
⑤	오목 거울	항상 실제 물체보다 큰 상

08 평면거울, 볼록 거울, 오목 거울을 각각 얼굴에 가까이 하고 얼굴을 비춰 볼 때 거울에 나타나는 상의 크기를 옳게 짝 지은 것은?

	평면거울	볼록 거울	오목 거울
①	얼굴과 같다.	얼굴과 같다.	얼굴과 같다.
②	얼굴과 같다.	얼굴보다 작다.	얼굴보다 크다.
③	얼굴과 같다.	얼굴보다 작다.	얼굴보다 작다.
④	얼굴보다 작다.	얼굴보다 작다.	얼굴보다 크다.
⑤	얼굴보다 작다.	얼굴보다 크다.	얼굴보다 크다.

[09~10] 그림과 같이 어떤 거울 앞의 A~C 위치에 물체를 놓으면서 거울에 생기는 물체의 상을 관찰하였다. B 위치에 물체를 놓았더니 실제 물체보다 작고 거꾸로 선 상이 보였다.

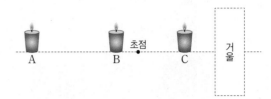

09 이 거울에 대한 설명으로 옳은 것을 〈보기〉에서 모두 고른 것은?

보기
ㄱ. 이 거울은 오목 거울이다.
ㄴ. 이 거울에서 빛이 반사할 때는 반사 법칙이 성립하지 않는다.
ㄷ. C 위치에 물체를 놓으면 실제 물체보다 크고 바로 선 상이 보인다.

① ㄴ   ② ㄷ   ③ ㄱ, ㄴ
④ ㄱ, ㄷ   ⑤ ㄱ, ㄴ, ㄷ

10 B에 있던 물체를 A로 이동시켰을 때 관찰한 상의 모습으로 옳은 것은?

① B에서 보였던 상보다 더 큰 바로 선 상이 보인다.
② B에서 보였던 상보다 더 큰 거꾸로 선 상이 보인다.
③ B에서 보였던 상보다 더 작은 바로 선 상이 보인다.
④ B에서 보였던 상보다 더 작은 거꾸로 선 상이 보인다.
⑤ B에서 보였던 상과 같은 크기의 바로 선 상이 보인다.

[주관식] 출제율 99%

11 빛을 한 점에 모으는 성질이 있는 광학 기구를 〈보기〉에서 모두 고르시오.

보기
ㄱ. 평면거울   ㄴ. 볼록 거울   ㄷ. 오목 거울
ㄹ. 볼록 렌즈   ㅁ. 오목 렌즈

12 그림과 같이 물 밖에서 물속에 보이는 물고기를 작살이나 레이저 총으로 잡으려고 한다.

이에 대한 설명으로 옳은 것을 〈보기〉에서 모두 고른 것은?

보기
ㄱ. 물속의 물고기는 빛의 굴절에 의해 실제 위치보다 높은 곳에 있는 것으로 보인다.
ㄴ. 작살로 물고기를 잡을 때는 물고기가 실제 보이는 위치보다 아래쪽을 겨냥해야 한다.
ㄷ. 레이저 총으로 물고기를 잡을 때는 물고기가 실제 보이는 위치보다 위쪽을 겨냥해야 한다.

① ㄴ   ② ㄷ   ③ ㄱ, ㄴ
④ ㄱ, ㄷ   ⑤ ㄱ, ㄴ, ㄷ

13 돋보기에 이용하는 광학 기구에서 빛이 진행하는 모습을 옳게 나타낸 것은?

①   ②

③ 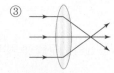   ④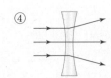

⑤

14 볼록 렌즈와 오목 렌즈의 공통점은 무엇인가?

① 항상 거꾸로 선 상이 관찰된다.
② 항상 물체보다 작은 상이 관찰된다.
③ 렌즈의 두꺼운 쪽으로 빛이 굴절한다.
④ 나란하게 진행하는 빛을 한 점에 모은다.
⑤ 물체를 실제보다 크게 확대시켜 볼 수 있다.

출제율 99%
15 그림 (가)와 (나)는 서로 다른 종류의 렌즈를 이용해 가까이 있는 물체를 보는 모습을 나타낸 것이다.

(가)   (나)

(가), (나)에서 물체가 보이는 모습을 옳게 짝 지은 것은?

	(가)	(나)
①	작고 바로 선 상	크고 바로 선 상
②	작고 거꾸로 선 상	크고 거꾸로 선 상
③	크고 바로 선 상	작고 바로 선 상
④	크고 거꾸로 선 상	작고 바로 선 상
⑤	크고 거꾸로 선 상	크고 거꾸로 선 상

출제율 99%
16 그림은 상이 망막에 맺히지 못하고 망막의 뒤쪽에 맺히는 눈의 이상을 나타낸 것이다. 이러한 눈의 이상을 교정하는 렌즈의 모양으로 가장 적절한 것은?

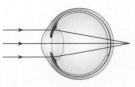

①   ②   ③

④   ⑤

고난도 문제

서술형 문제

17 그림과 같이 현수가 평면거울에서 1 m 떨어진 지점에 서 있다가 거울을 향해 다가갔다.

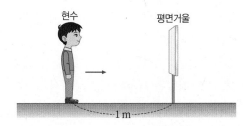

현수의 상에 대한 설명으로 옳은 것은?

① 현수의 상은 거울에 가까워진다.
② 현수의 상은 거울에서 멀어진다.
③ 거울에 보이는 현수의 상이 거꾸로 보인다.
④ 현수의 상은 실제 현수의 크기보다 점점 커진다.
⑤ 현수의 상은 실제 현수의 크기보다 점점 작아진다.

【주관식】

18 그림은 한쪽 벽에 평면거울이 걸려 있는 방을 위에서 내려다 본 모습을 나타낸 것이다.

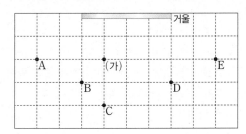

(가) 위치에 사람이 있을 때 거울을 통해 사람이 볼 수 없는 곳을 A~E 중에서 고르시오.

자료 분석 | 정답과 해설 46쪽

【주관식】

19 오목 거울로부터 아주 먼 곳에 물체가 놓여 있다. 이 곳에 있던 물체를 오목 거울에 가까이 접근시키면서 관찰할 수 있는 상을 〈보기〉에서 모두 고르시오.

┌ 보기 ┐
ㄱ. 물체보다 크고 바로 선 상
ㄴ. 물체보다 작고 바로 선 상
ㄷ. 물체보다 작고 거꾸로 선 상
ㄹ. 물체와 같은 크기의 거꾸로 선 상
└

20 그림은 키가 160 cm인 민영이가 평면거울로부터 1 m 떨어진 위치에 서서 거울에 비친 자신의 모습을 볼 때, 빛의 진행 경로와 상의 모습을 나타낸 것이다.

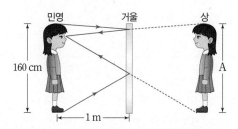

(1) 평면거울에 나타난 민영이의 상의 크기 A는 몇 cm인지 구하시오.

_____

(2) 민영이의 전신을 보기 위한 평면거울의 최소 길이는 몇 cm인지 구하고, 그렇게 답한 까닭을 서술하시오.

_____
_____

21 그림과 같이 자동차에는 여러 가지 거울이 사용되고 있다.

(1) 자동차 내부의 후방 거울에 사용되는 거울의 종류를 쓰고, 이 거울을 사용한 까닭을 서술하시오.

_____

(2) 자동차의 전조등 거울에 사용되는 거울의 종류를 쓰고, 이 거울을 사용한 까닭을 서술하시오.

_____

(3) 자동차의 오른쪽 측면 거울에 사용되는 거울의 종류를 쓰고, 이 거울을 사용한 까닭을 서술하시오.

_____

1 파동 어느 한곳에서 생긴 ❶( )이 주위로 퍼져 나가는 현상

① 파원: 진동이 처음 시작되는 곳

② 매질: 파동을 전달해 주는 물질

파동	물결파	지진파	소리	빛
매질	물	땅	기체, 액체, 고체	필요 없다.

③ 파동의 전파: 파동이 전파될 때 ❷( )은 제자리에서 진동만 할 뿐 파동을 따라 이동하지 않으며, 파동을 따라 전달되는 것은 ❸( )이다.

2 파동의 표시

① 파동의 요소

마루	매질의 위치가 가장 높은 곳
골	매질의 위치가 가장 낮은 곳
파장	이웃한 마루와 마루, 또는 이웃한 골과 골 사이의 거리
진폭	진동 중심에서 마루나 골까지의 거리
❹( )	매질의 한 점이 한 번 진동하는 데 걸리는 시간 [단위: s(초)]
❺( )	매질의 한 점이 1초 동안 진동하는 횟수 [단위: Hz(헤르츠)] ➡ 진동수와 주기는 서로 역수 관계이다. 진동수 = $\frac{1}{주기}$

② 파동을 나타내는 그래프

위치-거리 그래프	위치-시간 그래프
거리에 따른 어느 한 순간의 파동의 모습을 나타낸 것으로, 파동의 파장과 진폭을 알 수 있다.	매질의 어느 한 점의 위치를 시간에 따라 나타낸 것으로, 파동의 주기, 진동수와 진폭을 알 수 있다.

3 파동의 종류 매질의 진동 방향과 파동의 진행 방향의 관계에 따라 구분한다.

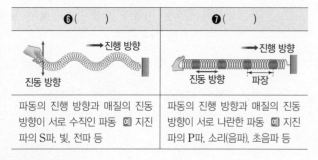

❻( )	❼( )
파동의 진행 방향과 매질의 진동 방향이 서로 수직인 파동 예 지진파의 S파, 빛, 전파 등	파동의 진행 방향과 매질의 진동 방향이 서로 나란한 파동 예 지진파의 P파, 소리(음파), 초음파 등

4 소리 소리는 음파라고도 하며, 물체의 진동으로 발생하고, 주로 공기를 통해 전달된다.

① 소리는 파동의 진행 방향과 매질의 진동 방향이 나란한 ❽( )이다.

② 소리의 전달: 소리는 매질이 고체, 액체, 기체 상태일 때 모두 전달된다. ➡ 진공 중에서는 매질이 없어서 소리가 전달되지 않는다.

③ 소리의 전달 과정

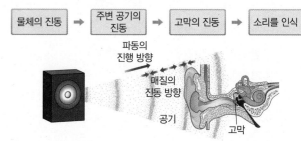

물체의 진동 ➡ 주변 공기의 진동 ➡ 고막의 진동 ➡ 소리를 인식

5 소리의 3요소

① 소리의 크기: 파동의 ❾( )에 따라 소리의 크기가 달라지며, 진폭이 클수록 큰 소리가 난다.

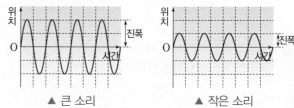

▲ 큰 소리 　　　　▲ 작은 소리

예 북을 세게 두드리면 진폭이 커서 큰 소리가 나고, 약하게 두드리면 진폭이 작아서 작은 소리가 난다.

② 소리의 높낮이: 파동의 ❿( )에 따라 소리의 높낮이가 달라지며, 진동수가 클수록 높은 소리가 난다.

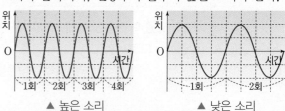

▲ 높은 소리 　　　　▲ 낮은 소리

예 실로폰의 길이가 짧으면 진동수가 커서 높은 소리가 나고, 길이가 길면 진동수가 작아서 낮은 소리가 난다.

③ 음색: 파형에 따라 음색이 달라지며, 파형이 다르면 같은 높이의 음이라도 다른 소리가 난다.

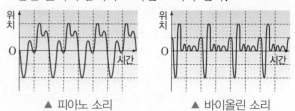

▲ 피아노 소리 　　　　▲ 바이올린 소리

예 사람마다 목소리를 구분할 수 있는 것은 음색이 모두 다르기 때문이다.

답안지

1 어느 한곳에서 생긴 진동이 주위로 퍼져 나가는 현상을 파동이라고 하는데, 진동이 처음 생긴 곳을 (㉠   )(이)라 하고, 파동을 전달하는 물질을 (㉡   )(이)라고 한다.

1 _____

_____

2 그림은 어떤 파동의 어느 한 순간의 모습을 나타낸 것이다. 이 파동의 파장(cm)과 진폭(cm)을 각각 구하시오.

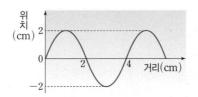

2 _____

_____

3 그림은 파동에서 어느 한 지점의 움직임을 시간에 따라 나타낸 것이다. 이 파동의 주기(초)와 진동수(Hz)를 각각 구하시오.

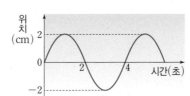

3 _____

_____

4 매질의 진동 방향과 파동의 진행 방향이 ㉠ (수직인 , 나란한) 파동은 횡파이고, 매질의 진동 방향과 파동의 진행 방향이 ㉡ (수직인 , 나란한) 파동은 종파이다.

4 _____

_____

5 횡파의 예로 옳은 것을 〈보기〉에서 모두 고르시오.

보기
ㄱ. 지진파의 S파   ㄴ. 소리   ㄷ. 지진파의 P파   ㄹ. 빛   ㅁ. 초음파

5 _____

_____

6 다음은 공기 중에서 소리의 전달 과정이다. ㉠, ㉡에 알맞은 말을 쓰시오.

물체의 진동 → (㉠   )의 진동 → (㉡   )의 진동 → 대뇌에서 소리 인식

6 _____

_____

7 그림은 소리 (가), (나)의 파형을 나타낸 것이다. (가), (나) 중 더 높은 소리를 고르시오.

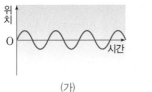

(가)   (나)

7 _____

_____

8 같은 '도' 음이라도 바이올린 소리와 첼로 소리가 다르게 들리는 것은 소리의 (   )이/가 다르기 때문이다.

8 _____

_____

계산 문제 공략 · 파동의 주기와 진동수 구하기

- 주기: 매질의 한 점이 한 번 진동하는 데 걸리는 시간 [단위: s(초)]
- 진동수: 매질의 한 점이 1초 동안 진동하는 횟수 [단위: Hz(헤르츠)]
- 주기와 진동수의 관계: 주기와 진동수는 서로 역수 관계이다. ➡ 주기$=\dfrac{1}{진동수}$, 진동수$=\dfrac{1}{주기}$

진동수를 구하는 문제

1 ㉠~㉢에 알맞은 말을 쓰시오.

> 10초 동안 50회 진동하는 파동이 있다. 진동수는 매질의 한 점이 (㉠   ) 동안 진동하는 횟수이며, 이 파동은 1초 동안 (㉡   )회 진동하므로 진동수는 (㉢   ) Hz이다.

2 1분 동안 240회 진동하는 파동이 있다. 이 파동의 진동수는 몇 Hz인지 구하시오.

3 어떤 파동의 매질의 한 점이 1회 진동하는 데 0.05초가 걸렸다. 이 파동의 진동수는 몇 Hz인지 구하시오.

4 주기가 0.02초인 어떤 파동이 있다. 이 파동의 진동수는 몇 Hz인지 구하시오.

5 그림과 같이 용수철을 좌우로 1초에 2회씩 흔들어서 파동을 발생시켰다.

이 파동의 진동수는 몇 Hz인지 구하시오.

주기를 구하는 문제

6 ㉠~㉢에 알맞은 말을 쓰시오.

> 1초 동안 10회 진동하는 파동이 있다. 주기는 매질의 한 점이 (㉠   ) 진동하는 데 걸리는 시간이며, 이 파동은 1회 진동하는 데 (㉡   )초가 걸렸으므로 주기는 (㉢   )초이다.

7 진동수가 20 Hz인 파동이 있다. 이 파동의 주기는 몇 초인지 구하시오.

8 어떤 파동의 매질이 1회 진동하는 데 0.3초가 걸렸다. 이 파동의 주기는 몇 초인지 구하시오.

9 어떤 파동이 1분 동안 120회 진동하였다. 이 파동의 진동수(Hz)와 주기(초)를 각각 구하시오.

10 그림은 줄을 흔들어 만든 파동이 진행하는 모습을 나타낸 것이다. 이 파동이 A에서 B까지 이동하는 데 10초가 걸렸다.

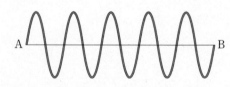

이 파동의 주기는 몇 초인지 구하시오.

개념 문제 공략 **파동을 나타내는 자료 해석하기**

① 매질의 진동 방향 찾기: 파동의 진행 방향으로 진행한 잠시 후 파동의 모습을 그리면, 다음 순간 매질의 진동 방향을 찾을 수 있다.

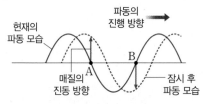
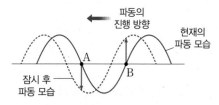

▲ 파동이 오른쪽으로 진행할 때   ▲ 파동이 왼쪽으로 진행할 때

② 파동을 나타내는 그래프의 해석

위치 – 거리 그래프	위치 – 시간 그래프
• 이웃한 마루와 마루, 또는 골과 골 사이의 거리는 파장을 의미한다. • 그래프로 파장과 진폭을 알 수 있다.	• 이웃한 마루와 마루, 또는 골과 골 사이의 거리는 주기를 의미한다. • 그래프로 주기와 진동수, 진폭을 알 수 있다.

1 그림은 오른쪽으로 진행하는 어떤 파동의 어느 한 순간의 모습을 나타낸 것으로, A~E는 매질 위에 있는 점이다.

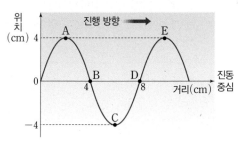

(1) A~E 중 마루인 점을 모두 쓰시오.

(2) A~E 중 골인 점을 모두 쓰시오.

(3) 이 파동의 진폭은 몇 cm인지 쓰시오.

(4) 이 파동의 파장은 몇 cm인지 쓰시오.

(5) 다음 순간 A~E의 진동 방향을 각각 화살표로 나타내시오.

2 그림은 어떤 파동의 한 매질의 위치를 시간에 따라 나타낸 것이다.

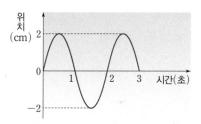

이 파동의 진폭(cm), 주기(초), 진동수(Hz)를 각각 구하시오.

3 그림의 실선과 같이 오른쪽으로 진행하는 어떤 파동의 0.5초 후의 모습이 점선과 같았다.

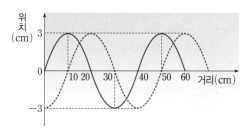

(1) 이 파동의 파장은 몇 cm인지 구하시오.

(2) 이 파동의 주기는 몇 초인지 구하시오.

정답과 해설 **48**쪽

01 파동에 대한 설명으로 옳지 <u>않은</u> 것은?

① 파동을 전달하는 물질을 매질이라고 한다.

② 어느 한곳에서 생긴 진동이 주위로 퍼져 나가는 현상이다.

③ 파동이 전파될 때 파동을 따라 파동이 가진 에너지가 전달된다.

④ 음파의 매질은 공기이므로 고체나 액체 매질에서는 전파되지 않는다.

⑤ 빛이나 전파는 다른 파동과는 달리 매질이 없는 진공에서도 전파된다.

02 파동과 매질을 짝 지은 것으로 옳지 <u>않은</u> 것은?

① 빛 – 공기   ② 소리 – 공기

③ 지진파 – 땅   ④ 물결파 – 물

⑤ 용수철 파동 – 용수철

03 그림은 물이 든 수조에 스타이로폼 공을 띄워 놓고 막대기로 수면을 살짝 쳐서 물결을 만든 모습을 나타낸 것이다.

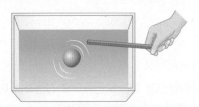

이에 대한 설명으로 옳은 것을 〈보기〉에서 모두 고른 것은?

┌─ 보기 ────────────────────────┐
ㄱ. 물결이 전파될 때 매질인 물은 제자리에서 진동만 한다.
ㄴ. 물결이 전파되는 방향을 따라 스타이로폼 공도 이동한다.
ㄷ. 물결과 같이 진동이 주변으로 전파되는 현상을 파동이라고 한다.
└──────────────────────────────┘

① ㄱ   ② ㄴ   ③ ㄱ, ㄷ
④ ㄴ, ㄷ   ⑤ ㄱ, ㄴ, ㄷ

[주관식]

04 그림은 오른쪽으로 진행하는 파동의 어느 한 순간의 모습을 나타낸 것이다.

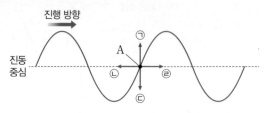

매질 위의 한 점인 A점이 다음 순간 진동하는 방향을 ㉠~㉣ 중에서 고르시오.

05 매질의 한 점이 10초 동안 100회 진동하는 파동이 있다. 이에 대한 설명으로 옳은 것을 〈보기〉에서 모두 고른 것은?

┌─ 보기 ────────────────────────┐
ㄱ. 이 파동의 주기는 10초이다.
ㄴ. 이 파동의 진동수는 10 Hz이다.
ㄷ. 이 파동이 1회 진동하는 데 걸리는 시간은 0.1초이다.
└──────────────────────────────┘

① ㄱ   ② ㄴ   ③ ㄱ, ㄷ
④ ㄴ, ㄷ   ⑤ ㄱ, ㄴ, ㄷ

출제율 99%

06 그림은 A점에서 B점까지 진행하는 데 1초가 걸리는 파동의 모습을 나타낸 것이다.

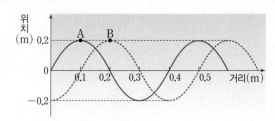

이에 대한 설명으로 옳지 <u>않은</u> 것은?

① 이 파동의 주기는 4초이다.

② 이 파동의 진폭은 0.2 m이다.

③ 이 파동의 파장은 0.4 m이다.

④ A점은 파동의 골에 위치해 있다.

⑤ 이 파동의 진동수는 0.25 Hz이다.

07 그림 (가)에서 실선은 오른쪽으로 진행하는 어떤 파동의 어느 순간의 모습을 나타낸 것이고, 점선은 2초가 지난 후 파동의 모습을 나타낸 것이다. 그림 (나)에서 실선은 오른쪽으로 진행하는 다른 파동의 어느 순간의 모습을 나타낸 것이고, 점선은 4초가 지난 후 파동의 모습을 나타낸 것이다.

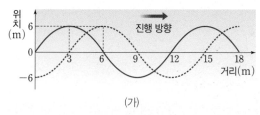

(가)

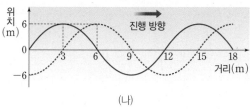

(나)

이에 대한 설명으로 옳은 것을 〈보기〉에서 모두 고른 것은?

┌─ 보기 ─────────────────────────────┐
ㄱ. (가)와 (나)의 파동의 진폭은 같다.
ㄴ. (가)와 (나)의 파동의 파장은 같다.
ㄷ. (가)와 (나)의 파동의 진동수는 같다.
└────────────────────────────────────┘

① ㄱ   ② ㄴ   ③ ㄷ
④ ㄱ, ㄴ   ⑤ ㄱ, ㄴ, ㄷ

08 용수철의 한쪽 끝을 벽에 고정하고 앞뒤로 흔들었더니 그림과 같이 밀한 곳과 소한 곳이 생기는 파동이 만들어졌다. 밀한 곳과 소한 곳 사이의 거리는 10 cm이고, 용수철 위의 점 P는 1초 동안 5회 진동하였다.

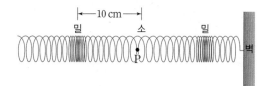

이 파동에 대한 설명으로 옳은 것은?

① 횡파이다.
② 주기는 5초이다.
③ 파장은 10 cm이다.
④ 진동수는 0.2 Hz이다.
⑤ 파동의 진행 방향과 매질의 진동 방향은 나란하다.

09 다음은 우리 주변에서 볼 수 있는 파동을 A와 B로 분류한 것이다.

구분	파동의 예
A	• 지진 발생 시 건물을 파괴하는 지진파의 S파 • 우주 공간을 거쳐 지구에 도달하는 태양 빛
B	• 스피커에서 나오는 음악 소리 • 박쥐가 내보내는 초음파

파동을 A와 B로 분류한 기준으로 옳은 것은?

① 진동으로 발생한 파동인지 아닌지에 따라 구분하였다.
② 매질의 진동 방향과 파동의 진행 방향의 관계에 따라 구분하였다.
③ 파동이 전파될 때 매질이 필요한지 필요없는지에 따라 구분하였다.
④ 파동이 전파될 때 에너지를 전달하는지 전달하지 않는지에 따라 구분하였다.
⑤ 파동이 전파되는 방향으로 매질이 같이 진행하는 파동인지 아닌지에 따라 구분하였다.

10 그림은 한쪽 끝을 벽에 고정시킨 용수철의 중간에 리본을 묶고 좌우로 흔들어 생긴 파동의 모습을 나타낸 것이다.

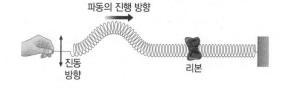

이 파동에 대한 설명으로 옳지 않은 것은?

① 이 파동은 횡파이다.
② 좌우로 빨리 흔들수록 파동의 주기가 커진다.
③ 좌우로 빨리 흔들수록 파동의 진동수가 커진다.
④ 리본은 용수철을 따라 이동하지 않고 좌우로 진동한다.
⑤ 리본이 진동하는 방향과 파동이 진행하는 방향은 수직이다.

11 소리에 대한 설명으로 옳지 않은 것을 모두 고르면? (2개)

① 소리는 물속에서도 들을 수 있다.
② 소리의 발생 원인은 물체의 진동이다.
③ 소리의 3요소는 크기, 높낮이, 음색이다.
④ 소리는 진공 중에서 가장 빠르게 전달된다.
⑤ 소리는 소리의 진행 방향과 매질의 진동 방향이 수직인 횡파이다.

【주관식】

12 그림은 북을 치고 있는 사람의 모습을 나타낸 것이다.

이에 대한 설명으로 옳은 것을 〈보기〉에서 모두 고르시오.

보기
ㄱ. 북을 세게 칠수록 높은 소리가 들린다.
ㄴ. 북 소리는 북 가죽의 진동으로 발생한다.
ㄷ. 북 가죽의 진동이 주변 공기를 진동시키고, 공기의 진동이 고막을 진동시켜 사람이 북 소리를 듣게 된다.

13 소리가 진동에 의해 발생하기 때문에 나타나는 현상으로 옳은 것을 〈보기〉에서 모두 고른 것은?

보기
ㄱ. 소리가 나는 소리굽쇠를 물에 넣으면 물방울이 튄다.
ㄴ. 소리가 나는 스피커 앞에 촛불을 두면 촛불이 앞뒤로 진동한다.
ㄷ. 사람이 말을 할 때 목에 손을 대면 성대가 떨리는 것을 느낄 수 있다.

① ㄱ   ② ㄴ   ③ ㄷ
④ ㄱ, ㄴ   ⑤ ㄱ, ㄴ, ㄷ

14 큰 북과 작은 북을 같은 세기로 쳤을 때에 대한 설명으로 옳은 것은?

① 큰 북과 작은 북에서 나는 소리의 크기와 높낮이는 같다.
② 큰 북과 작은 북에서 나는 소리의 높낮이는 같고 큰 북에서 더 큰 소리가 난다.
③ 큰 북과 작은 북에서 나는 소리의 높낮이는 같고 작은 북에서 더 큰 소리가 난다.
④ 큰 북과 작은 북에서 나는 소리의 크기는 같고, 큰 북에서 더 높은 소리가 난다.
⑤ 큰 북과 작은 북에서 나는 소리의 크기는 같고, 작은 북에서 더 높은 소리가 난다.

【주관식】 출제율 99%

15 다음과 같은 현상은 소리의 3요소 중 어떤 요소 때문인지 쓰시오.

• 친구들의 목소리를 구분할 수 있다.
• 피아노의 '솔' 음과 바이올린의 '솔' 음을 구분할 수 있다.

출제율 99%

16 그림은 소리 (가)~(라)를 파형으로 나타낸 것이다.

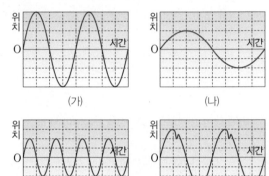

(가)   (나)

(다)   (라)

소리의 높낮이를 옳게 비교한 것은?

① (가)=(나)=(다)>(라)
② (가)>(라)>(나)=(다)
③ (나)=(다)>(가)>(라)
④ (나)>(가)=(라)>(다)
⑤ (다)>(가)=(라)>(나)

출제율 99%

17 그림은 소리 (가), (나)를 파형으로 나타낸 것이다.

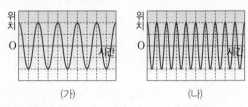

(가)   (나)

이에 대한 설명으로 옳은 것은?

① (가)가 (나)보다 큰 소리이다.
② (가)가 (나)보다 작은 소리이다.
③ (가)가 (나)보다 높은 소리이다.
④ (가)가 (나)보다 낮은 소리이다.
⑤ (가)와 (나)는 음색이 서로 다르다.

18 그림 (가)는 진동하는 두 줄 A, B의 어느 순간의 모습을 나타낸 것이고, (나)는 각 줄에서 어느 한 점의 위치를 시간에 따라 나타낸 것이다.

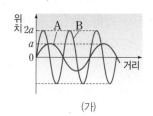 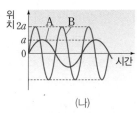

(가)　　　　　　　(나)

A와 B의 진폭, 파장, 주기를 옳게 비교한 것은?

	진폭	파장	주기
①	A<B	A<B	A<B
②	A<B	A<B	A>B
③	A<B	A>B	A>B
④	A>B	A<B	A<B
⑤	A>B	A>B	A>B

자료 분석 | 정답과 해설 49쪽

19 그림은 피아노에서 나는 '도' 음의 파형을 나타낸 것이다.

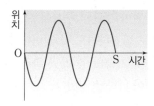

이 소리보다 한 옥타브 높은 높은 '도'음의 파형으로 가장 적절한 것은? (단, 소리가 한 옥타브 높아지면 진동수는 2배가 된다.)

① 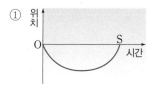　②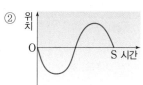

③ 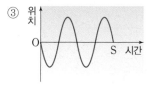　④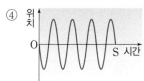

⑤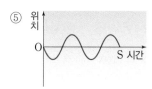

자료 분석 | 정답과 해설 49쪽

20 그림은 불을 끄기 위해 물을 전달하는 모습을 나타낸 것이다.

물과 사람 중 파동의 매질과 에너지에 비유할 수 있는 것은 무엇인지 쓰고, 그렇게 답한 까닭을 서술하시오.

_____

_____

21 그림과 같이 우주에서 두 우주인이 대화를 하려고 하였으나 소리가 전달되지 않아 대화를 하지 못하였다.

(1) 우주에서 소리가 전달되지 않는 까닭을 서술하시오.

_____

_____

(2) 두 우주인이 대화를 할 수 있는 방법을 서술하시오.

_____

_____

22 그림은 같은 악기에서 나는 두 소리 A, B를 파형으로 나타낸 것이다.

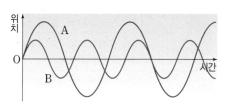

(1) A와 B의 소리의 크기를 까닭과 함께 비교하시오.

_____

(2) A와 B의 소리의 높낮이를 까닭과 함께 비교하시오.

_____

정답과 해설 50쪽

1 과학과 관련된 직업

① 과학 관련 직업의 종류

❶( )과 관련된 직업	• 과학 지식을 탐구하는 직업 • 대부분 물리학, 화학, 생명 과학, 지구 과학과 같은 기초 과학 분야와 관계가 있다. 예 물리학자, 화학자, 생명 과학자, 지구 과학자 등
❷( )과 관련된 직업	• 과학 지식을 이용하여 생활 속 문제를 해결하는 직업 • 대부분 기술, 공학, 의학, 농학 등 응용과학 분야와 관계가 있다. 예 로봇 연구원, 의학 물리학자, 데이터 과학자, 기계 공학자, 항공 정비사, 휴대 전화 개발자, 영양사, 안전 공학자 등

② ❸( )(NCS): 산업 현장에서 직무를 수행하기 위해 요구되는 지식, 기술, 태도 등의 내용을 체계화한 것

• 과학 관련 직업을 여러 가지 분야로 분류할 수 있다. ➡ 자연 과학, 화학, 생명 공학, 재료 공학, 보건·의료, 환경·에너지, 전기 전자 분야 직업군 등이 있다.

• 국가 경쟁력을 유지하기 위해 개개인이 지닌 소질과 적성에 맞게 능력을 키우고, 사회가 이를 공정하게 평가하고 인정하기 위해 개발한 것이다.

③ 과학과 관련된 직업에 필요한 역량

과학적 사고력	• 과학적인 증거와 이론을 바탕으로 합리적으로 추론하는 능력 • 다양하고 독창적인 아이디어를 제안하는 능력
과학적 탐구 능력	• 실험과 조사를 실행하는 탐구 능력 • 다양한 방법으로 자료를 수집·해석·평가하여 새로운 과학 지식을 얻는 능력
과학적 ❹( )	• 과학 지식을 일상생활의 문제 해결에 활용하는 능력 • 다양한 정보와 자료를 활용한 해결 방안을 제시하고 실행하는 능력
과학적 ❺( )	• 자신의 생각을 말, 글, 그림, 기호 등으로 표현하는 능력 • 자신의 생각을 주장하고 다른 사람의 생각을 이해하고 조정하는 능력
과학적 참여	과학 기술의 사회 문제에 관심을 가지고 의사 결정 과정에 참여하는 능력
평생 학습 능력	새로운 과학 기술 환경에 적응하기 위해 지속해서 학습하는 능력
논리적 사고력	주장과 근거의 관계를 논리적으로 생각하는 능력
❻( )	새로운 것을 생각해 내는 능력
수리 능력	수, 통계 자료, 도표 등을 이해하고 응용하는 능력
정보 통신 활용 능력	컴퓨터나 스마트 기기 등을 활용하는 능력

2 현대 사회의 직업과 과학

① 현대 사회의 직업과 관련된 과학: 개별 연구보다 함께 모여 연구하는 일이 많아지면서 과학 분야가 서로 융합하여 만들어진 직업이나 과학과 다른 분야가 융합하여 만들어진 직업이 많아지고 있다.

② 과학과 융합된 다양한 직업의 예

영화감독	과학과 관련된 상식과 정보를 바탕으로 과학적이고 실감 나는 작품을 만든다.
과학 전문 기자	과학 지식과 글쓰기 능력을 가지고 있어 과학 관련 사건을 취재, 기사 작성, 보도하는 일을 한다.
문화재 보존 연구원	역사적 지식과 함께 X선 촬영이나 물질의 특성 등 과학 지식을 바탕으로 오래된 문화재를 관리하고, 손상된 유물을 수리하여 원래 모습으로 되돌린다.
재활용 관리사	폐기물 재활용 기술을 개발하거나 관련 활동을 관리한다.
❼( ) 분석가	과학적 검증 방법을 이용하여 수많은 정보를 정리하고, 해석하여 필요한 서비스를 제안한다.

3 미래 사회의 직업과 과학

① 과학 기술의 발달과 직업의 변화

• 과학 기술이 발달하면서 기존 직업이 사라지거나 직업의 모습이 달라지고 새로운 직업이 생기기도 한다.

• 직업과 취미 생활의 구분이 모호해지고, 여가 활동이 직업으로 발전하기도 할 것이다.

• 첨단 과학 기술의 융합, 친환경, 삶의 질 향상과 관련된 직업이 나타날 것이다.

② 미래 사회 직업에 영향을 미칠 과학 기술

자율 주행 자동차	운전자의 조작 없이 자율적 운전이 가능하게 한다.
❽( )	인간의 지능으로 할 수 있는 학습, 추론 등을 컴퓨터가 해내는 기술이다.
❾( )	사람과 사물, 사물과 사물의 데이터가 인터넷으로 연결되는 기술이다.
3D 프린팅	3차원 도면을 이용해 다양한 재료를 분사하여 3차원 물체를 만드는 기술이다.
드론(무인기)	조종사 없이 무선 전파의 유도로 비행 및 조종이 가능하게 한다.

③ 미래에 나타날 직업의 예

❿( ) 사회에 따른 직업	탈부착 골근격 증강기 연구원, 인공 장기 조직 개발자
⓫( )에 따른 국제화 사회의 직업	국제 인재 채용 대리인, 문화 갈등 해결원
스마트 디지털 기술 사회의 직업	아바타 개발자, 데이터 소거원, 오감 인식 기술자

중단원 퀴즈

정답과 해설 **50**쪽

1 물리학자, 화학자, 생명 과학자, 지구 과학자는 과학 지식을 탐구하는 (　　　) 과학과 관련된 직업이다.

1 _____

_____ 과학과 나의 미래

2 로봇 연구원, 의학 물리학자, 데이터 과학자 등은 과학 지식을 이용하여 생활 속 문제를 해결하는 (　　　)과학과 관련된 직업이다.

2 _____

_____

3 (　　　　　　　　)은/는 국가 경쟁력을 유지하기 위해 개개인이 지닌 소질과 적성에 맞게 능력을 키우고, 사회가 이를 공정하게 평가하고 인정하기 위해 개발한 것이다.

3 _____

_____

4 과학적인 증거와 이론을 바탕으로 합리적으로 추론하는 능력으로, 다양하고 독창적인 아이디어를 제안하는 능력을 과학적 (　　　)(이)라고 한다.

4 _____

_____

5 새로운 과학 기술 환경에 적응하기 위해 지속해서 학습하는 능력을 (　　　) 능력이라고 한다.

5 _____

_____

6 수, 통계 자료, 도표 등을 이해하고 응용하는 능력을 ㉠(정보 통신 활용 능력 , 수리 능력)이라고 하며, 컴퓨터나 스마트 기기 등을 활용하는 능력을 ㉡(정보 통신 활용 능력 , 수리 능력)이라고 한다.

6 _____

_____

7 과학 지식과 글쓰기 능력을 가지고 있어 과학 관련 사건을 취재, 기사 작성, 보도하는 일을 하는 직업은 ㉠(빅 데이터 분석가 , 과학 전문 기자)라고 하며, 폐기물 재활용 기술을 개발하거나 관련 활동을 관리하는 직업은 ㉡(재활용 관리사 , 영화감독)(이)라고 한다.

7 _____

_____

8 운전자의 조작 없이 자율적 운전이 가능한 것은 (㉠　　　　) 자동차이며, 3차원 도면을 이용해 다양한 재료를 분사하여 3차원 물체를 만드는 기술은 (㉡　　　)이다.

8 _____

_____

9 조종사 없이 무선 전파의 유도로 비행 및 조종이 가능하게 하며, 무인기라고도 하는 것은 (㉠　　　)이며, 인간의 지능으로 할 수 있는 학습, 추론 등을 컴퓨터가 해내는 기술은 (㉡　　　)이다.

9 _____

_____

10 3D 바이오 프린팅 기술을 이용해 인체 조직을 만드는 직업은 (탈부착 골근격 증강기 연구원 , 인공 장기 조직 개발자)이다.

10 _____

_____

11 인종, 국가, 민족, 종교 등 문화가 다른 사람들 사이의 갈등을 예방하고 분쟁을 조정하는 직업은 (국제 인재 채용 대리인 , 문화 갈등 해결원)이다.

11 _____

_____

12 인터넷에 떠돌고 있는 의뢰인의 부정적인 정보를 찾아서 안전하게 제거하는 직업은 (데이터 소거원 , 오감 인식 기술자)이다.

12 _____

_____

출제율 99%

01 그림은 과학과 관련된 직업의 예를 나타낸 것이다.

▲ 기계 공학자　　　▲ 항공 정비사　　　▲ 로봇 연구원

이 직업들의 공통점으로 옳은 것을 〈보기〉에서 모두 고른 것은?

> 보기
> ㄱ. 과학 지식을 탐구하는 직업이다.
> ㄴ. 응용과학 분야와 관계있는 직업이다.
> ㄷ. 과학 지식을 이용하여 생활 속 문제를 해결하는 직업이다.

① ㄱ　　　　② ㄷ　　　　③ ㄱ, ㄴ
④ ㄴ, ㄷ　　　⑤ ㄱ, ㄴ, ㄷ

【주관식】

02 다음은 연구 대상의 특성에 따른 과학의 연구 분야에 대한 설명이다. 과학의 연구 분야는 물리학, 화학, 생명 과학, 지구 과학으로 구분할 수 있다.

> • (㉠)은 지구, 대기와 해양, 우주 등을 연구하는 학문이다.
> • (㉡)은 힘과 운동, 빛과 파동, 열과 에너지를 연구하는 학문이다.
> • (㉢)은 물질의 구조와 성질, 물질의 변화 등을 연구하는 학문이다.

㉠~㉢에 해당하는 연구 분야를 각각 쓰시오.

03 국가 직무 능력 표준(NCS)에 대한 설명으로 옳지 <u>않은</u> 것은?

① 사회가 개인의 능력을 공정하게 평가하고 인정하기 위해 개발한 것이다.
② 유전자 감식 연구원, 생물학 연구원, 생물학자는 생명 공학 직업군에 속한다.
③ 금속 기술자, 재료 공학 기술자, 태양 전지 연구원은 자연 과학 직업군에 속한다.
④ 국가 경쟁력을 유지하기 위해 개개인이 지닌 소질과 적성에 맞게 능력을 키우기 위한 것이다.
⑤ 산업 현장에서 직무를 수행하기 위해 요구되는 지식, 기술, 태도 등의 내용을 체계화한 것이다.

출제율 99%

04 다음은 과학과 관련된 직업에 필요한 역량에 대한 설명이다.

> (가) 과학적인 증거와 이론을 바탕으로 합리적으로 추론하고, 다양하고 독창적인 아이디어를 제안하는 능력이다.
> (나) 새로운 것을 생각해 내는 능력이다.
> (다) 새로운 과학 기술 환경에 적응하기 위해 지속해서 학습하는 능력이다.

(가)~(다)에 해당하는 역량을 각각 옳게 짝 지은 것은?

	(가)	(나)	(다)
①	창의력	평생 학습 능력	과학적 문제 해결력
②	수리 능력	과학적 참여	과학적 사고력
③	과학적 참여	정보 통신 활용 능력	과학적 사고력
④	과학적 사고력	창의력	평생 학습 능력
⑤	과학적 사고력	논리적 사고력	평생 학습 능력

05 분석 화학자는 화학 물질의 기본적인 특성을 조사하고, 과학적 방법으로 관련 기기들을 다루어 실험하며, 다양한 방법으로 수집한 자료를 해석하고 평가하여 화학 물질의 새로운 특성을 발견하는 직업이다. 분석 화학자에게 가장 필요한 역량으로 옳은 것은?

① 창의력
② 평생 학습 능력
③ 과학적 탐구 능력
④ 과학적 문제 해결력
⑤ 과학적 의사소통 능력

06 다음은 과학과 관련된 어떤 직업에 대한 설명이다.

> 섬유에 관한 공학적 지식을 바탕으로 섬유 소재와 이를 이용한 제품을 개발하는 직업이다.

이 직업으로 옳은 것은?

① 조향사　　　　　　② 기상학자
③ 자동차 디자이너　　④ 섬유 공학 기술자
⑤ 공간 정보 시스템 전문가

07 재활용 관리사는 폐기물 재활용 기술을 개발하거나 관련 활동을 관리하는 직업이다. 재활용 관리사가 가져야 할 지식이나 능력으로 옳은 것은?

① 미술, 역사 분야의 지식
② 앱을 개발할 수 있는 능력
③ 글쓰기와 같은 문학적 소양
④ 유전학과 법의학 분야의 지식
⑤ 화학, 전기, 환경 공학 분야의 지식

출제율 99%

08 현대 사회의 직업과 과학에 대한 설명으로 옳은 것을 〈보기〉에서 모두 고른 것은?

보기
ㄱ. 과학과 다른 분야가 융합하여 만들어진 직업이 많아지고 있다.
ㄴ. 예술, 문학 분야와 관련된 직업에는 과학이 전혀 영향을 미치지 않는다.
ㄷ. 집단 연구보다 개별 연구가 많아져 과학 분야가 서로 융합된 직업이 나타난다.

① ㄱ
② ㄷ
③ ㄱ, ㄴ
④ ㄴ, ㄷ
⑤ ㄱ, ㄴ, ㄷ

출제율 99%

09 미래 사회의 직업에 대한 설명으로 옳지 <u>않은</u> 것은?

① 직업과 취미 생활의 구분이 모호해진다.
② 기존 직업이 사라지고 새로운 직업이 생기기도 한다.
③ 한 직업을 평생 동안 가지며, 여러 가지 일을 동시에 수행할 수도 있다.
④ 첨단 과학 기술의 융합, 친환경, 삶의 질 향상과 관련된 직업이 나타날 것이다.
⑤ 자율 주행 자동차, 인공 지능, 3D 프린팅 등 과학 기술이 미래 사회 직업에 영향을 미친다.

10 다음은 각 사회에 필요한 여러 가지 직업에 대한 설명이다.

(가) 고령화 사회에 따른 직업: 탈부착 골근격 증강기 연구원, 인공 장기 조직 개발자
(나) 다문화에 따른 국제화 사회의 직업: ⊙
(다) 스마트 디지털 기술 사회의 직업: 아바타 개발자, 데이터 소거원, 오감 인식 기술자

⊙에 들어갈 직업으로 옳은 것은?

① 화학자
② 소방관
③ 의공학자
④ 펀드 매니저
⑤ 국제 인재 채용 대리인

11 첨단 과학 기술에 대한 설명으로 옳은 것을 모두 고르면? (2개)

① 환경 기술은 문화 및 예술 산업 발전과 관련된 기술이다.
② 나노 기술은 1 nm에서 수십 nm 크기의 물질이나 구조를 다루는 기술이다.
③ 우주 항공 기술은 인공위성이나 항공기 등을 개발하는 것과 관련된 기술이다.
④ 문화 기술은 정보의 수집, 저장, 처리, 검색, 전송과 관련된 기술이다.
⑤ 정보 기술은 생명 과학 지식으로 생명 현상을 연구하여 활용하는 기술이다.

12 다음은 진로 계획의 점검 과정을 순서 없이 나타낸 것이다.

(가) 희망 직업에 필요한 역량을 검토한다.
(나) 자신의 특성과 주변 환경을 검토한다.
(다) 희망 직업에 대해 검토하고 탐색한다.
(라) 진로 목표를 달성한 후 자신의 모습에 만족하는지 검토한다.

순서대로 옳게 나타낸 것은?

① (가) → (나) → (다) → (라)
② (가) → (다) → (라) → (나)
③ (나) → (가) → (다) → (라)
④ (다) → (가) → (라) → (나)
⑤ (다) → (나) → (가) → (라)

13 표는 국가 직무 능력 표준(NCS)에 따른 일부 과학 관련 직업군과 직업의 예를 나타낸 것이다.

직업군	직업의 예
자연 과학	물리학 연구원, 물리학자, 기상 연구원, 화학자 등
화학	㉠
㉡	생물학자, 생명 과학 기술 공학자, 유전자 감식 연구원 등
재료 공학	㉢

이에 대한 설명으로 옳지 않은 것은?

① ㉠의 예로는 석유 화학 공학 기술자, 음식료품 화학 공학 기술자, 조향사 등이 해당한다.
② ㉡이 해당하는 직업군은 생명 공학이다.
③ ㉢의 예로는 금속 기술자, 섬유 공학 기술자, 비파괴 검사원, 재료 공학 기술자 등이 해당한다.
④ 국가 직무 능력 표준은 산업 현장에서 직무를 수행하기 위해 요구되는 지식, 기술, 태도 등의 내용을 체계화한 것이다.
⑤ 현대에는 과학 기술의 전문성이 확보되고, 개별 연구의 중요성이 커져 과학 분야가 서로 융합해서 만들어진 직업의 종류가 적어지고 있다.

자료 분석 | 정답과 해설 51쪽

14 다음은 빅 데이터 분석가에 대한 설명이다.

> 현대 사회가 급격하게 변하는 과정에서 많은 정보가 쏟아진다. 따라서 이러한 많은 양의 정보를 분석하여 정리하는 일이 시급하게 되면서 빅 데이터 분석가라는 직업이 나타났다. 빅 데이터 분석가는 과학적 검증 방법을 이용하여 수많은 정보를 정리하고, 해석하여 필요한 서비스를 제안하는 직업이다.

이에 대한 설명으로 옳지 않은 것은?

① 빅 데이터 분석가가 되려면 컴퓨터 공학이나 통계학을 공부해야 한다.
② 빅 데이터 분석가는 기초 과학과 응용과학 분야만 융합하여 만들어진 직업이다.
③ 빅 데이터 분석가가 되려면 자료를 정확하게 분석하고, 효율적으로 정리하는 기술을 익혀야 한다.
④ 빅 데이터 분석가가 만든 통계 자료는 시장 정보 분석, 범죄 예방, 스포츠 분석 등에 이용된다.
⑤ 빅 데이터 분석가는 통계 자료를 만드는 데 필요한 최신 기술과 최근 사회 현상을 빠르게 파악해야 한다.

15 다음은 학생들이 로봇 연구원 A를 취재한 결과이다.

> • 학생 1: 로봇 연구원은 어떤 일을 하나요?
> • A: 다양한 산업과 실생활에서 이용할 수 있는 로봇을 연구하고 개발하는 일을 합니다.

> • 학생 2: 로봇 연구원이라면 모두 같은 일을 하는 건가요?
> • A: 로봇의 형태와 움직임을 연구하는 연구원, 로봇의 회로와 시스템을 설계하는 연구원, 로봇의 동작을 조절하는 연구원, 로봇이 외부 자극을 인식할 수 있도록 하는 연구원 등 여러 분야의 전문가가 함께 일을 합니다.
> • 학생 1: 로봇 연구원이 되려면 어떤 역량을 가져야 할까요?
> • A: _____㉠_____

㉠에 알맞은 문장을 서술하시오. (단, 3가지 이상의 역량을 포함하시오.)

_____

_____

16 다음은 과학과 관련된 직업을 (가)와 (나)로 분류한 것이다.

(가)	(나)
물리학자, 화학자, 생명 과학자, 지구 과학자	의학 물리학자, 데이터 과학자, 기계 공학자, 영양사

(가)와 (나)로 분류한 기준을 각각 쓰시오.

_____

_____

17 그림은 과거와 현재의 여러 가지 직업을 나타낸 것이다.

▲ 마부　　▲ 컴퓨터로 그림을 그리는 만화가　　▲ 앱 개발자

위 그림을 통해 알 수 있는 과학 기술의 발달에 따른 직업의 변화를 서술하시오.

_____

_____

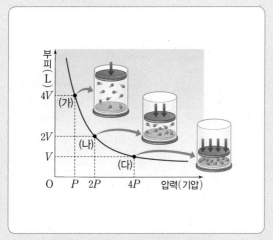

Ⅳ. 기체의 성질─보일 법칙과 입자 운동의 변화

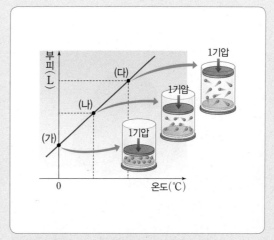

Ⅳ. 기체의 성질─샤를 법칙과 입자 운동의 변화

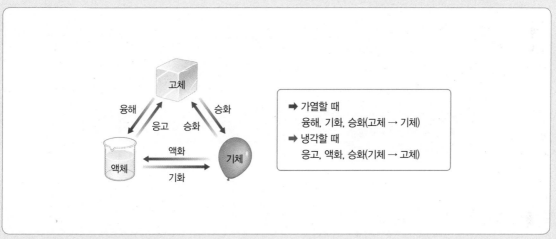

Ⅴ. 물질의 상태 변화─물질의 상태 변화

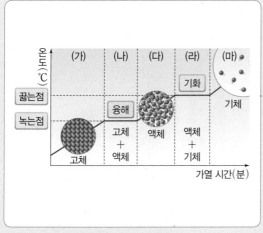

Ⅴ. 물질의 상태 변화─물질의 가열 곡선

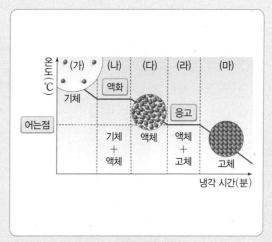

Ⅴ. 물질의 상태 변화─물질의 냉각 곡선

VISUAL CONTENTS — 시험에 자주 나오는 그림 자료 모아 보기

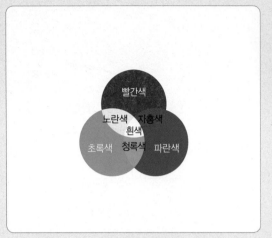

Ⅵ. 빛과 파동－빛의 삼원색의 합성

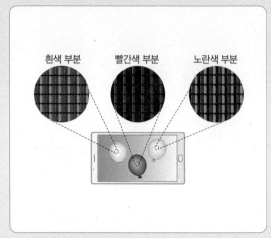

Ⅵ. 빛과 파동－영상 장치에서 색이 표현되는 원리

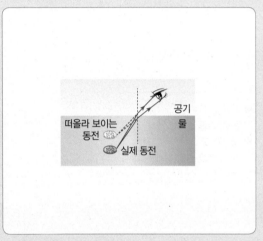

Ⅵ. 빛과 파동－빛의 굴절

Ⅵ. 빛과 파동－파동의 전파와 매질의 운동

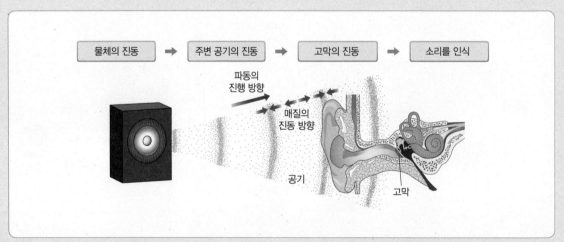

Ⅵ. 빛과 파동－소리의 전달 과정

필독

중학 국어로 수능 잡기

✦ **필독** 중학 국어로 수능 잡기 시리즈

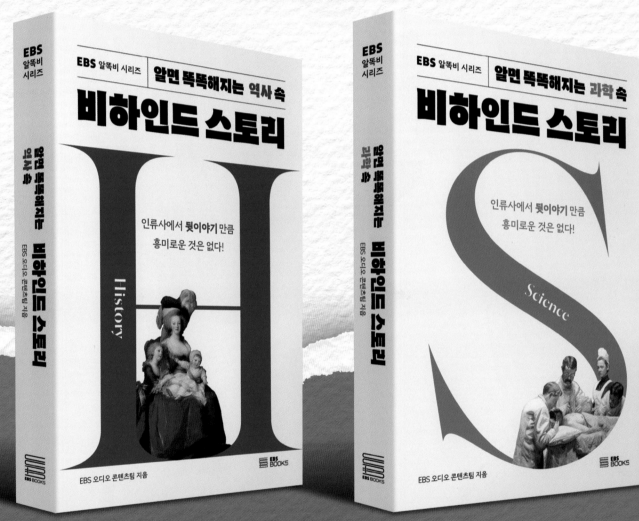

"인류사에서 뒷이야기만큼 흥미로운 것은 없다!"

EBS 알똑비 시리즈 알면 똑똑해지는 역사 속
비하인드 스토리
H
인류사에서 **뒷이야기** 만큼
흥미로운 것은 없다!
History

EBS 오디오 콘텐츠팀 지음

EBS 알똑비 시리즈 알면 똑똑해지는 과학 속
비하인드 스토리
S
인류사에서 **뒷이야기** 만큼
흥미로운 것은 없다!
Science

EBS 오디오 콘텐츠팀 지음

EBS 오디오 콘텐츠팀 지음 | EBS BOOKS | 값 각 15,000원

꽁꽁 숨겨져 있던 **비하인드 스토리**로 배우는
흥미진진 **역사**와 **과학**

한 권의 추리소설을 읽듯 스릴 넘치는
반전의 역사와 과학 수업

중|학|도|역|시 **EBS**

원리 학습을 기반으로 하는 중학 과학의 새로운 패러다임

비욘드

정답과 해설

개념 · 탐구 · 적용 · 실전

체계적인 과학 실험 분석
모든 유형에 대한 적응

중학 과학
1·2

《《《 ·· ●

정답과
해설

IV 기체의 성질 »

01 입자의 운동

기초를 튼튼히! 개념 잡기 개념 학습 교재 11쪽

1 (1) 입자 (2) 입자 모형 (3) 모든 **2** (1) × (2) × (3) ○ **3** (1) < (2) > (3) < (4) < **4** (1) ○ (2) × (3) × **5** (1) 높을 (2) 낮을 (3) 강할 (4) 넓을 **6** (1) 증발 (2) 확산 (3) 확산 (4) 확산 (5) 증발 (6) 증발

1 (1) 기체를 포함한 모든 물질은 매우 작은 입자로 이루어져 있다.
(2) 입자는 크기가 매우 작아 눈으로 볼 수 없으므로 입자 모형을 이용하여 설명할 수 있다. 모형은 크기가 매우 크거나 작아서 관찰하기 어려운 대상을 이해하기 쉽게 여러 가지 형태로 나타낸 것이다.
(3) 입자 운동은 모든 방향으로 일어난다.

2 (3) 확산은 물질을 이루는 입자가 스스로 운동하여 퍼져 나가는 현상이다.
오답 피하기 | (1) 확산은 입자가 스스로 운동하여 나타나는 현상이므로 바람이 불지 않는 곳에서도 일어난다.
(2) 입자의 운동을 방해하는 다른 입자가 적을수록 확산 속도가 빠르다. 진공 속에서는 확산을 방해하는 입자가 없으므로 확산이 잘 일어난다.

3 온도가 높을수록, 입자의 질량이 작을수록, 물질의 상태는 고체<액체<기체 순, 일어나는 곳은 액체 속<기체 속<진공 속 순으로 확산이 잘 일어난다.

4 (1) 증발은 액체를 이루는 입자가 스스로 운동하여 나타나는 현상이다.
오답 피하기 | (2) 증발은 액체를 이루는 입자가 액체 표면에서 기체로 변하는 현상이다.
(3) 증발이 일어날 때 액체를 이루는 입자가 기체로 변하여 공기 중으로 퍼져 나가면 입자 사이의 거리가 멀어져 눈에 보이지 않을 뿐 입자가 없어지는 것은 아니다.

5 온도가 높을수록, 습도가 낮을수록, 바람이 강할수록, 표면적이 넓을수록 증발이 잘 일어난다.

6 (1), (5), (6) 가뭄으로 논이 말라 갈라지는 것, 젖은 빨래가 마르는 것, 염전에서 바닷물로부터 소금을 얻는 것은 모두 증발 현상이다.
(2), (3), (4) 전기 모기향으로 모기를 쫓는 것, 멀리서 음식 냄새를 맡는 것, 마약 탐지견이 냄새로 마약을 찾는 것은 모두 확산 현상이다.

과학적 사고로! 탐구하기 개념 학습 교재 12~13쪽

A ㉠ 운동, ㉡ 모든
1 (1) ○ (2) × (3) ○ (4) × (5) × **2** ①
B ㉠ 운동
1 (1) ○ (2) ○ (3) × (4) ○ (5) × (6) × **2** ⑤

A

1 (1) 암모니아 입자가 스스로 운동하여 퍼져 나가 확산하는 것을 알아보는 실험이다.
(3) 페놀프탈레인 용액은 염기성 물질인 암모니아와 반응하면 붉게 변한다.
오답 피하기 | (2) 암모니아 입자는 모든 방향으로 운동하므로 모든 방향으로 퍼져 나간다.
(4) 암모니아수를 떨어뜨린 곳에서 가까운 솜부터 먼 솜 쪽으로 솜의 색깔이 차례대로 붉게 변한다.
(5) 온도가 높을수록 입자 운동이 활발하므로 페트리 접시의 온도를 높이면 페놀프탈레인 용액을 적신 솜의 색깔이 더 빠르게 변한다.

2 암모니아수가 있는 가운데부터 바깥의 모든 방향으로 페놀프탈레인 용액을 묻힌 솜의 색깔이 붉게 변한다. 따라서 이 실험을 통해 암모니아 입자가 모든 방향으로 운동한다는 것을 알 수 있다.

B

1 (1), (2) 아세톤 입자가 스스로 운동하여 액체 표면에서 기체로 변하는 증발 현상에 대한 실험이다.
(4) 기체로 변한 아세톤 입자들이 공기 중으로 확산하므로 거름종이 주위에서 아세톤 냄새를 맡을 수 있다.
오답 피하기 | (3) 거름종이의 질량이 감소하는 것은 아세톤 입자가 액체에서 기체로 변해 공기 중으로 날아가기 때문이다.
(5) 바람이 불지 않아도 증발은 일어나므로 아세톤이 마른다.
(6) 온도가 높을수록 입자 운동이 활발하므로 실험실의 온도를 낮추면 거름종이의 질량이 더 느리게 감소한다.

2 에탄올을 떨어뜨리는 순간 에탄올의 질량만큼 무거워져서 저울이 B 쪽으로 기울어졌다가 에탄올이 증발하면서 B 쪽이 점점 올라오며, 에탄올이 모두 증발하면 저울이 다시 수평이 된다.

실력을 키워! 내신 잡기 개념 학습 교재 14~16쪽

01 ④ **02** ⑤ **03** ③ **04** ④ **05** ④, ⑤ **06** ⑤ **07** ④
08 (라) **09** ③ **10** ⑤ **11** ①, ④ **12** ⑤ **13** ③ **14** ② **15** ②
16 ② **17** 온도 **18** ③ **19** ④

01 ①, ② 물질을 이루는 입자는 스스로 끊임없이 운동하며, 모든 방향으로 운동한다.
③ 입자의 운동은 온도가 높을수록 활발해진다.
⑤ 입자 운동의 증거가 되는 현상에는 확산과 증발이 있다.
오답 피하기 ④ 확산은 입자가 스스로 운동하기 때문에 나타나는 현상이므로 열을 가해 주지 않아도 일어난다.

02 고무풍선 속의 기체 입자들이 스스로 운동하여 풍선 벽을 이루는 입자들 사이의 틈으로 빠져나오기 때문에 시간이 지나면 풍선의 크기가 작아진다.

03 젖은 빨래가 마르는 현상은 증발이고, 멀리서도 음식 냄새를 맡을 수 있는 현상은 확산이다. 증발과 확산은 모두 입자가 스스로 운동한다는 증거가 된다.

04 증발과 확산은 모두 입자가 운동하기 때문에 나타나는 현상이다.
①, ②, ⑤ 어항의 물이 줄어드는 현상, 땅이 말라 갈라지는 현상, 바닷물을 가두어 소금을 얻는 현상은 모두 액체를 이루는 입자가 스스로 운동하여 액체 표면에서 기체로 변하는 증발 현상의 예이다.
③ 빵집 근처에서 빵 냄새가 나는 현상은 물질을 이루는 입자가 스스로 운동하여 퍼져 나가는 확산 현상의 예이다.
오답 피하기 ④ 물이 높은 곳에서 낮은 곳으로 흐르는 것은 중력에 의한 현상이다.

05 ④ 온도가 높을수록 입자 운동이 활발하므로 확산이 빠르게 일어난다.
⑤ 확산은 물질을 이루는 입자들이 스스로 운동하여 퍼져 나가는 현상이다.
오답 피하기 ① 입자는 모든 방향으로 운동하므로 확산은 모든 방향으로 일어난다.
② 확산은 입자 운동에 의해 일어나므로 바람이 불지 않아도 일어난다.
③ 진공 상태에서는 입자 운동을 방해하는 다른 입자가 없으므로 확산이 잘 일어난다.

06 ① 향수 입자가 스스로 운동하여 퍼져 나가는 확산 현상을 모형으로 나타낸 것이다.
② 확산은 입자 운동에 의해 일어나므로 바람이 불지 않아도 향수 입자가 퍼져 나간다.
③ 액체 상태의 향수의 표면에서 향수 입자가 증발하여 기체 상태가 된 후 공기 중으로 퍼져 나간다.
④ 향수 입자가 공기 중으로 퍼져 나가므로 시간이 지나면 멀리서도 향수 냄새를 맡을 수 있다.
오답 피하기 ⑤ 온도가 높을수록 입자 운동이 활발하여 확산 속도가 빠르다. 따라서 기온이 높은 날일수록 향수 입자가 빨리 퍼져 나간다.

07 향수 입자가 스스로 운동하여 확산하기 때문에 가까이 앉아 있는 학생부터 멀리 앉아 있는 학생까지 차례대로 향수 냄새를 맡을 수 있다.

①, ②, ③, ⑤ 모두 확산 현상의 예이다.
오답 피하기 ④ 소리가 파동 형태로 전달되어 나타나는 현상이다.

08 확산은 온도가 높을수록, 입자의 질량이 작을수록, 확산되는 곳이 액체 속<기체 속<진공 속 순으로 빠르게 일어난다. 입자의 질량이 수소<산소이므로 산소보다 수소의 확산 속도가 빠르다. 따라서 온도가 높은 50 ℃ 진공 속에서 수소 기체가 퍼져 나갈 때 확산 속도가 가장 빠르다.

09 ㄴ. 잉크 입자와 물 입자가 끊임없이 운동하여 섞이기 때문에 나타나는 현상이다.
ㄷ. 액체인 물속에서 잉크 입자와 물 입자가 운동하여 서로 섞이는 확산이 일어났으므로 확산이 액체 속에서도 일어난다는 것을 알 수 있다.
오답 피하기 ㄱ. 잉크 입자뿐만 아니라 물 입자도 끊임없이 운동하여 서로 섞인다.
ㄹ. 잉크 입자와 물 입자가 스스로 운동하여 일어나는 현상이므로 물을 저어 주지 않아도 확산이 일어난다.

10 ①, ③ 페놀프탈레인 용액은 암모니아수와 같은 염기성 물질을 만나면 붉게 변한다. 따라서 암모니아수를 페놀프탈레인 용액을 적신 솜에 직접 떨어뜨리지 않고 페트리 접시의 가운데에 떨어뜨렸을 때 페놀프탈레인 용액을 적신 솜의 색깔이 변하는지를 확인하여 암모니아 입자가 스스로 끊임없이 운동하여 퍼져 나가 확산한다는 것을 알아보고 있다.
② 암모니아수를 떨어뜨린 곳에서 가까운 솜부터 모든 방향으로 솜의 색깔이 변하며, 이를 통해 암모니아 입자가 모든 방향으로 운동한다는 것을 알 수 있다.
④ 암모니아 입자가 운동하여 모든 방향으로 퍼져 나가므로 가장 가까운 곳에 있는 솜부터 먼 곳의 솜 쪽으로 차례대로 붉게 변한다.
오답 피하기 ⑤ 입자는 끊임없이 스스로 운동하므로 솜의 색깔이 모두 변한 후에도 암모니아 입자는 계속 운동하여 퍼져 나간다.

11 ① 암모니아 입자가 스스로 운동하여 퍼져 나가 페놀프탈레인 용액을 묻힌 솜의 색깔을 변하게 하므로 암모니아 입자의 운동을 확인할 수 있다.
④ 온도가 높을수록 입자의 운동이 활발하므로 시험관 안의 온도를 높이면 암모니아 입자가 더 빠르게 운동하여 페놀프탈레인 용액을 묻힌 솜을 만난다. 따라서 솜의 색깔이 더 빨리 변한다.
오답 피하기 ② 입자의 운동은 모든 방향으로 일어나므로 암모니아 입자는 모든 방향으로 운동한다.
③ 암모니아수에 가까운 페놀프탈레인 용액을 묻힌 솜부터 색깔이 변하므로 C → B → A 순으로 변한다.
⑤ 암모니아수의 양과 관계없이 암모니아 입자는 모든 방향으로 운동하므로 암모니아수의 양을 줄여도 페놀프탈레인 용액을 묻힌 솜의 색깔이 변한다.

12 ⑤ 증발은 입자가 스스로 운동하기 때문에 나타나는 현상이므로 입자 운동이 활발할수록 잘 일어난다.

오답 피하기| ①, ③ 증발은 액체를 이루는 입자가 스스로 운동하여 액체 표면에서 기체로 변하는 현상이다.

② 증발은 입자의 운동으로 일어나므로 가열하지 않아도 일어난다.

④ 증발은 모든 온도에서 일어난다.

13 ㄱ, ㄴ. 스스로 운동하는 물 입자 중 운동이 활발한 입자는 물 표면에서 떨어져 나와 기체로 변하는 증발이 일어난다. 따라서 시간이 지나면서 어항의 물은 점점 줄어든다.

오답 피하기| ㄷ. 증발은 습도가 낮을수록 잘 일어나므로 건조할수록 잘 일어난다.

14 젖은 빨래가 마르는 것은 액체를 이루는 입자가 스스로 운동하여 액체 표면에서 기체로 변하는 증발 현상이다.

①, ③, ④, ⑤는 모두 액체의 증발 현상이다.

오답 피하기| ② 물질 사이의 접촉이나 물질의 이동 없이 열 자체가 스스로 이동하여 열을 전달하는 복사 현상이다.

15 ② 저울은 떨어뜨린 아세톤의 질량 때문에 왼쪽으로 기울어졌다가 아세톤 입자가 끊임없이 스스로 운동하여 공기 중으로 증발하므로 점점 다시 수평이 된다. 따라서 저울의 변화를 통해 아세톤 입자는 스스로 운동하여 증발한다는 것을 알 수 있다.

오답 피하기| ① 저울은 왼쪽으로 기울어졌다가 점점 다시 수평이 된다.

③ 시간이 지나면 아세톤 입자가 증발하므로 왼쪽 거름종이 위의 아세톤 입자의 개수가 줄어들다가 없어진다.

④ 표면적을 비교하는 과정이 없으므로 표면적과 증발 속도의 관계를 알 수 없다.

⑤ 부채질을 하면 증발이 활발하게 일어나므로 저울이 다시 수평이 되는 데 걸리는 시간이 짧아진다.

16 온도가 높을수록, 습도가 낮을수록, 바람이 강할수록, 표면적이 넓을수록 증발이 활발하게 일어난다.

17 화장실 냄새가 겨울보다 여름에 심하게 나는 것은 기온이 높을수록 냄새가 나게 하는 입자가 더 활발하게 움직여 빨리 확산하기 때문이고, 염전에서 햇빛이 강할수록 소금을 더 빨리 얻을 수 있는 것은 온도가 높을수록 물 입자가 더 활발하게 움직여 빨리 증발하기 때문이다.

18 ①, ②, ④ 아세톤 입자가 스스로 운동하여 액체 아세톤의 표면에서 기체로 증발하여 공기 중으로 퍼져 나가므로 주변에서 아세톤 냄새를 맡을 수 있다.

⑤ 실험실의 온도를 높이면 증발이 더 활발하게 일어나므로 질량 변화가 더 빠르게 나타난다.

오답 피하기| ③ 아세톤이 증발하므로 질량이 감소하다가 아세톤이 모두 증발하면 질량이 0이 된다.

19 ④ 아세톤 입자는 스스로 운동하여 기체 상태로 증발하여 공기 중으로 퍼져 나간다.

오답 피하기| ①, ②, ③, ⑤ 아세톤 입자의 개수나 크기는 변하지 않아야 하고, 아세톤 입자가 공기 중으로 퍼져 나가야 한다.

1 주어진 현상은 증발과 확산의 예이며, 증발과 확산은 모두 입자 운동의 증거가 되는 현상이다.

모범 답안 입자가 스스로 끊임없이 운동하기 때문이다.

채점 기준	배점
입자가 스스로 운동한다는 내용을 포함하여 옳게 서술한 경우	100 %
그 외의 경우	0 %

2 (1) 만능 지시약 종이는 염기성 물질인 암모니아수를 만나면 색깔이 변하며, 암모니아수를 묻힌 솜에 가까운 만능 지시약 종이부터 색깔이 변한다.

(2) 암모니아 입자가 스스로 운동하여 퍼져 나가 만능 지시약 종이와 만나므로 만능 지시약 종이의 색깔이 변한다.

모범 답안 (1) E → D → C → B → A 순으로 만능 지시약 종이의 색깔이 변한다.

(2) 암모니아 입자가 스스로 운동하여 퍼져 나가기 때문이다.

	채점 기준	배점
(1)	색깔이 변하는 순서를 옳게 나타내면서 만능 지시약 종이의 색깔이 변한다고 서술한 경우	50 %
	만능 지시약 종이의 색깔이 변한다고만 서술한 경우	10 %
(2)	암모니아 입자가 스스로 운동하여 퍼져 나간다는 내용을 포함하여 옳게 서술한 경우	50 %
	암모니아 입자가 퍼져 나가기 때문이라고만 서술한 경우	20 %

2-1 **모범 답안** 만능 지시약 종이의 색깔이 변하는 데 걸리는 시간이 짧아진다.

3 (가)가 (나)보다 잉크가 더 많이 퍼졌으므로 (가)의 잉크 입자가 (나)의 잉크 입자보다 더 활발하게 운동하였다. 따라서 물의 온도는 (가)>(나)이다.

모범 답안 (가)의 물의 온도가 (나)의 물의 온도보다 높다. 온도가 높을수록 입자의 운동이 활발하여 확산 속도가 빨라지기 때문이다.

채점 기준	배점
온도를 옳게 비교하고, 그 까닭을 주어진 단어를 모두 포함하여 옳게 서술한 경우	100 %
온도만 옳게 비교한 경우	40 %

4 우산을 펼치면 표면적이 넓어지고, 차가운 바람보다 더운 바람의 온도가 높다.

모범 답안 (가) 표면적이 넓을수록 증발이 잘 일어난다. (나) 온도가 높을수록 증발이 잘 일어난다.

채점 기준	배점
(가)와 (나)에 대해 모두 옳게 서술한 경우	100 %
(가)와 (나) 중 1가지에 대해서만 옳게 서술한 경우	50 %

02 압력과 온도에 따른 기체의 부피 변화

개념 학습 교재 19, 21쪽

기초를 튼튼히! 개념 잡기

1 (1) ○ (2) ○ (3) × (4) × **2** ㉠ 증가, ㉡ 증가, ㉢ 증가 **3** (1) ㉠ 감소, ㉡ 증가 (2) ㉠ 반비례, ㉡ 보일 **4** (1) 감소 (2) 증가 (3) 일정 (4) 일정 (5) 일정 (6) 감소 (7) 증가 (8) 일정 **5** (1) >, > (2) <, < (3) >, > (4) <, < (5) =, = **6** (1) ㉠ 증가, ㉡ 감소 (2) ㉠ 증가, ㉡ 샤를 **7** (1) 증가 (2) 일정 (3) 일정 (4) 증가 (5) 일정 (6) 증가 **8** (1) <, < (2) <, < (3) <, < **9** (1) 보일 (2) 샤를 (3) 보일 (4) 샤를 (5) 보일 (6) 샤를

1 (1) 압력 = $\dfrac{\text{수직으로 작용하는 힘}}{\text{힘을 받는 면의 넓이}}$

(2) 기체의 압력은 기체 입자들이 끊임없이 운동하면서 용기 벽에 충돌할 때 용기 벽의 일정한 넓이에 작용하는 힘의 크기이다.

오답 피하기 | (3) 기체의 압력은 모든 방향에 같은 크기로 작용한다.

(4) 기체 입자가 용기 벽에 충돌하는 횟수가 많아지면 기체의 압력이 커진다.

2 바람이 빠진 농구공에 공기를 넣으면 더 많은 기체 입자가 농구공 벽에 충돌하여 모든 방향으로 압력을 가하므로 압력이 커져 농구공이 팽팽하게 부풀어 오른다.

3 (2) 일정한 온도에서 일정량의 기체의 부피는 압력에 반비례한다는 것을 보일 법칙이라고 한다.

4 (1), (2), (6), (7) 일정한 온도에서 기체에 작용하는 압력을 증가시키면 기체의 부피가 감소하여 기체 입자 사이의 거리가 가까워지므로 기체 입자의 충돌 횟수가 증가하여 기체의 압력이 증가한다.

(3), (4), (5) 실린더에 들어 있는 기체 입자가 빠져나가거나 들어오지 않으므로 기체 입자의 개수가 변하지 않는다. 따라서 기체의 질량은 일정하며, 기체 입자는 변하지 않으므로 기체 입자의 크기도 일정하다.

(8) 온도가 일정하므로 기체 입자의 운동 속도도 일정하다.

5 (1), (3) 기체의 부피가 클수록 기체 입자 사이의 거리가 멀다.

(2), (4) 기체의 압력이 클수록 기체 입자의 충돌 횟수가 많다.

(5) 온도가 일정하므로 기체 입자의 운동 속도는 모두 같다.

6 (1) 압력이 일정할 때 온도가 높아지면 기체의 부피는 증가하고, 온도가 낮아지면 기체의 부피는 감소한다.

(2) 압력이 일정할 때 일정량의 기체는 온도가 높아지면 부피가 일정한 비율로 증가한다는 것을 샤를 법칙이라고 한다.

7 (1), (4), (6) 일정한 압력에서 온도를 높이면 기체 입자의 운동이 활발해져 기체 입자의 충돌 횟수와 세기가 증가하므로 기체의 부피가 늘어나 기체 입자 사이의 거리가 멀어진다.

(2), (3), (5) 기체 입자의 개수가 변하지 않으므로 기체의 질량은 일정하며, 기체 입자의 크기는 변하지 않는다.

8 (1), (2) 온도가 높을수록 기체의 부피가 크며, 기체의 부피가 클수록 기체 입자 사이의 거리가 멀다.

(3) 온도가 높을수록 기체 입자의 운동이 활발하다.

9 (1) 위로 올라갈수록 대기압이 작아지므로 고막 바깥쪽의 압력이 작아진다. 따라서 고막 안쪽과 바깥쪽의 압력이 같아질 때까지 고막 안쪽의 공기의 부피가 커지면서 고막을 밀어내므로 귀가 먹먹해진다.

(2) 열기구 속 공기를 가열하면 온도가 높아져 부피가 늘어나므로 공기의 일부가 열기구 밖으로 빠져나간다. 따라서 열기구 속 공기의 양이 적어져 열기구 밖의 공기보다 상대적으로 가벼워지므로 열기구가 떠오른다.

(3) 위로 올라갈수록 대기압이 작아지므로 고무풍선 속 기체의 부피가 커져 풍선의 크기가 점점 커지다가 터진다.

(4) 찌그러진 탁구공을 뜨거운 물에 넣으면 온도가 높아지므로 탁구공 속 공기의 부피가 늘어나 탁구공이 다시 펴진다.

(5) 바닷속에서 수면으로 올라갈수록 수압이 작아지므로 공기의 부피가 커져 공기 방울의 크기가 커진다.

(6) 병을 두 손으로 감싸면 체온에 의해 온도가 높아지므로 병 속 공기의 부피가 늘어나 병 입구에 올려놓은 동전을 밀어내므로 동전이 살짝 움직인다.

(1), (3), (5)는 압력이 낮아져 기체의 부피가 증가하는 현상이므로 보일 법칙과 관계있고, (2), (4), (6)은 온도가 높아져 기체의 부피가 증가하는 현상이므로 샤를 법칙과 관계있다.

과학적 사고로! 탐구하기

개념 학습 교재 22~23쪽

Ⓐ ㉠ 감소, ㉡ 증가, ㉢ 반비례, ㉣ 일정
1 (1) × (2) × (3) × (4) ○ (5) ○ **2** ③
Ⓑ ㉠ 증가, ㉡ 감소, ㉢ 증가
1 (1) ○ (2) ○ (3) × (4) × (5) × **2** ②

Ⓐ

1 (4) 기체 입자의 충돌 횟수가 많을수록 기체의 압력이 높으므로 기체 입자의 충돌 횟수는 3기압일 때가 1기압일 때보다 많다.

(5) 기체의 압력과 부피의 곱은 일정하므로 5기압일 때 기체의 부피(x)는 1기압×60 mL=5기압×x mL, x=12이므로 12 mL이다.

오답 피하기 | (1), (2) 주사기의 피스톤을 누르면 주사기 속 기체의 부피가 감소하므로 기체의 압력은 증가한다.

(3) 온도가 일정하므로 주사기의 피스톤을 눌러 기체의 압력을 증가시켜도 주사기 속 기체 입자의 운동 속도는 변하지 않는다.

2 기체의 압력과 부피의 곱은 일정하므로 1기압×100 mL=2기압×㉠ mL=㉡기압×25 mL이다. 따라서 ㉠=50, ㉡=4이다.

1 (1) 비커를 가열하면 시약병과 피펫 속 기체의 온도가 높아진다.

(2) 온도가 높을수록 기체 입자의 운동이 활발하므로 50 ℃에서 가장 활발하다.

오답 피하기 (3) 온도가 높을수록 기체 입자 사이의 거리가 멀다. 따라서 50 ℃에서 기체 입자 사이의 거리가 가장 멀다.

(4) 기체 입자의 개수는 온도에 따라 변하지 않으므로 모든 온도에서 기체 입자의 개수가 같다.

(5) 온도가 높아질수록 기체의 부피가 커지므로 '기체의 온도×기체의 부피'는 증가한다.

2 ㄴ. 기체의 부피는 B>A이므로 기체 입자 사이의 거리는 B가 A보다 멀다.

오답 피하기 ㄱ. 기체 입자의 크기는 A와 B에서 같다.

ㄷ. 온도가 높을수록 기체 입자의 운동이 활발해진다. 따라서 온도가 B>A이므로 기체 입자의 운동 속도는 B가 A보다 빠르다.

Beyond **특강** 개념 학습 교재 **24**쪽

예제 **1** ❷ 1기압×10 L=4기압×$V_{나중}$ ❸ 2.5 L
예제 **2** ❷ 1기압×100 mL=$P_{나중}$×20 mL ❸ 5기압
예제 **3** ❷ 0.5기압×80 mL=2기압×x mL ❸ 20
1 8 mL **2** 10 L **3** 2.5기압 **4** 0.5기압 **5** 20 mL **6** 2기압

1

• 처음 압력($P_{처음}$): 1기압	• 처음 부피($V_{처음}$): 40 mL
• 나중 압력($P_{나중}$): 5기압	• 나중 부피($V_{나중}$): $V_{나중}$

$P_{처음}×V_{처음}=P_{나중}×V_{나중}$이므로 1기압×40 mL=5기압×$V_{나중}$이다. 따라서 $V_{나중}$=8이므로 기체의 부피는 8 mL이다.

2

• 처음 압력($P_{처음}$): 1기압	• 처음 부피($V_{처음}$): 20 L
• 나중 압력($P_{나중}$): 2기압	• 나중 부피($V_{나중}$): $V_{나중}$

$P_{처음}×V_{처음}=P_{나중}×V_{나중}$이므로 1기압×20 L=2기압×$V_{나중}$이다. 따라서 $V_{나중}$=10이므로 기체의 부피는 10 L이다.

3

• 처음 압력($P_{처음}$): 1기압	• 처음 부피($V_{처음}$): 50 mL
• 나중 압력($P_{나중}$): $P_{나중}$	• 나중 부피($V_{나중}$): 20 mL

$P_{처음}×V_{처음}=P_{나중}×V_{나중}$이므로 1기압×50 mL=$P_{나중}$×20 mL이다. 따라서 $P_{나중}$=2.5이므로 기체의 압력은 2.5기압이다.

4

• 처음 압력($P_{처음}$): 2기압	• 처음 부피($V_{처음}$): 10 L
• 나중 압력($P_{나중}$): $P_{나중}$	• 나중 부피($V_{나중}$): 40 L

$P_{처음}×V_{처음}=P_{나중}×V_{나중}$이므로 2기압×10 L=$P_{나중}$×40 L이다. 따라서 $P_{나중}$=0.5이므로 기체의 압력은 0.5기압이다.

5

• 처음 압력($P_{처음}$): 1기압	• 처음 부피($V_{처음}$): 60 mL
• 나중 압력($P_{나중}$): 3기압	• 나중 부피($V_{나중}$): $V_{나중}$

$P_{처음}×V_{처음}=P_{나중}×V_{나중}$이므로 1기압×60 mL=3기압×$V_{나중}$이다. 따라서 $V_{나중}$=20이므로 기체의 부피는 20 mL이다.

6

• 처음 압력($P_{처음}$): 1기압	• 처음 부피($V_{처음}$): 60 mL
• 나중 압력($P_{나중}$): $P_{나중}$	• 나중 부피($V_{나중}$): 30 mL

$P_{처음}×V_{처음}=P_{나중}×V_{나중}$이므로 1기압×60 mL=$P_{나중}$×30 mL이다. 따라서 $P_{나중}$=2이므로 압력은 2기압이다.

Beyond **특강** 개념 학습 교재 **25**쪽

1 ㉠ 증가, ㉡ 감소 **2** ㉠ 증가, ㉡ 감소 **3** ㉠ 증가, ㉡ 감소
4 ❶ ㉠ 높아, ㉡ 증가 ❷ ㉠ 낮아, ㉡ 감소 ❸ ㉠ 높아, ㉡ 증가

1 비행기 착륙 ➡ 압력(대기압) 증가 ➡ 과자 봉지 속 기체의 부피 감소 ➡ 과자 봉지가 쭈그러짐

2 감압 용기에 공기를 넣음 ➡ 용기 속 기체 입자의 개수 증가 ➡ 용기 속 기체 입자의 충돌 횟수 증가 ➡ 용기 속 기체의 압력 증가 ➡ 과자 봉지 속 기체의 부피 감소 ➡ 과자 봉지가 쭈그러짐

3 주사기의 피스톤을 누름 ➡ 주사기 속 기체의 부피 감소 ➡ 주사기 속 기체 입자의 충돌 횟수 증가 ➡ 주사기 속 기체의 압력 증가 ➡ 고무풍선 속 기체의 부피 감소 ➡ 고무풍선이 작아짐

실력을 키워! **내신 잡기** 개념 학습 교재 **26~28**쪽

01 ② **02** ③, ⑤ **03** ④ **04** ⑤ **05** ⑤ **06** ② **07** ④ **08** ⑤
09 ① **10** 0.5기압 **11** ② **12** ⑤ **13** ② **14** ⑤ **15** ㄱ, ㄹ
16 ③ **17** ② **18** ③ **19** ④

01 ㄱ, ㄷ. 압력=$\dfrac{수직으로 작용하는 힘}{힘을 받는 면의 넓이}$이므로 힘을 받는 면의 넓이가 같을 때 작용하는 힘의 크기가 클수록 압력이 크다.

오답 피하기 ㄴ. 압력은 일정한 넓이에 수직으로 작용하는 힘의 크기이므로 작용하는 힘의 크기를 힘을 받는 면의 넓이로 나누어서 구한다.

ㄹ. 작용하는 힘의 크기가 같을 때 힘을 받는 면의 넓이가 좁을수록 압력이 크다.

02 ③ 기체 입자들이 끊임없이 운동하면서 용기 벽에 충돌할 때 용기를 밖으로 미는 힘이 작용하기 때문에 기체의 압력이 나타난다.

⑤ 온도와 기체 입자의 개수가 같을 때 용기의 부피가 작을수록 충돌 횟수가 많아지므로 기체의 압력이 커진다.

오답 피하기 ① 기체는 모든 방향으로 운동하므로 기체의 압력은 모든 방향으로 작용한다.
② 지표에서 높은 곳으로 올라갈수록 공기의 양이 줄어들므로 대기압이 감소한다.
④ 기체 입자가 용기 벽에 충돌하는 횟수가 많을수록 기체의 압력이 커진다.

03 ①, ⑤ 고무풍선에 공기를 불어 넣으면 공기 입자가 끊임없이 운동하여 풍선의 안쪽 벽에 충돌하면서 바깥쪽으로 밀어내는 힘을 가하기 때문에 풍선이 커진다.
② 고무풍선이 둥글게 부풀어 오르는 것은 공기 입자들이 풍선 안쪽 벽에 모든 방향에 같은 크기의 힘으로 충돌하여 밖으로 밀어내기 때문이다.
③ 고무풍선에 공기를 많이 불어 넣을수록 공기 입자의 개수가 많아져 풍선의 안쪽 벽에 충돌하는 횟수가 증가하므로 풍선의 크기가 커진다.

오답 피하기 ④ 풍선에 공기를 많이 불어 넣을수록 공기 입자가 풍선 벽에 충돌하는 횟수가 증가하므로 기체의 압력이 커진다.

04 ①, ②, ③, ④ 자동차를 들어 올리는 공기 주머니, 사람을 구조하는 안전 매트, 물건의 파손을 막기 위해 포장하는 공기 주머니, 혈압을 측정하는 혈압계는 모두 기체의 압력을 이용한 예이다.

오답 피하기 ⑤ 입자의 운동에 의해 일어나는 확산 현상이다.

05 ⑤ 실린더에 가해지는 압력이 (가)<(나)이므로 기체의 부피는 (가)>(나)이다. 따라서 기체 입자가 실린더 벽에 충돌하는 횟수는 (가)<(나)이다.

오답 피하기 ①, ② 기체의 부피는 (가)>(나)이므로 기체 입자가 실린더 벽에 충돌하는 횟수는 (가)<(나)이다. 따라서 기체의 압력은 (가)<(나)이다.
③ 실린더는 밀폐되어 있으므로 기체가 출입하지 않는다. 따라서 기체 입자의 개수는 (가)=(나)이다.
④ 온도가 일정하므로 기체 입자의 운동 속도는 (가)=(나)이다.

06 ② 일정한 온도에서 압력이 $\frac{1}{2}$이 되므로 부피는 2배가 되고, 밀폐된 용기이므로 기체 입자의 개수는 변하지 않으며, 온도가 일정하므로 기체 입자 운동의 활발한 정도도 변하지 않는다.

오답 피하기 ① 기체 입자의 개수가 증가했으므로 옳지 않다.
③ 기체 입자의 개수가 감소했으므로 옳지 않다.
④ 기체의 부피가 변하지 않았으므로 옳지 않다.
⑤ 기체의 부피가 변하지 않았고, 기체 입자의 개수가 감소했으므로 옳지 않다.

07 ④ A에서 B로 변할 때 부피가 감소하므로 기체 입자 사이의 거리가 가까워진다.

오답 피하기 ①, ② 기체의 압력과 부피의 곱은 일정하므로 0.5

기압×80 mL＝y기압×40 mL＝2기압×x mL이다. 따라서 $x=20$이고, $y=1$이다.
③ 일정한 온도에서 기체의 압력과 부피를 곱한 값은 일정하므로 A~C에서 압력과 부피를 곱한 값은 모두 같다.
⑤ B에서 C로 변할 때 압력이 커지므로 기체 입자의 충돌 횟수가 증가한다.

08 ①, ② 기체의 압력과 부피의 곱은 일정하므로 1.0기압×50 mL＝2.0기압×㉠ mL＝㉡기압×20 mL이다. 따라서 ㉠＝25이고, ㉡＝2.5이다.
③ 일정한 온도에서 기체의 압력과 부피의 관계를 알 수 있으므로 보일 법칙을 설명할 수 있다.
④ 기체의 부피가 클수록 기체 입자 사이의 거리가 멀다. 따라서 표에서 압력이 가장 낮은 1기압일 때 기체의 부피가 가장 크므로 기체 입자 사이의 거리가 가장 멀다.

오답 피하기 ⑤ 압력이 클수록 기체 입자의 충돌 횟수가 크므로 표에서 압력이 가장 큰 3기압일 때 기체 입자의 충돌 횟수가 가장 많다.

09 기체의 압력이 증가해도 압력과 부피의 곱은 일정하다. 즉, 일정한 온도에서 기체의 압력과 부피는 반비례 관계이므로 반비례 그래프(①)로 나타낼 수 있다.

10 1 L는 1000 mL이며, $P_{처음}×V_{처음}＝P_{나중}×V_{나중}$이므로 2기압×250 mL＝$P_{나중}×1000$ mL이다. 따라서 $P_{나중}=0.5$이므로 기체의 압력은 0.5기압이다.

11 ② 주사기의 피스톤을 누르면 압력이 증가하므로 주사기 속 기체의 부피가 감소한다. 따라서 주사기 속 기체 입자의 충돌 횟수가 증가하여 기체의 압력이 증가한다.

오답 피하기 ①, ④ 주사기 속 기체의 압력이 증가하므로 고무풍선에 작용하는 압력이 증가한다. 따라서 고무풍선 속 기체의 부피가 감소하므로 풍선의 크기는 작아지고, 풍선 속 기체 입자의 충돌 횟수가 증가한다.
③ 기체 입자의 운동 속도는 온도에 의해서만 달라지는데, 온도가 일정하므로 주사기 속 기체 입자의 운동 속도는 변하지 않는다.
⑤ 고무풍선 속 기체의 부피가 감소하므로 기체 입자 사이의 거리가 가까워진다.

12 ①, ②, ③, ④ 기체의 압력과 부피의 관계를 나타내는 보일 법칙과 관계있다. ④에서 샴푸통의 꼭지 부분을 누르면 용기 안 공기의 부피가 줄어들면서 압력이 커지고, 그 압력이 내용물을 용기 밖으로 밀어낸다.

오답 피하기 ⑤ 기온이 높은 여름철에는 자동차 타이어 속 기체의 부피가 늘어나므로 겨울철보다 타이어에 공기를 적게 넣는다. 이것은 기체의 온도와 부피의 관계를 나타내는 샤를 법칙과 관계있다.

13 ② 온도는 (가)<(나)이므로 기체의 부피는 (가)<(나)이다.

오답 피하기 ①, ③ 실린더는 밀폐되어 있으므로 기체 입자의 개수는 변하지 않고, 기체의 질량도 변하지 않는다.

④ 기체의 부피는 (가)<(나)이므로 기체 입자 사이의 거리도 (가)<(나)이다.

⑤ 온도가 높을수록 기체 입자가 활발하게 운동한다. 따라서 온도는 (가)<(나)이므로 기체 입자의 운동 속도는 (가)<(나)이다.

14 샤를 법칙에 의해 압력이 일정할 때 일정량의 기체는 종류에 관계없이 온도가 높아지면 부피가 일정한 비율로 증가한다. 따라서 0 °C에서의 부피가 같은 기체는 부피 증가량이 같다.

15 ㄱ. 부피가 B>A이므로 기체 입자 사이의 거리는 B가 A보다 멀다.

ㄹ. 그래프에서 온도가 높아질수록 기체의 부피는 일정한 비율로 증가한다.

오답 피하기 | ㄴ. 온도가 B>A이므로 기체 입자의 운동 속도는 B가 A보다 빠르다.

ㄷ. 기체 입자의 크기와 질량은 A와 B에서 같다.

16 온도가 20 °C 높아질 때마다 기체의 부피가 0.7 mL씩 증가한다. 따라서 온도에 따라 기체의 부피가 일정하게 증가하는 그래프(③)로 나타낼 수 있다.

17 ② 온도가 높아졌으므로 공기 입자가 더 활발하게 운동한다. 따라서 화살표는 더 길게 표현하고, 입자의 개수는 변하지 않는다.

오답 피하기 | ① 입자의 개수가 늘어났으므로 옳지 않다.

③ 입자의 개수가 늘어났고, 입자 운동 속도가 변하지 않았으므로 옳지 않다.

④ 입자의 개수가 줄어들었으므로 옳지 않다.

⑤ 입자 운동 속도가 변하지 않았고, 입자가 한 곳에 모여 있으므로 옳지 않다.

18 피펫의 중간 부분을 손으로 감싸 쥐면 피펫 안에 들어 있는 공기의 온도가 높아져 공기의 부피가 증가하므로 피펫에 남아 있는 액체를 밀어내 액체가 빠져나온다.

19 피펫의 중간 부분을 감싸 쥐어 피펫 내부에 남아 있는 액체를 빼내는 것은 샤를 법칙의 원리를 이용한다.

④ 온도가 높을수록 기체의 부피가 증가하므로 겹쳐진 그릇을 따뜻한 물에 담가놓으면 그릇 사이의 공기의 부피가 늘어나 그릇을 밀어내기 때문에 그릇이 빠지게 된다.

오답 피하기 | ①은 증발, ②는 확산의 예이고, ③과 ⑤는 보일 법칙의 예이다.

실력의 완성! 서술형 문제 개념 학습 교재 **29**쪽

1 자전거 바퀴에 공기를 넣으면 자전거 바퀴 안에 들어 있는 기체 입자의 개수가 많아진다. 따라서 기체 입자가 바퀴의 안쪽 벽면에 충돌하는 횟수가 증가하여 기체의 압력이 커지므로 바퀴가 팽팽해진다.

모범 답안 자전거 바퀴 안에 들어 있는 기체 입자의 개수가 증가하여 기체 입자가 바퀴 안쪽 벽면에 충돌하는 횟수가 늘어나면서 바퀴의 모든 방향으로 압력을 가하기 때문이다.

채점 기준	배점
입자의 개수가 증가하여 충돌 횟수가 증가한다는 내용을 포함하여 옳게 서술한 경우	100 %
입자의 개수가 증가한다는 것과 충돌 횟수가 증가한다는 것 중 1가지만 포함하여 설명한 경우	50 %

2 (2) 기체 입자의 운동 속도는 온도에 의해서만 변한다.

모범 답안 (1) 기체의 압력과 부피는 반비례한다.(또는 기체의 압력과 부피의 곱은 일정하다.) 1기압×10 L=4기압×x L이므로 C에서 기체의 부피(x)는 2.5 L이다.

(2) A에서 B로 변할 때 부피가 감소하므로 기체 입자의 충돌 횟수는 증가하고, 기체 입자 사이의 거리는 감소하며, 온도가 일정하므로 기체 입자의 운동 속도는 변하지 않는다.

	채점 기준	배점
(1)	기체의 압력과 부피 사이의 관계와 C에서 기체의 부피를 모두 옳게 서술한 경우	50 %
	기체의 압력과 부피 사이의 관계와 C에서 기체의 부피 중 1가지만 옳게 서술한 경우	25 %
(2)	기체 입자의 충돌 횟수, 기체 입자 사이의 거리, 기체 입자의 운동 속도에 대해 모두 옳게 서술한 경우	50 %
	기체 입자의 충돌 횟수, 기체 입자 사이의 거리, 기체 입자의 운동 속도 중 2가지만 옳게 서술한 경우	30 %

3 **모범 답안** 기포의 크기가 커진다. 수면으로 올라올수록 압력(수압)이 작아지므로 기체의 부피가 증가하기 때문이다.

채점 기준	배점
기포의 크기 변화를 옳게 쓰고, 그 까닭을 옳게 서술한 경우	100 %
기포의 크기 변화만 옳게 쓴 경우	40 %

4 둥근바닥 플라스크를 양손으로 감싸 쥐면 체온에 의해 온도가 높아져 플라스크 안의 기체의 부피가 증가하므로 잉크 방울이 A쪽으로 밀려 나온다.

모범 답안 A, 온도가 높아지므로 플라스크 안에 있는 기체 입자의 운동이 활발해져 기체의 부피가 증가하기 때문이다.

채점 기준	배점
잉크 방울의 이동 방향을 옳게 고르고, 그 까닭을 주어진 단어를 모두 포함하여 옳게 서술한 경우	100 %
잉크 방울의 이동 방향만 옳게 고른 경우	40 %

4-1 **모범 답안** 샤를 법칙, 압력이 일정할 때 일정량의 기체는 종류에 관계없이 온도가 높아지면 부피가 일정한 비율로 증가한다.

단원 정리하기
개념 학습 교재 30쪽

1. ① 입자 ② 입자 모형 ③ 입자의 운동 ④ 모든
2. ① 확산 ② 운동 ③ 높을 ④ 작을
3. ① 증발 ② 운동 ③ 높을 ④ 낮을 ⑤ 넓을
4. ① 압력 ② 운동 ③ 모든 ④ 많을
5. ① 감소 ② 증가 ③ 증가 ④ 감소 ⑤ 보일
6. ① 증가 ② 감소 ③ 증가 ④ 감소 ⑤ 샤를

실전에 도전!

단원 평가하기
개념 학습 교재 31~33쪽

01 ⑤ 02 ③ 03 ③, ⑤ 04 ㄱ, ㄴ 05 ②, ④ 06 ② 07 ④
08 ④ 09 ③ 10 ③ 11 25 mL 12 ② 13 ③ 14 ② 15 ③
16 ⑤ 17 ② 18 해설 참조 19 해설 참조 20 해설 참조

01 ①, ②, ③, ④ 주사기에 공기를 넣고 끝을 막은 다음 피스톤을 누르면 피스톤이 밀려 들어가면서 공기의 부피가 줄어든다. 이것은 공기 중에 빈 공간이 있기 때문이다. 즉, 공기는 눈에 보이지 않는 매우 작은 입자들로 이루어져 있고, 입자들은 서로 떨어진 채 주사기 안에 골고루 퍼져 있다.
오답 피하기 | ⑤ 주사기의 피스톤을 누르면 공기 입자 사이의 거리가 가까워지면서 피스톤이 밀려 들어간다.

02 확산은 물질을 이루는 입자들이 스스로 운동하여 퍼져 나가는 현상이다.
오답 피하기 | ③ 물감으로 그린 그림이 마르는 것은 액체를 이루는 입자가 스스로 운동하여 액체 표면에서 기체로 변하는 현상인 증발이다.

03
자료 분석

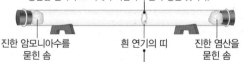

진한 암모니아수에서 증발한 암모니아 기체와 진한 염산에서 증발한 염화 수소 기체가 확산하여 만나 생긴 것이다.

진한 암모니아수를   흰 연기의 띠   진한 염산을
묻힌 솜   묻힌 솜

흰 연기가 진한 염산을 묻힌 솜 가까이에 생겼다. ➡ 암모니아 입자가 염화 수소 입자보다 멀리 이동하였다. ➡ 암모니아 입자가 염화 수소 입자보다 질량이 작다.

③ 암모니아 입자와 염화 수소 입자가 스스로 운동하여 확산하여 만나 흰 연기가 생성되는 것이다.
⑤ 유리관의 온도를 높이면 입자의 운동이 활발해져 확산 속도가 빨라지므로 흰 연기가 더 빠르게 생길 것이다.
오답 피하기 | ① 암모니아 기체와 염화 수소 기체가 확산하므로 물질의 상태는 같다. 따라서 물질의 상태에 따른 확산 속도의 차이를 알 수 없다.
②, ④ 흰 연기가 진한 염산을 묻힌 솜 가까이에 생긴 것으로 보아 암모니아 기체가 염화 수소 기체보다 확산 속도가 빠르므로 염화

수소 입자가 암모니아 입자보다 질량이 크다. 따라서 입자의 질량에 따른 확산 속도의 차이를 알 수 있다.

04 ㄱ. 온도가 높을수록 입자의 운동이 활발하므로 확산이 잘 일어난다.
ㄴ. 확산을 방해하는 다른 입자가 적을수록 확산이 잘 일어나므로 액체 속<기체 속<진공 속 순으로 확산이 잘 일어난다.
오답 피하기 | ㄷ, ㄹ. 입자의 질량이 가벼울수록, 물질의 상태가 액체보다 기체일 때 확산이 잘 일어난다.

05 ②, ④ 증발은 액체를 이루는 입자가 스스로 운동하여 액체 표면에서 기체로 변하는 현상이다. 빵이 딱딱하게 마르는 현상과 어항의 물이 줄어드는 현상은 증발의 예이다.
오답 피하기 | ①은 끓음, ③과 ⑤는 확산의 예이다.

06 ② 거름종이에 있는 아세톤 입자가 끊임없이 스스로 운동하여 증발한 후 공기 중으로 확산하여 퍼져 나간다.
오답 피하기 | ①, ③ 거름종이에 있는 아세톤 입자의 개수가 줄어들어 질량이 감소한다.
④, ⑤ 아세톤 입자는 크기가 변하거나 다른 종류의 입자로 변하지 않는다.

07 ①, ②, ⑤ 기체 입자들이 운동하면서 용기 벽에 충돌할 때 용기 벽의 일정한 넓이에 작용하는 힘의 크기를 기체의 압력이라고 한다. 기체의 압력은 모든 방향에 같은 크기로 작용하며, 기체 입자의 충돌 횟수가 많을수록 기체의 압력이 크다.
③ 혈압계의 공기 주머니와 구조용 안전 매트에 공기를 채워 사용하며, 이는 기체의 압력을 이용한다.
오답 피하기 | ④ 대기압은 지구를 둘러싸고 있는 공기가 나타내는 압력이다. 높이 올라갈수록 공기의 양이 줄어들기 때문에 대기압이 감소한다.

08 ④ (가)에서 (나)로 변할 때 외부 압력이 증가하며, 외부 압력이 증가하면 기체의 부피가 감소하여 기체 입자의 충돌 횟수가 증가하므로 기체의 압력이 증가한다.
오답 피하기 | ①, ⑤ 기체의 부피가 감소하므로 기체 입자 사이의 거리가 가까워진다.
② 기체 입자의 개수가 변하지 않으므로 기체의 질량이 변하지 않는다.
③ 온도가 변하지 않으므로 기체 입자의 운동 속도가 변하지 않는다.

09 ③ A보다 B에서 압력이 증가하므로 기체 입자의 충돌 횟수가 많다.
오답 피하기 | ① 압력과 부피를 곱한 값이 같으므로 1기압×100 L =4기압×x L에서 x=25이다.
② 압력이 증가하면 기체의 부피가 감소한다.
④ B보다 C에서 부피가 감소하므로 기체 입자 사이의 거리가 가깝다.
⑤ 압력과 부피를 곱한 값은 A~C에서 모두 같다.

10 그래프는 기체의 압력과 부피가 반비례 관계인 것을 나타내므로 보일 법칙의 예에 해당하는 현상을 설명할 수 있다.

오답 피하기 ③ 여름철에 도로를 달린 자동차의 타이어 속 기체의 온도가 높아져 부피가 증가하므로 타이어가 팽팽해지는 것이다. 이는 기체의 온도와 부피 관계를 설명할 수 있는 현상이다.

11 바닷속 30 m 깊이에서의 압력은 대기압인 1기압과 수압 (3기압)의 합인 4기압이다. 압력이 1기압인 지표면에서 공기의 부피가 100 mL이므로 바닷속 30 m에서의 공기의 부피(x)는 1기압×100 mL=4기압×x mL에서 x=25이므로 25 mL이다.

12 ①, ③, ④, ⑤ 감압 용기의 공기를 빼내면 감압 용기 속 기체 입자의 개수가 감소하여 기체 입자의 충돌 횟수가 감소하므로 감압 용기 속 기체의 압력이 감소한다. 따라서 과자 봉지에 작용하는 압력이 감소하므로 과자 봉지 속 기체의 부피가 증가하여 기체 입자 사이의 거리가 멀어지고, 과자 봉지가 부풀어 오른다.

오답 피하기 ② 과자 봉지 속 기체의 부피가 증가하여 과자 봉지가 부풀어 오르므로 과자 봉지 속 기체의 압력이 감소한다.

13 실린더 속 기체 입자의 개수는 같은데 부피가 늘어났으며, 화살표의 길이가 길어진 것으로 보아 입자 운동이 활발해졌으므로 실린더의 온도를 높인 것이다.

14 여름철에는 겨울철보다 기온이 높으며, 온도가 높으면 자동차 타이어 속 기체의 운동이 활발해져 기체 입자의 충돌 횟수가 증가한다. 따라서 기체의 부피가 커져 자동차 타이어가 팽팽해지므로 겨울철보다 공기를 적게 넣는다.

15 (가)에서 (나)로 변할 때 온도가 낮아지므로 입자의 운동 속도가 느려져 입자의 충돌 횟수와 세기가 감소하므로 기체의 부피가 감소한다. 따라서 기체 입자 사이의 거리도 가까워진다.

오답 피하기 ③ 기체 입자의 개수는 변하지 않는다.

16

자료 분석

인형 속 공기의 온도가 높아져 부피가 늘어나므로 공기가 밖으로 빠져나온다.

인형 속 공기의 온도가 낮아져 부피가 줄어들므로 물이 인형 안으로 들어간다.

뜨거운 물

뜨거운 물

공기가 나온다.

찬물

물이 들어간다.

물이 나온다.

(가) (나) (다)

뜨거운 물을 부어 주면 인형 속 공기의 온도가 높아져 부피가 늘어나 물을 밀어내므로 물이 밖으로 나온다.

오답 피하기 ① 기체의 온도와 부피의 관계로 설명할 수 있으므로 샤를 법칙과 관계있다.

② (가)는 인형 밖으로 공기를 빼내기 위한 과정이다.

③ (나)에서 인형 속 기체의 부피는 감소한다.

④ (다)에서 부어 주는 물이 뜨거울수록 인형 속 기체의 부피가 많이 늘어나 인형에서 물이 더 세게 나온다.

17 ②는 압력이 작아져 기체의 부피가 증가하는 현상이고, 나머지는 모두 온도가 높아져 기체의 부피가 증가하는 현상이다.

18 (가)는 액체 표면의 입자 중 일부가 기체로 변하는 현상이고, (나)는 액체 표면뿐만 아니라 액체 내부의 입자 중 일부가 기체로 변하는 현상이다.

모범 답안 (가), 증발은 액체를 이루는 입자가 스스로 운동하여 액체 표면에서 기체로 변하는 현상이기 때문이다.

채점 기준	배점
증발인 것을 옳게 고르고, 그 까닭을 증발의 개념을 이용하여 옳게 설명한 경우	100 %
증발인 것만 옳게 고른 경우	40 %

19 (1) 일정한 온도에서 기체에 작용하는 압력이 증가하면 기체의 부피가 감소하고, 기체에 작용하는 압력이 감소하면 기체의 부피가 증가한다.

(2) 압력이 감소하면 기체 입자의 충돌 횟수가 감소하고, 온도가 일정하면 기체 입자의 운동 속도는 변하지 않는다.

모범 답안 (1) 실린더에 작용하는 압력을 감소시킨다. 온도가 일정할 때 기체의 부피가 증가하기 때문이다.

(2) 기체 입자의 충돌 횟수는 감소하고, 기체 입자의 운동 속도는 변하지 않는다.

	채점 기준	배점
(1)	변화시킨 조건과 그 까닭을 모두 옳게 서술한 경우	50 %
	변화시킨 조건만 옳게 쓴 경우	20 %
(2)	기체 입자의 충돌 횟수와 기체 입자의 운동 속도의 변화를 모두 옳게 서술한 경우	50 %
	기체 입자의 충돌 횟수와 기체 입자의 운동 속도의 변화 중 1가지만 옳게 서술한 경우	25 %

20 찌그러진 탁구공을 뜨거운 물에 넣으면 탁구공 속 기체 입자의 운동이 활발해진다.

모범 답안 온도가 높아지므로 탁구공 속 기체 입자의 운동이 활발해져 기체의 부피가 증가하기 때문이다.

채점 기준	배점
입자 운동이 활발해져 기체의 부피가 증가한다는 내용을 포함하여 옳게 서술한 경우	100 %
입자 운동이 활발해지기 때문이라고만 서술한 경우	60 %

01 물질의 상태 변화

기초를 튼튼히! 개념 잡기 개념 학습 교재 37, 39쪽

1 (1) ○ (2) × (3) ○ (4) × (5) ○ (6) × **2** (1) 고체 (2) 액체 (3) 고체 (4) 기체 (5) 액체 (6) 기체 (7) 액체 (8) 고체 (9) 기체 **3** A: 융해, B: 응고, C: 기화, D: 액화, E: 승화(기체 → 고체), F: 승화(고체 → 기체) **4** (1) 상태 변화 (2) 승화 (3) ㉠ 융해(기화), ㉡ 기화(융해) (4) ㉠ 응고(액화), ㉡ 액화(응고) **5** (1) 융해 (2) 승화(기체 → 고체) (3) 기화 (4) 응고 (5) 승화(고체 → 기체) (6) 액화 (7) 응고 (8) 액화 **6** (1) ㉠ 액체, ㉡ 기체, ㉢ 고체 (2) (다) (3) (가) (4) (나) **7** (1) ○ (2) × (3) × (4) ○ (5) × **8** (1) ㉠ 증가, ㉡ 감소 (2) 일정하다 (3) 변하지 않는다 **9** (1) ㄱ, ㄷ, ㅂ, ㅈ (2) ㄴ, ㄹ, ㅁ, ㅅ, ㅇ

1 (1) 고체는 담는 그릇에 관계없이 모양과 부피가 모두 일정하다.
(3), (5) 기체는 담는 그릇에 따라 모양과 부피가 모두 변하고, 담는 그릇을 가득 채우는 성질이 있으며, 압축이 잘된다.
오답 피하기 (2) 액체는 담는 그릇에 따라 모양은 변하지만 부피는 일정하다.
(4) 고체는 흐르는 성질이 없고, 액체와 기체는 흐르는 성질이 있다.
(6) 액체인 물은 거의 압축되지 않으므로 주사기에 물을 넣고 피스톤을 눌러도 부피 변화가 거의 없다.

2 돌, 모래, 철은 고체, 우유, 에탄올, 주스는 액체, 헬륨, 산소, 이산화 탄소는 기체이다.

3 A는 고체가 액체로 변하는 현상이므로 융해, B는 액체가 고체로 변하는 현상이므로 응고, C는 액체가 기체로 변하는 현상이므로 기화, D는 기체가 액체로 변하는 현상이므로 액화, E는 기체가 고체로 변하는 현상이므로 승화(기체 → 고체), F는 고체가 기체로 변하는 현상이므로 승화(고체 → 기체)이다.

4 (2) 고체가 액체를 거치지 않고 바로 기체로 상태가 변하는 현상과 기체가 액체를 거치지 않고 바로 고체로 상태가 변하는 현상을 모두 승화라고 한다.

5 (1) 고체에서 액체로 변하는 현상이므로 융해이다.
(2) 기체에서 고체로 변하는 현상이므로 승화(기체 → 고체)이다.
(3) 액체에서 기체로 변하는 현상이므로 기화이다.
(4), (7) 액체에서 고체로 변하는 현상이므로 응고이다.
(5) 고체에서 기체로 변하는 현상이므로 승화(고체 → 기체)이다.
(6), (8) 기체에서 액체로 변하는 현상이므로 액화이다.

6 (1) (가)는 액체 상태, (나)는 기체 상태, (다)는 고체 상태의 입자 모형이다.
(2) 제자리에서 진동만 하는 것은 고체이므로 (다)이다.

(3) 입자가 비교적 자유롭게 운동하지만 거의 압축되지 않는 것은 액체이므로 (가)이다.
(4) 입자 배열이 매우 불규칙하고, 입자가 매우 활발하게 운동하는 것은 기체이므로 (나)이다.

7 (1) 입자 운동이 활발해지는 상태 변화는 융해(A), 기화(C), 승화(고체 → 기체)(E)이다.
(4) 입자 사이의 거리가 멀어져 부피가 증가하는 상태 변화는 융해(A), 기화(C), 승화(고체 → 기체)(E)이다.
오답 피하기 (2) 입자 배열이 불규칙해지는 상태 변화는 융해(A), 기화(C), 승화(고체 → 기체)(E)이다.
(3) 입자 사이의 거리가 가까워지고, 부피가 감소하는 상태 변화는 응고(B), 액화(D), 승화(기체 → 고체)(F)이다.
(5) 상태 변화가 일어날 때 입자의 종류와 개수가 변하지 않으므로 질량이 변하지 않는다.

8 (1) 물은 예외적으로 응고할 때 부피가 증가하고, 융해할 때 부피가 감소한다.
(2), (3) 물의 상태 변화가 일어나도 질량이나 물질의 성질은 변하지 않는다.

9 (1) 입자의 배열, 입자의 운동, 입자 사이의 거리가 변하므로 물질의 부피가 변한다.
(2) 입자의 종류, 입자의 개수, 입자의 크기가 변하지 않으므로 물질의 성질과 물질의 질량이 변하지 않는다.

과학적 사고로! 탐구하기 개념 학습 교재 40~41쪽

Ⓐ ㉠ 기화, ㉡ 액화, ㉢ 성질
1 (1) ○ (2) × (3) ○ (4) × **2** ③
Ⓑ ㉠ 질량, ㉡ 부피
1 (1) × (2) ○ (3) × (4) ○ (5) × **2** 질량: 일정, 부피: 감소

Ⓐ
1 (1) 비커를 가열하면 비커 속 물이 기화하여 수증기가 된다.
(3) 시계 접시 위의 얼음은 비커 속 수증기를 냉각하여 액화시키기 위해 올려놓는다.
오답 피하기 (2) 시계 접시 아랫부분에 맺힌 액체 방울은 비커 속 수증기가 차가운 시계 접시에 닿아 액화하여 생긴 물이다.
(4) 비커의 물과 이 물이 기화하여 생긴 수증기가 다시 액화하여 생긴 물방울은 모두 푸른색 염화 코발트 종이를 붉은색으로 변화시킨다. 따라서 물의 상태 변화(기화와 액화)가 일어나도 물질의 성질이 변하지 않는다는 것을 알 수 있다.

2 A에서는 물이 기화하여 수증기가 되고, B에서는 수증기가 액화하여 물방울이 되어 달라붙는다. C에서는 얼음이 융해하여 물이 된다.

B

1 (2) 과정 ❶에서 양초를 가열하면 융해하여 액체 양초가 되고, 과정 ❸에서 액체 양초를 굳히면 응고하여 다시 고체 양초가 된다. 따라서 과정 ❶에서 양초 입자 사이의 거리가 멀어진다.

(4) 양초의 상태 변화가 일어날 때 입자의 종류와 개수가 변하지 않으므로 질량이 변하지 않는다.

오답 피하기 | (1) 과정 ❶에서 고체 양초가 융해하고, 과정 ❸에서 액체 양초가 응고한다.

(3) 과정 ❸에서 응고가 일어나므로 양초 입자의 배열이 규칙적으로 된다.

(5) 과정 ❸에서 응고가 일어나면 양초의 가운데가 오목해지면서 부피가 감소한다.

2 액체 양초가 고체 양초로 변할 때 양초를 이루는 입자의 종류와 개수가 변하지 않으므로 질량이 일정하고, 양초를 이루는 입자의 배열이 규칙적으로 변해 입자 사이의 거리가 가까워지므로 부피가 감소한다.

실력을 키워! **내신 잡기** 개념 학습 교재 42~44쪽

01 ④ **02** 물질의 상태 **03** ⑤ **04** ⑤ **05** ③ **06** ② **07** ④
08 ① **09** 융해, 응고 **10** ②, ④ **11** ③ **12** ① **13** ④ **14** ④
15 ⑤ **16** ④ **17** ① **18** ③, ⑤ **19** ④ **20** ㄱ, ㄷ, ㄹ, ㅁ

01 ① 액체와 기체는 흐르는 성질이 있다.

② 고체는 담는 그릇에 관계없이 모양과 부피가 일정하다.

③, ⑤ 기체는 담는 그릇에 따라 모양과 부피가 변하며, 항상 담는 그릇을 가득 채운다.

오답 피하기 | ④ 액체는 거의 압축되지 않고, 힘을 가하면 쉽게 압축되는 것은 기체이다.

02 (가)는 고체, (나)는 액체, (다)는 기체이므로 물질의 상태에 따라 분류한 것이다.

03 담는 그릇에 따라 모양이 변하고, 온도와 압력에 따라 부피가 크게 변하는 것은 기체이다. 얼음, 설탕, 소금, 밀가루는 고체, 우유, 식초는 액체, 산소, 수소, 공기, 이산화 탄소는 기체이다.

04 제시된 물질은 모두 액체이다.

④ 액체는 거의 압축되지 않고, 흐르는 성질이 있다. 그리고 담는 그릇에 따라 모양은 변하지만 부피는 일정하다.

오답 피하기 | ①, ③, ⑤ 단단하고, 흐르는 성질이 없으며, 담는 그릇에 관계없이 모양이 일정한 것은 고체의 성질이다.

② 쉽게 압축되는 것은 기체의 성질이다.

05 A는 기체가 고체로 변하는 현상이므로 승화(기체 → 고체), B는 고체가 기체로 변하는 현상이므로 승화(고체 → 기체), C는

고체가 액체로 변하는 현상이므로 융해, D는 액체가 고체로 변하는 현상이므로 응고, E는 액체가 기체로 변하는 현상이므로 기화, F는 기체가 액체로 변하는 현상이므로 액화이다.

06 ② C는 융해이며, 용광로에서 철을 녹이는 것은 고체가 액체로 변하는 융해의 예이다.

오답 피하기 | ① B는 승화(고체 → 기체)이며, 젖은 빨래가 마르는 것은 액체가 기체로 변하는 기화의 예이다.

③ D는 응고이며, 어항의 물이 점점 줄어드는 것은 액체가 기체로 변하는 기화의 예이다.

④ E는 기화이며, 고깃국을 식히면 기름이 굳는 것은 액체가 고체로 변하는 응고의 예이다.

⑤ F는 액화이며, 옷장 속에 넣어 둔 나프탈렌이 작아지는 것은 고체가 기체로 변하는 승화(고체 → 기체)의 예이다.

07 ④ 늦가을 새벽에 서리가 생기는 것은 승화(기체 → 고체)의 예이고, 상고대는 영하의 온도에서 수증기가 나무 등의 물체와 만나 생긴 얼음이므로 승화(기체 → 고체)의 예이다.

오답 피하기 | ①, ⑤ 추운 겨울날 언 빨래가 마르는 현상과 영하의 온도에서 응달에 있던 눈사람의 크기가 작아지는 현상은 모두 고체인 얼음이 물로 변하지 않고 바로 기체인 수증기로 변하는 승화(고체 → 기체)의 예이다.

② 드라이아이스가 작아지는 현상은 고체 이산화 탄소가 기체 이산화 탄소로 변하는 승화(고체 → 기체)의 예이다.

③ 뜨거운 프라이팬 위에서 버터가 녹는 것은 고체가 액체로 변하는 융해의 예이다.

08 ②, ③, ④, ⑤ 목욕탕 천장에 물방울이 맺히는 현상, 안개가 생기는 현상, 찬 음료가 담긴 컵 표면에 물방울이 맺히는 현상, 안경에 김이 서리는 현상은 모두 기체인 수증기가 액체인 물로 변하는 액화의 예이다.

오답 피하기 | ① 해가 뜨면 이슬이 사라지는 것은 액체인 물이 기체인 수증기로 변하는 기화의 예이다.

09 고체 초콜릿을 녹이는 과정과 양초 조각과 크레파스 조각을 녹이는 과정은 융해이고, 녹인 초콜릿을 틀에 부어 굳히는 과정과 녹인 양초와 크레파스를 틀에 부어 굳히는 과정은 응고이다.

10 A에서는 물이 수증기로 기화하고, B에서는 수증기가 차가운 시계 접시에 닿아 액화하여 물방울이 맺힌다. C에서는 얼음이 융해하여 물이 된다.

② 손등에 알코올을 바르면 알코올이 기화하여 기체가 되므로 알코올이 마른다.

④ 뜨거운 라면에서 나오는 수증기가 차가운 안경에 닿아 액화하여 물방울이 되므로 안경에 김이 서린다.

오답 피하기 | ① 물을 냉동실에 넣어 두면 응고하여 얼음이 된다.

③ 냉동실 벽면에 생긴 성에는 공기 중의 수증기가 승화(기체 → 고체)하여 얼음이 된 것이다.

⑤ 액체인 촛농이 흘러내리면 응고하여 굳는다.

11 ㄴ. A에서는 고체 아이오딘이 기체 아이오딘으로 승화한다. 영하의 기온에서 얼어 있던 명태가 마르는 것은 얼음이 액체를 거치지 않고 바로 수증기로 승화한 것이므로 A에서와 같은 상태 변화가 일어난 것이다.

ㄷ. B에서는 기체 아이오딘이 승화(기체 → 고체)하므로 아이오딘이 고체 상태로 존재한다.

오답 피하기 ㄱ. A에서는 고체 아이오딘의 승화(고체 → 기체)가 일어난다.

ㄹ. B에서는 기체 아이오딘이 둥근바닥 플라스크에 들어 있는 찬물에 의해 냉각되어 고체 아이오딘으로 승화한다.

12 ㄱ. 입자 사이의 거리는 고체<액체<기체 순으로 멀다.

ㄴ. 입자 운동은 고체<액체<기체 순으로 빠르다.

오답 피하기 ㄷ. 입자 배열은 기체<액체<고체 순으로 규칙적이다.

ㄹ. 입자 사이에 서로 잡아당기는 힘은 기체<액체<고체 순으로 강하다.

13 (가)는 기체, (나)는 고체, (다)는 액체의 입자 모형이다.

① 입자 운동의 빠르기는 고체<액체<기체이므로 입자 운동이 가장 둔한 것은 고체인 (나)이다.

② 입자 배열은 고체<액체<기체 순으로 불규칙하므로 입자 배열이 가장 불규칙한 것은 기체인 (가)이다.

③ 입자 사이의 거리는 고체<액체<기체 순으로 멀므로 입자 사이의 거리가 가장 먼 것은 기체인 (가)이다.

⑤ 입자 사이에 서로 잡아당기는 힘은 기체<액체<고체 순으로 강하므로 입자 사이에 서로 잡아당기는 힘이 가장 강한 것은 고체인 (나)이다.

오답 피하기 ④ 압력을 가했을 때 쉽게 압축되는 것은 기체인 (가)이다.

14 얼음, 설탕, 밀가루, 철, 금, 모래는 고체, 물, 바닷물, 식용유, 아세톤은 액체, 헬륨, 수증기, 수소, 산소, 이산화 탄소는 기체이다.

15 ⑤ 일반적으로 입자 사이의 거리가 가장 크게 감소하는 상태 변화는 승화(기체 → 고체)이므로 F이다.

오답 피하기 ① 입자 운동이 활발해지는 상태 변화는 융해(C), 기화(B), 승화(고체 → 기체)(E)이다.

② A~F의 상태 변화가 일어날 때는 모두 입자의 크기가 변하지 않는다.

③ 일반적으로 입자 사이의 거리가 멀어지는 상태 변화는 융해(C), 기화(B), 승화(고체 → 기체)(E)이다.

④ 입자 배열이 규칙적으로 변하는 상태 변화는 응고(D), 액화(A), 승화(기체 → 고체)(F)이다.

16 ①, ③ 아세톤의 기화가 일어나므로 아세톤 입자의 운동이 활발해지고, 아세톤 입자 사이의 거리가 멀어진다.

② 아세톤의 상태 변화가 일어나도 아세톤 입자의 개수는 변하지 않는다.

⑤ 아세톤이 들어 있는 비닐봉지에 뜨거운 물을 부으면 액체 아세톤이 기체 아세톤으로 변하므로 기화가 일어난다.

오답 피하기 ④ 아세톤의 기화가 일어나므로 아세톤 입자의 배열이 불규칙해진다.

17 ② 용광로에서 철이 녹는 것은 융해이므로 부피가 증가한다.

③ 드라이아이스의 크기가 작아지는 것은 승화(고체 → 기체)이므로 부피가 증가한다.

④ 고드름이 생기는 것은 물의 응고이므로 부피가 증가한다. 물의 경우는 일반적인 물질과 달리 응고할 때 부피가 증가한다.

⑤ 찌개 국물이 줄어드는 것은 물의 기화이므로 부피가 증가한다.

오답 피하기 ① 얼음이 녹아 물이 되는 것은 얼음의 융해이므로 부피가 감소한다. 물의 경우는 일반적인 물질과 달리 융해할 때 부피가 감소한다.

18 ③ 푸른색 염화 코발트 종이는 물이 닿으면 붉은색으로 변한다.

⑤ 비커의 물과 물이 기화하여 생긴 수증기가 다시 액화하여 시계 접시 아랫부분에 맺힌 물방울은 모두 푸른색 염화 코발트 종이를 붉은색으로 변하게 한다. 따라서 제시된 실험으로 상태 변화가 일어나도 물질의 성질이 변하지 않음을 알 수 있다.

오답 피하기 ① 비커의 물에서는 기화가 일어나 수증기가 된다.

② 수증기가 차가운 시계 접시 아랫부분에 닿아 액화하여 물이 되어 맺힌다.

④ 시계 접시 아랫부분에 맺힌 액체 방울은 물이므로 푸른색 염화 코발트 종이를 대면 붉은색으로 변한다.

19 ④ 액체 양초가 고체 양초로 상태가 변하면 질량은 변하지 않고, 부피는 감소한다. 따라서 제시된 실험으로 물질의 상태가 변해도 질량은 변하지 않음을 알 수 있다.

오답 피하기 ① 물질의 상태가 변해도 물질의 성질은 변하지 않으며, 이는 제시된 실험으로 알 수 없다.

② 물질의 상태가 변해도 질량이 변하지 않으므로 입자의 개수도 변하지 않는다.

③, ⑤ 물질의 상태가 변하면 부피와 입자의 배열이 변한다.

20 ㄱ, ㄷ, ㄹ, ㅁ. 상태 변화가 일어나도 입자의 종류와 개수가 변하지 않으므로 물질의 성질과 물질의 질량이 변하지 않는다.

오답 피하기 ㄴ, ㅂ. 상태 변화가 일어나면 입자 사이의 거리가 변하므로 물질의 부피가 변한다.

실력의 완성! 서술형 문제　　　　개념 학습 교재 **45**쪽

1 고체인 나무 막대는 담는 그릇에 관계없이 모양과 부피가 변하지 않지만, 액체인 주스는 담는 그릇에 따라 모양은 변하지만 부피는 일정하다.

모범 답안 고체는 담는 그릇에 관계없이 모양과 부피가 일정하고, 액체는 담는 그릇에 따라 모양은 변하지만 부피는 변하지 않는다.

채점 기준	배점
고체와 액체의 모양과 부피에 대해 모두 옳게 서술한 경우	100 %
고체와 액체 중 1가지에 대해서만 옳게 서술한 경우	50 %

2 공기 중의 수증기가 차가운 물체에 닿으면 액화하여 물이 된다.
모범 답안 공기 중의 수증기가 차가운 컵의 표면에 닿아 액화하여 물방울이 되기 때문이다.

채점 기준	배점
액화라는 용어를 포함하여 공기 중의 수증기가 물이 된다고 서술한 경우	100 %
액화가 일어나기 때문이라고만 서술한 경우	50 %

3 구멍 바로 윗부분에는 수증기가 있고, 이 수증기가 액화하여 물방울이 된 것이 김이다. 수증기와 김에 푸른색 염화 코발트 종이를 대면 모두 붉은색으로 변한다. 따라서 물의 상태가 변해도 푸른색 염화 코발트 종이를 붉은색으로 변하게 하는 성질은 변하지 않는다는 것을 알 수 있다. 이와 같이 물질의 상태가 변해도 물질의 성질이 변하지 않는 까닭은 물질을 이루는 입자의 종류가 변하지 않기 때문이다.
모범 답안 (1) (가)와 (나)에서 모두 붉은색으로 변한다.
(2) 물(물질)의 상태 변화가 일어나도 물(물질)의 성질은 변하지 않는다. 물질의 상태가 변해도 입자의 종류는 변하지 않기 때문이다.

	채점 기준	배점
(1)	(가)와 (나)의 결과를 모두 옳게 서술한 경우	40 %
	(가)와 (나) 중 1가지의 결과만 옳게 서술한 경우	20 %
(2)	알 수 있는 사실과 그 까닭을 모두 옳게 서술한 경우	60 %
	알 수 있는 사실만 옳게 서술한 경우	30 %

3-1 **모범 답안** 물이 끓으면 기화하여 수증기가 되고, 이 수증기가 구멍으로 빠져나와 공기 중에서 식으면 액화하여 김이 된다.

4 쇳물이 응고할 때 부피가 감소하므로 거푸집을 실제 제품보다 조금 크게 만들어야 쇳물이 굳어 제품이 만들어졌을 때 원하는 크기가 된다.
모범 답안 쇳물이 응고할 때 입자 사이의 거리가 가까워져 부피가 감소하기 때문이다.

채점 기준	배점
제시된 단어를 모두 포함하고 상태 변화의 종류와 관련지어 옳게 서술한 경우	100 %
상태 변화의 종류를 쓰지 않고, 제시된 단어만 포함하여 서술한 경우	60 %

02 상태 변화와 열에너지

개념 학습 교재 47, 49쪽

기초를 튼튼히! 개념 잡기

1 (1) ○ (2) × (3) × (4) × (5) ○ (6) ○ **2** (1) ⊙ 고체, ⓒ 고체+액체, ⓒ 액체, ⓔ 액체+기체, ⓜ 기체 (2) B, D (3) (가) 끓는점, (나) 녹는점 **3** (1) 응고 (2) 어는점 (3) 규칙적으로 변한다 (4) 가까워진다 **4** (1) ⊙ 기체, ⓒ 기체+액체, ⓒ 액체, ⓔ 액체+고체, ⓜ 고체 (2) B, D (3) 어는점 **5** A: 액화열 방출, B: 기화열 흡수, C: 융해열 흡수, D: 응고열 방출, E: 승화열 흡수, F: 승화열 방출 **6** (1) 액화열 (2) 융해열 (3) 기화열 (4) 기화열 (5) 응고열 (6) 승화열 **7** (1) 증가 (2) 감소 (3) 증가 (4) 감소 **8** (1) ⊙ 기화, ⓒ 흡수, ⓒ 낮아 (2) ⊙ 기화, ⓒ 흡수, ⓒ 낮아 (3) ⊙ 액화, ⓒ 방출, ⓒ 높아

1 (1) 물질을 가열하여 융해가 일어날 때의 온도가 녹는점이고, 기화가 일어날 때의 온도가 끓는점이므로 녹는점과 끓는점에서는 열에너지를 흡수한다.
(5) 액체를 가열하면 온도가 높아지다가 일정해지는 구간에서 기화가 일어나며, 이때의 온도를 끓는점이라고 한다.
(6) 열에너지를 흡수하면 입자 운동이 활발해지므로 입자 배열이 불규칙하게 변하여 상태 변화가 일어난다.
오답 피하기 | (2) 녹는점에서는 물질이 고체 상태와 액체 상태가 함께 존재한다.
(3) 녹는점에서는 융해, 끓는점에서는 기화가 일어난다.
(4) 고체가 녹아 액체로 상태가 변하는 동안에는 가해 준 열에너지가 모두 상태 변화(융해) 하는 데 사용되기 때문에 온도가 일정하게 유지된다.

2 (2), (3) 첫 번째로 온도가 일정하게 유지되는 구간인 B에서 융해가 일어나고 이때의 온도인 (나)는 녹는점이다. 두 번째로 온도가 일정하게 유지되는 구간인 D에서 기화가 일어나고, 이때의 온도인 (가)는 끓는점이다.

3 (1) 어는점에서는 액체가 고체로 변하므로 응고가 일어난다.
(2) 액체를 냉각하면 온도가 낮아지다가 일정해지는 구간에서 응고가 일어나며, 이때의 온도를 어는점이라고 한다.
(3), (4) 열에너지를 방출하는 상태 변화가 일어날 때 입자 운동이 둔해지고, 입자 배열이 규칙적으로 변하며, 입자 사이의 거리가 가까워진다.

4 (2), (3) 첫 번째로 온도가 일정하게 유지되는 구간인 B에서 액화가 일어난다. 두 번째로 온도가 일정하게 유지되는 구간인 D에서 응고가 일어나고, 이때의 온도인 (가)는 어는점이다.

5 A에서는 액화, B에서는 기화, C에서는 융해, D에서는 응고, E에서는 승화(고체 → 기체), F에서는 승화(기체 → 고체)가 일어난다. 융해, 기화, 승화(고체 → 기체)가 일어날 때는 열에너지를 흡수하고, 응고, 액화, 승화(기체 → 고체)가 일어날 때는 열에너지를 방출한다.

6 (1)은 수증기의 액화, (2)는 얼음의 융해, (3)과 (4)는 물의 기화, (5)는 물의 응고, (6)은 드라이아이스의 승화(고체 → 기체)가 일어난다.

7 (1) 물이 얼음으로 응고하면서 응고열을 방출하므로 주변의 온도가 높아진다.
(2) 물이 수증기로 기화하면서 기화열을 흡수하므로 주변의 온도가 낮아진다.
(3) 수증기가 물로 액화하면서 액화열을 방출하므로 주변의 온도가 높아진다.
(4) 얼음이 물로 융해하면서 융해열을 흡수하므로 주변의 온도가 낮아진다.

8 (1) 알코올의 기화가 일어나 열에너지(기화열)를 흡수하므로 주변의 온도가 낮아져 손등이 시원해진다.
(2) 액체 냉매가 기화하면서 열에너지(기화열)를 흡수하므로 주변의 온도가 낮아져 실내 공기가 시원해진다.
(3) 수증기가 물로 액화하면서 열에너지(액화열)를 방출하므로 주변의 온도가 높아져 실내가 따뜻해진다.

A ㉠ 상태 변화(기화), ㉡ 78, ㉢ 기화열, ㉣ 0, ㉤ 응고열
1 (1) ○ (2) × (3) ○ (4) ×   **2** (가) B, (나) E, ㉠ 끓는점, ㉡ 어는점

A

1 (1) 실험 1에서 에탄올을 가열할 때 끓임쪽을 넣어 주면 에탄올이 갑자기 끓어 넘치는 것을 막을 수 있다.
(3) 실험 2에서 4분~10분 구간에서 온도가 일정하게 유지되므로 상태 변화(응고)가 일어나며, 이때 열에너지(응고열)를 방출한다.
오답 피하기 (2) 실험 1에서 6분 이후의 구간에서 기화가 일어나면서 기화열을 흡수한다.
(4) 실험 2에서 4분~10분 구간에서는 응고가 일어나므로 고체 상태와 액체 상태가 함께 존재한다.

2 (가)에서는 액체의 온도가 높아지다가 온도가 일정해지는 구간(B)에서 기화가 일어난다. 따라서 ㉠은 끓는점이다. (나)에서는 액체의 온도가 낮아지다가 온도가 일정해지는 구간(E)에서 응고가 일어난다. 따라서 ㉡은 어는점이다.

Beyond **특강** 개념 학습 교재 51쪽

1 ❶ A, J: 고체 / B, I: 고체+액체 / C, H: 액체 / D, G: 액체+기체 / E, F: 기체 ❷ B, 융해 / D, 기화 / G, 액화 / I, 응고 ❸ B 구간: 녹는점, D 구간: 끓는점, I 구간: 어는점

1 ❶ 온도가 일정하게 유지되는 B, D, G, I 구간에서는 물질의

2가지 상태가 함께 존재한다.

❷ 고체 물질의 가열·냉각 곡선이므로 가열 곡선 부분의 첫 번째 수평 구간인 B 구간에서는 고체가 액체로 변하는 융해, 두 번째 수평 구간인 D 구간에서는 액체가 기체로 변하는 기화, 냉각 곡선 부분의 첫 번째 수평 구간인 G 구간에서는 기체가 액체로 변하는 액화, 두 번째 수평 구간인 I 구간에서는 액체가 고체로 변하는 응고가 일어난다.

❸ 융해가 일어나는 B 구간의 온도는 녹는점, 기화가 일어나는 D 구간의 온도는 끓는점, 응고가 일어나는 I 구간의 온도는 어는점이다.

01 ⑤ **02** ③ **03** ③ **04** ② **05** C, D **06** ③ **07** ②, ④
08 ③ **09** ③ **10** ⑤ **11** ② **12** (다), (라), (바) **13** ① **14** ④
15 ① **16** 융해열 **17** ④ **18** ④

01 ⑤ D 구간에서는 액체가 기체로 변하는 기화가 일어나므로 액체 상태와 기체 상태가 함께 존재한다.
오답 피하기 ①, ③ B 구간에서 융해가 일어나므로 이 구간의 온도인 (나)는 녹는점이고, D 구간에서 기화가 일어나므로 이 구간의 온도인 (가)는 끓는점이다.
② A 구간에서는 흡수한 열에너지가 물질의 온도를 높이는 데 사용된다. 흡수한 열에너지가 상태 변화에 사용되는 구간은 상태 변화가 일어나는 B 구간과 D 구간이다.
④ C 구간에서는 액체의 온도가 높아지고, 기화가 일어나는 구간은 D 구간이다.

02 B 구간과 D 구간에서는 물질이 열에너지를 흡수하여 물질을 이루는 입자의 운동이 활발해지고, 입자 배열이 불규칙해지며, 입자 사이의 거리가 멀어지면서 상태 변화가 일어난다.

03 ① 물의 가열 곡선에서 물의 온도가 높아지다가 일정해지는 구간에서 물의 기화가 일어나고, 이때의 온도가 끓는점이다. 따라서 물의 끓는점은 가열 곡선에서 수평 구간의 온도인 100 ℃이다.
② A 구간에서는 물의 온도가 높아지므로 열에너지가 온도 변화에 사용된다.
④, ⑤ B 구간에서는 온도가 일정하게 유지되므로 물의 상태 변화(기화)가 일어난다. 즉, 물이 열에너지(기화열)를 흡수하여 수증기로 상태 변화 하므로 물과 수증기가 함께 존재한다.
오답 피하기 ③ A 구간에서는 물의 온도가 높아지므로 물이 열에너지를 흡수한다.

04 ① 5분~7분 구간에서 온도가 43.8 ℃로 일정하게 유지되므로 이때 고체 물질의 융해가 일어난다. 따라서 이 물질의 녹는점은 43.8 ℃이다.

③ 7분 이후에 계속 가열하여 고체가 모두 액체로 상태 변화 하면 액체의 온도가 높아질 것이다.

④, ⑤ 5분~7분 구간에서 고체 물질의 융해가 일어나므로 이 구간에서 가해 준 열에너지가 상태 변화에 사용되고, 액체 상태와 기체 상태가 함께 존재한다.

오답 피하기 | ② 한 물질의 녹는점과 어는점은 같으므로 이 고체 물질의 어는점은 43.8 ℃이다.

05 녹는점보다 낮은 온도에서는 고체, 녹는점과 끓는점 사이의 온도에서는 액체, 끓는점보다 높은 온도에서는 기체 상태로 존재한다. 따라서 끓는점<25 ℃인 A와 B는 기체 상태, 녹는점<25 ℃<끓는점인 C와 D는 액체 상태, 25 ℃<녹는점인 E는 고체 상태로 존재한다.

06 ③ 시험관 A에서는 에탄올이 기화하여 기체 상태가 되고, 기체 상태의 에탄올이 찬물에 담긴 시험관 B에서 액화하여 액체 상태로 모인다.

오답 피하기 | ① (나) 그래프에서 액체 에탄올의 온도가 높아지다가 일정해지는 구간(ⓒ 구간)에서 기화가 일어나고, 이 구간의 온도가 끓는점이다. 따라서 에탄올의 끓는점은 78 ℃이다. 그러나 이 실험으로는 에탄올의 녹는점을 알 수 없다.
② 에탄올을 가열할 때 에탄올이 갑자기 끓어 넘치는 것을 방지하기 위해 끓임쪽을 넣는다.
④ ⑦ 구간에서는 에탄올의 온도가 높아지므로 가해 준 열에너지가 에탄올의 온도를 높이는 데 사용된다. 가해 준 열에너지가 에탄올의 상태 변화에 사용되는 구간은 온도가 일정하게 유지되는 ⓒ 구간이다.
⑤ ⓒ 구간에서는 에탄올의 기화가 일어나므로 액체 상태와 기체 상태가 함께 존재한다.

07 ② 액체 물질의 냉각 곡선이므로 A 구간에서는 액체 상태로 존재한다.
④ B 구간에서 액체가 고체로 변하는 응고가 일어나므로 입자 배열이 규칙적으로 변한다.

오답 피하기 | ①, ③ B 구간에서 액체가 고체로 변하는 응고가 일어나므로 이 구간의 온도인 t ℃가 물질의 어는점이다.
⑤ C 구간에서는 고체 상태로 존재한다.

08 액체 물질의 냉각 곡선이므로 B 구간에서는 액체가 고체로 변하는 응고가 일어난다.
③ 액체가 고체로 변하는 현상을 나타내는 모형이므로 응고의 모형이다.

오답 피하기 | ① 고체가 액체로 변하는 현상을 나타내는 모형이므로 융해의 모형이다.
② 기체가 고체로 변하는 현상을 나타내는 모형이므로 승화(기체 → 고체)의 모형이다.
④ 고체가 기체로 변하는 현상을 나타내는 모형이므로 승화(고체 → 기체)의 모형이다.

⑤ 기체가 액체로 변하는 현상을 나타내는 모형이므로 액화의 모형이다.

09 ① AB 구간에서는 고체 상태로 존재하므로 입자 배열이 규칙적이다.
② BC 구간에서는 융해가 일어나므로 융해열을 흡수하고, EF 구간에서는 응고가 일어나므로 응고열을 방출한다.
④ FG 구간에서는 고체 상태로 존재하므로 입자 사이의 거리가 매우 가깝다.
⑤ BC 구간의 온도가 녹는점이고, EF 구간의 온도가 어는점이며, BC 구간과 EF 구간의 온도는 모두 53 ℃로 같다.

오답 피하기 | ③ CD 구간과 DE 구간에서는 물질이 모두 액체 상태로 존재하므로 물질의 상태가 같다.

10 ⑤ (가)는 액체에서 기체로 변하는 기화, (나)는 기체에서 액체로 변하는 액화의 모형이다. (가) 기화가 일어나면 입자 사이의 거리가 멀어지고, (나) 액화가 일어나면 입자 사이의 거리가 가까워진다.

오답 피하기 | ① (가)는 기화, (나)는 액화의 모형이다.
② (가) 기화가 일어나면 입자 운동이 활발해지고, (나) 액화가 일어나면 입자 운동이 둔해진다.
③ (가) 기화가 일어나면 입자 배열이 불규칙해지고, (나) 액화가 일어나면 입자 배열이 규칙적으로 변한다.
④ (가) 기화가 일어날 때 열에너지를 흡수하고, (나) 액화가 일어날 때 열에너지를 방출한다.

11 ② 물이 얼 때는 응고열을 방출한다.

오답 피하기 | ① 물을 냉각하면 온도가 낮아지다가 물이 어는 동안 온도가 일정하게 유지되며, 물이 모두 얼고 난 후 다시 온도가 낮아진다.
③ 물의 어는점에서는 물과 얼음이 함께 존재한다.
④ 물이 어는 동안, 즉 응고의 상태 변화가 일어나는 동안에는 입자 운동이 둔해진다.
⑤ 물의 온도가 일정하게 유지되는 구간에서 응고의 상태 변화가 일어나며, 이때 입자 배열이 규칙적으로 변한다.

12 열에너지를 흡수하는 상태 변화가 일어나면 주변의 온도가 낮아지고, 열에너지를 방출하는 상태 변화가 일어나면 주변의 온도가 높아진다. 따라서 (가) 융해, (나) 기화, (마) 승화(고체 → 기체)가 일어나면 주변의 온도가 낮아지고, (다) 응고, (라) 액화, (바) 승화(기체 → 고체)가 일어나면 주변의 온도가 높아진다.

13 ① 소나기가 내리기 전에 공기 중의 수증기가 물방울로 액화하면서 액화열을 방출하므로 주변의 온도가 높아져 날씨가 후텁지근하다.

오답 피하기 | ② 수영장에서 물 밖으로 나오면 몸에 묻은 물이 기화하면서 기화열을 흡수하므로 주변의 온도가 낮아져 춥게 느껴진다.
③ 얼음 조각상 옆에 있으면 얼음이 녹으면서 융해열을 흡수하므로 주변의 온도가 낮아져 시원하다.

④ 과일 창고에 물 항아리를 놓아두면 물이 얼면서 응고열을 방출하므로 주변의 온도가 높아져 창고 안의 과일이 얼지 않는다.
⑤ 드라이아이스가 승화(고체 → 기체)하면서 승화열을 흡수하므로 주변의 온도가 낮아져 아이스크림이 녹지 않는다.

14 ①, ③, ⑤ 물이 수증기로 기화하면서 기화열을 흡수하므로 주변의 온도가 낮아진다. 따라서 더운 여름에 시원해지고, 몸의 열이 내려가며, 캔에 담긴 음료가 시원해진다.
② 뷰테인 가스통에 담긴 액체 뷰테인이 기체로 기화하면서 기화열을 흡수하므로 주변의 온도가 낮아져 가스통이 차가워진다.
오답 피하기 ④ 물이 얼면서 응고열을 방출하므로 주변의 온도가 높아져 화초가 어는 것을 방지할 수 있다.

15 흙그릇에서 새어 나오는 물이 기화하면서 기화열을 흡수하여 주변의 온도가 낮아지므로 시원한 물을 얻을 수 있다.

16 2가지 경우 모두 얼음이 융해할 때 융해열을 흡수하므로 주변의 온도가 낮아져 음식물과 생선을 신선하게 보관하는 것이다.

17 얼음집 안에 물을 뿌리면 물이 얼면서 응고열을 방출하므로 주변의 온도가 높아져 얼음집 안이 따뜻해진다.
④ 추운 겨울철 오렌지 나무에 물을 뿌리면 물이 얼면서 응고열을 방출하므로 주변의 온도가 높아져 오렌지의 냉해를 막을 수 있다.
오답 피하기 ① 눈이 내릴 때 공기 중의 수증기가 얼음으로 승화하면서 승화열을 방출하므로 주변의 온도가 높아져 포근해진다.
② 음료수에 넣은 얼음이 녹으면서 융해열을 흡수하므로 주변의 온도가 낮아져 음료수가 시원해진다.
③ 알코올이 기체 상태로 기화하면서 기화열을 흡수하므로 주변의 온도가 낮아져 손등이 시원해진다.
⑤ 냉방이 잘된 곳에서 밖으로 나오면 공기 중의 수증기가 차가운 피부에 닿아 액화하면서 액화열을 방출하므로 주변의 온도가 높아져 후텁지근하게 느껴진다.

18 ④ 실외기에서는 기체 냉매가 액체 냉매로 액화한다.
오답 피하기 ①, ③ 실내기에서는 액체 냉매가 기체 냉매로 기화하면서 기화열을 흡수한다.
② 실외기에서는 기체 냉매가 액화하므로 액화열을 방출한다.
⑤ 실내기에서는 기화열을 흡수하므로 주변의 온도가 낮아져 실내의 온도가 낮아진다. 실외기에서는 액화열을 방출하므로 더운 바람이 나온다.

실력의 완성! 서술형 문제   개념 학습 교재 **55**쪽

1 (1) 가열 곡선의 온도가 일정한 구간에서 상태 변화가 일어나며, 이때는 2가지 상태가 함께 존재한다.
(2) 상태 변화가 일어나는 동안에는 가해 준 열에너지를 모두 상태 변화에 사용하므로 온도가 일정하게 유지된다.

모범 답안 (1) B 구간, D 구간, B 구간에서 융해가 일어나므로 고체 상태와 액체 상태가 함께 존재하고, D 구간에서 기화가 일어나므로 액체 상태와 기체 상태가 함께 존재한다.
(2) 가해 준 열에너지가 모두 상태 변화(B 구간에서는 융해, D 구간에서는 기화)에 사용되기 때문이다.

	채점 기준	배점
(1)	상태 변화가 일어나는 구간과 상태 변화의 종류, 물질의 상태를 모두 옳게 서술한 경우	50 %
	상태 변화가 일어나는 구간만 옳게 쓴 경우	20 %
(2)	온도가 일정하게 유지되는 까닭을 옳게 서술한 경우	50 %

1-1 모범 답안 B 구간: 녹는점, D 구간: 끓는점, 입자 배열이 불규칙해진다.

2 고체인 드라이아이스가 기체인 이산화 탄소로 승화하면서 승화열을 흡수하므로 주변의 온도가 낮아져 시원해진다.
모범 답안 E, 드라이아이스가 기체 이산화 탄소로 승화하면서 승화열을 흡수하기 때문이다.

채점 기준	배점
상태 변화 기호를 옳게 쓰고, 그 까닭을 옳게 서술한 경우	100 %
상태 변화 기호만 옳게 쓴 경우	40 %

3 물에 적신 휴지에 부채질을 하면 물이 빠르게 기화하면서 기화열을 흡수하므로 주변의 온도가 낮아져 캔 음료가 시원해진다. 따라서 마른 휴지로 감싼 캔 음료보다 온도가 낮아진다.
모범 답안 물에 적신 휴지로 감싼 캔 음료의 온도가 더 낮다. 휴지에 적신 물이 기화하면서 열에너지(기화열)를 흡수하여 주변의 온도가 낮아지기 때문이다.

채점 기준	배점
캔 음료의 온도를 옳게 비교하고, 그 까닭을 제시된 단어와 상태 변화의 종류를 모두 포함하여 옳게 서술한 경우	100 %
캔 음료의 온도를 옳게 비교하고, 그 까닭을 제시된 단어 중 1개와 상태 변화의 종류를 포함하여 서술한 경우	60 %
캔 음료의 온도만 옳게 비교한 경우	40 %

4 보일러에서 물이 수증기로 기화하면서 열에너지(기화열)를 흡수하고, 이 수증기가 증기 난방기에서 물로 액화하면서 열에너지(액화열)를 방출하므로 주변의 온도가 높아져 실내가 따뜻해진다.
모범 답안 수증기가 물로 액화하면서 액화열을 방출하기 때문이다.

채점 기준	배점
상태 변화 및 열에너지 출입과 모두 관련지어 옳게 서술한 경우	100 %
상태 변화와 열에너지 출입 중 1가지만 관련지어 서술한 경우	50 %

1 ❶ 일정 ❷ 액체 ❸ 기체 ❹ > ❺ >
2 ❶ 융해 ❷ 응고 ❸ 기화 ❹ 액화 ❺ 승화
3 ❶ 활발 ❷ 불규칙 ❸ 증가 ❹ 둔 ❺ 감소
4 ❶ 일정 ❷ 녹는점 ❸ 끓는점 ❹ 상태 변화 ❺ 흡수
5 ❶ 일정 ❷ 어는점 ❸ 방출 ❹ 방출
6 ❶ 융해열 ❷ 기화열 ❸ 승화열 ❹ 낮 ❺ 높

01 ③ **02** ⑤ **03** C **04** ③ **05** ③ **06** ① **07** ㄹ **08** ④
09 ④ **10** ④ **11** ⑤ **12** ⑤ **13** ① **14** ③ **15** ② **16** ④ **17** D
구간 **18** ⑤ **19** ③ **20** ④ **21** ② **22** ② **23** ④ **24** ⑤
25 ④ **26** ② **27** ④ **28** 해설 참조 **29** 해설 참조 **30** 해설
참조

01 (가)는 모양이 일정하지 않고 부피는 일정하므로 액체, (나)는 모양과 부피가 모두 일정하므로 고체, (다)는 모양과 부피가 모두 일정하지 않으므로 기체이다.
③ 식초는 액체, 설탕은 고체, 수증기는 기체이다.
오답 피하기 ① 공기는 기체, 밀가루는 고체, 우유는 액체이다.
② 소금은 고체, 산소는 기체, 식초는 액체이다.
④ 아세톤은 액체, 수소는 기체, 얼음은 고체이다.
⑤ 모래는 고체, 식용유는 액체, 이산화 탄소는 기체이다.

02 ⑤ 기체는 온도와 압력에 따라 부피가 쉽게 변하고, 담는 그릇에 따라 부피가 변한다.
오답 피하기 ① 액체는 거의 압축되지 않으며, 쉽게 압축되는 것은 기체이다.
② 고체는 흐르는 성질이 없으며, 흐르는 성질이 있는 것은 액체와 기체이다.
③ 액체는 눈으로 볼 수 있으며, 눈에 보이지 않는 것은 대부분의 기체이다.
④ 고체는 담는 그릇에 관계없이 모양이 일정하므로 담는 그릇을 가득 채우는 성질이 없다. 담는 그릇을 가득 채우는 것은 기체이다.

03 A는 융해, B는 응고, C는 기화, D는 액화, E는 승화(기체 → 고체), F는 승화(고체 → 기체)이다.
젖은 빨래가 마르는 현상과 염전의 바닷물에서 소금을 얻는 현상은 물이 수증기로 변하는 현상이고, 손에 뿌린 손 소독제가 사라지는 현상은 액체 손 소독제가 기체로 변하는 현상이다. 따라서 3가지 현상은 모두 액체가 기체로 변하는 현상인 기화(C)의 예이다.

04 ① 뜨거운 차에서 생긴 수증기가 차가운 공기 중에서 액화하여 물방울이 된 것이 하얀 김이다.
② 겨울철 높은 산에서 공기 중의 수증기가 나무에 얼어붙어 생긴 것이 상고대이므로 승화(기체 → 고체)가 일어난 것이다.

④ 얼어 있는 명태를 말리는 것은 명태에 있는 얼음이 승화(고체 → 기체)하여 수증기가 되는 것이다.
⑤ 응달에 있는 눈사람의 크기가 작아지는 것은 얼음이 수증기로 승화(고체 → 기체)하여 나타나는 현상이다.
오답 피하기 ③ 암모니아 기체를 물에 녹여 암모니아수를 만드는 것은 상태 변화가 아니라 용질을 용매에 녹이는 용해 현상이다.

05 ③ 뜨거운 라면을 먹을 때 뜨거운 라면에서 생긴 수증기가 차가운 안경에 닿아 물방울로 액화하여 달라붙으므로 안경이 뿌옇게 흐려진다.
오답 피하기 ① 액체인 쇳물이 응고하여 고체인 철이 되는 것이다.
② 얼음이 조금씩 작아지는 것은 얼음이 승화(고체 → 기체)하여 수증기가 되기 때문에 나타나는 현상이다.
④ 갓 구운 빵 위의 버터가 융해하여 녹는 것이다.
⑤ 나프탈렌의 크기가 작아지는 것은 나프탈렌이 승화(고체 → 기체)하여 기체가 되기 때문에 나타나는 현상이다.

06 (가)에서는 고체인 양초가 녹아 액체인 촛농이 되므로 융해가 일어난다. (나)에서는 액체인 촛농이 심지를 타고 올라가 기체가 되어 타므로 기화가 일어난다. (다)에서는 액체인 촛농의 일부가 흘러내려서 굳어 고체가 되므로 응고가 일어난다.
ㄱ. 아이스크림이 녹는 것은 융해이다.
ㄴ. 가뭄이 들어 논바닥이 갈라지는 것은 논의 물이 기화하여 나타나는 현상이다.
ㄷ. 뜨거운 고깃국에 있는 기름이 굳는 것은 액체 기름이 응고하여 고체가 되기 때문에 나타나는 현상이다.
오답 피하기 ㄹ. 공기 중의 수증기가 차가운 컵의 표면에 닿아 액화하여 물방울이 맺힌다.

07 곡물을 발효하여 얻은 탁한 술을 가열하면 탁한 술 안의 에탄올이 먼저 기화한 후 찬물이 담긴 그릇에 닿아 액화하여 맑은 술이 되어 그릇에 모인다.
ㄹ. 흙탕물 속의 수분이 증발하여 수증기로 기화하고, 이 수증기가 차가운 랩에 닿아 액화하여 다시 물이 되어 컵에 모이므로 맑은 물을 얻을 수 있다.
오답 피하기 ㄱ. 설탕을 가열하여 융해한 후 액체 설탕을 작은 구멍으로 내보내면 공기 중에서 식으면서 실 모양으로 응고하는데 이것을 뭉치면 솜사탕이 된다.
ㄴ. 금속을 융해한 후 액체 금속을 거푸집에 부어 식히면 응고하여 금속 활자를 만들 수 있다.
ㄷ. 초콜릿을 융해한 후 액체 초콜릿을 원하는 모양의 틀에 부어 식히면 응고하여 새로운 초콜릿을 만들 수 있다.

08 A에서는 고체 아이오딘이 기체 상태로 승화(고체 → 기체)하고, B에서는 기체 아이오딘이 고체 상태로 승화(기체 → 고체)한다.
④ 성에는 수증기가 승화(기체 → 고체)하여 생긴 것이다.
오답 피하기 ① 이슬은 공기 중의 수증기가 액화하여 물방울이 된 것이다.

② 알코올이 기체로 기화하여 사라진 것이다.

③ 찌개 국물이 수증기로 기화하여 줄어든 것이다.

⑤ 드라이아이스가 이산화 탄소 기체로 승화(고체 → 기체)한 것이다.

09 식품 속의 물을 얼리는 것은 액체가 고체로 변하는 응고이고, 얼음을 수증기로 만드는 것은 고체가 기체로 변하는 승화(고체 → 기체)이다.

10 (가)는 고체, (나)는 기체, (다)는 액체의 모형이다.

④ 고체는 입자 배열이 규칙적이고, 액체는 입자 배열이 고체보다 불규칙하며, 기체는 입자 배열이 매우 불규칙하다. 따라서 입자 배열의 규칙적인 정도는 (나)<(다)<(가)이다.

오답 피하기 ① 물질의 상태에 관계없이 입자의 크기는 같으므로 (가)=(나)=(다)이다.

② 입자 사이의 거리는 (가) 고체<(다) 액체<(나) 기체이다.

③ 입자 운동의 빠르기는 (가) 고체<(다) 액체<(나) 기체이다.

⑤ 입자 사이에 서로 잡아당기는 힘은 (나) 기체<(다) 액체<(가) 고체이다.

11 ①, ③, ④ 고체 드라이아이스가 이산화 탄소 기체로 승화(고체 → 기체)하면서 부피가 매우 커지므로 지퍼 백이 부풀어 오른다.

② 고체 드라이아이스가 기체 상태로 승화하므로 드라이아이스 조각의 크기가 점점 작아진다.

오답 피하기 ⑤ 드라이아이스가 승화(고체 → 기체)하면서 입자 배열이 불규칙해진다.

12 양초는 응고했을 때 가운데가 오목하게 들어가므로 부피가 감소하고, 물은 응고했을 때 가운데가 볼록하게 올라오므로 부피가 증가한다.

13 비커를 가열하면 물이 기화하여 수증기가 되고, 이 수증기가 시계 접시 아랫부분(A)에 닿아 액화하여 물이 된다. 따라서 A에서는 기체가 액체로 변한다.

① 기체가 액체로 변하는 액화의 모형이다.

오답 피하기 ② 액체가 기체로 변하는 기화의 모형이다.

③ 고체가 기체로 변하는 승화(고체 → 기체)의 모형이다.

④ 고체가 액체로 변하는 융해의 모형이다.

⑤ 기체가 고체로 변하는 승화(기체 → 고체)의 모형이다.

14 비커의 물과 시계 접시 아랫부분에 생긴 물방울에 푸른색 염화 코발트 종이를 대어 보면 모두 붉은색으로 변한다. 따라서 상태 변화가 일어나도 물질의 성질이 변하지 않는다는 것을 알 수 있다.

오답 피하기 ① 상태 변화가 일어나면 물질의 부피는 변하지만 이 실험으로 알 수 없다.

② 상태 변화가 일어나도 입자의 크기는 변하지 않는다.

④ 상태 변화가 일어나도 물질의 질량은 변하지 않지만 이 실험으로 알 수 없다.

⑤ 상태 변화가 일어나면 입자의 배열 상태가 변한다.

15 ② 상태 변화가 일어날 때 물질의 부피는 변하고, 물질의 성질은 변하지 않는다.

오답 피하기 ① 입자의 배열과 입자의 운동은 모두 변한다.

③ 물질의 질량은 변하지 않고, 물질의 부피는 변한다.

④ 입자의 종류와 입자의 개수는 모두 변하지 않는다.

⑤ 입자의 크기는 변하지 않고, 입자 사이의 거리는 변한다.

16

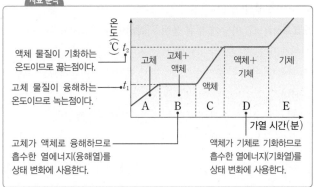

④ B와 D 구간에서 가해 준 열에너지는 각각 융해와 기화가 일어나는 데 사용된다.

오답 피하기 ① t_1은 융해가 일어나는 온도이므로 녹는점이고, t_2는 기화가 일어나는 온도이므로 끓는점이다.

② A 구간에서는 고체 상태, C 구간에서는 액체 상태, E 구간에서는 기체 상태로 존재하므로 질량은 모두 같다. 그러나 일반적인 물질인 경우 부피는 A 구간<C 구간<E 구간이다.

③ B 구간에서는 융해, D 구간에서는 기화가 일어나므로 D 구간에서 부피가 더 크게 증가한다.

⑤ C 구간에서 액체 상태로 존재한다.

17 • 열이 날 때 물수건으로 몸을 닦으면 열이 내린다. ➡ 물이 기화하면서 기화열을 흡수하므로 열이 내린다.

• 사막의 유목민들은 시원한 물을 마시기 위해 가죽으로 만든 물통을 사용한다. ➡ 물통을 이루는 가죽에는 아주 작은 구멍이 있어 물이 새어 나오는데, 이 물이 수증기로 기화하면서 기화열을 흡수하므로 물통 속의 물이 시원해진다.

따라서 이 현상들과 관계있는 열에너지는 기화열이며, 그래프의 D 구간에서 기화가 일어나므로 기화열을 흡수한다.

18 ① 에탄올은 불이 붙기 쉬운 물질이므로 직접 가열하지 않고, 에탄올이 담긴 시험관을 물이 들어 있는 비커에 넣어 물중탕으로 가열한다.

② 끓임쪽은 액체가 갑자기 끓어 넘치는 것을 막기 위해 넣는다.

③ 시험관 A에서는 액체 에탄올의 기화가 일어나고, 시험관 B에서는 기체 에탄올의 액화가 일어난다.

④ 시험관 A에서는 액체 에탄올이 열에너지를 흡수하여 기화하므로 에탄올 입자의 운동이 활발해진다.

오답 피하기 ⑤ 시험관 B에서는 기체 에탄올이 열에너지를 방출하여 액화하므로 에탄올 입자 사이의 거리가 가까워진다.

19 ①, ④, ⑤ A 구간에서 액체가 고체로 변하는 응고가 일어나므로 A 구간의 온도는 어는점이다. 이때 방출하는 열에너지(응고열)가 온도가 낮아지는 것을 막아 주므로 온도가 일정하게 유지된다. ② 응고가 일어날 때 입자 운동이 둔해진다.

오답 피하기│③ 응고가 일어날 때 입자 배열이 규칙적으로 변한다.

20 A 구간에서 응고가 일어나므로 응고열을 방출한다.
④ 얼음집 내부에 뿌린 물이 응고하면서 응고열을 방출하므로 내부가 따뜻해진다.

오답 피하기│① 마당에 뿌린 물이 기화하면서 기화열을 흡수하므로 시원해진다.
② 목욕탕 안의 수증기가 액화하면서 액화열을 방출하므로 후텁지근하다.
③ 얼음이 융해하면서 융해열을 흡수하므로 시원해진다.
⑤ 몸에 묻은 물이 기화하면서 기화열을 흡수하므로 추위를 느낀다.

21 액체 스테아르산을 냉각하면 온도가 낮아지다가 응고하는 동안에는 온도가 일정하게 유지된다. 이때의 온도가 어는점이므로 69 ℃에서 온도가 일정하게 유지되며, 모두 응고한 후 온도가 다시 낮아진다. 따라서 ②와 같은 그래프로 나타낼 수 있다.

22 (가) 융해열 흡수, (나) 기화열 흡수, (다) 응고열 방출, (라) 액화열 방출, (마) 승화열 흡수, (바) 승화열 방출

23 ① (가)에서 융해가 일어나며, 이때 열에너지를 흡수하므로 입자 운동이 활발해진다.
② (나)에서 기화가 일어나며, 이때 열에너지를 흡수하므로 입자가 가지는 열에너지가 많아진다.
③ (다)에서 응고가 일어나며, 이때 열에너지를 방출하는데 방출한 열에너지가 온도가 낮아지는 것을 막아 주므로 온도가 일정하게 유지된다.
⑤ (바)에서 승화(기체 → 고체)가 일어나며, 이때 열에너지를 방출하여 입자 사이의 거리가 가까워진다.

오답 피하기│④ (라)에서 액화가 일어나며, 이때 열에너지를 방출하므로 주변의 온도가 높아진다.

24 ㄴ, ㄷ. (가)에서는 물의 기화가 일어나면서 기화열을 흡수하므로 주변의 온도가 낮아져 시원하다. (나)에서는 물의 응고가 일어나면서 응고열을 방출하므로 주변의 온도가 높아져 오렌지의 냉해를 막을 수 있다.

오답 피하기│ㄱ. (가)에서는 기화가 일어나고, (나)에서는 응고가 일어난다.

25 ① 물수건의 물이 기화하면서 기화열을 흡수하므로 주변의 온도가 낮아져 열이 떨어진다.
② 분수대의 물이 기화하면서 기화열을 흡수하므로 주변의 온도가 낮아져 시원해진다.
③ 얼음이 융해하면서 융해열을 흡수하므로 주변의 온도가 낮아져 음료수가 차가워진다.

⑤ 드라이아이스가 승화(고체 → 기체)하면서 승화열을 흡수하므로 주변의 온도가 낮아져 아이스크림이 녹지 않는다.

오답 피하기│④ 액체 파라핀이 응고하면서 응고열을 방출하므로 주변의 온도가 높아져 통증을 줄이는 온열 치료를 할 수 있다.

26 ② 젖은 모래의 물이 기화하면서 기화열을 흡수하여 주변의 온도가 낮아지므로 음식물을 신선하게 보관할 수 있다. 따라서 젖은 수건으로 항아리를 덮으면 수건의 물이 기화하면서 기화열을 흡수하므로 냉장 효과를 더 좋게 할 수 있다.

오답 피하기│① 젖은 모래의 양을 줄이면 물의 양이 줄어들므로 냉장 효과가 감소한다.
③, ④ 젖은 모래 대신 마른 솜이나 마른 모래를 사용하면 물의 기화에 의한 냉장 효과가 없다.
⑤ 젖은 모래를 제거하면 물의 기화에 의한 냉장 효과가 없다.

27 보일러에서 물이 수증기로 기화하면서 열에너지(기화열)를 흡수하고, 증기 난방기에서 수증기가 물로 액화하면서 열에너지(액화열)를 방출하여 실내를 따뜻하게 한다.

28 물은 입자 사이의 거리가 가깝기 때문에 거의 압축되지 않고, 공기는 입자 사이의 거리가 멀어 입자 사이에 빈 공간이 있기 때문에 쉽게 압축된다.

모범 답안 공기, 공기는 입자 사이의 거리가 멀어 입자 사이에 빈 공간이 있기 때문이다.

채점 기준	배점
압축이 잘되는 물질을 옳게 고르고, 그 까닭을 입자 사이의 거리를 이용하여 옳게 서술한 경우	100 %
압축이 잘되는 물질만 옳게 고른 경우	40 %

29 액체 에탄올이 기체로 기화하면서 입자 사이의 거리가 멀어져 부피가 증가하기 때문에 지퍼 백이 부풀어 오른다.

모범 답안 에탄올이 기화하면서 입자 사이의 거리가 멀어져 부피가 증가하기 때문이다.

채점 기준	배점
상태 변화의 종류와 입자 사이의 거리 변화를 모두 포함하여 부피가 증가하기 때문이라고 옳게 서술한 경우	100 %
상태 변화의 종류와 입자 사이의 거리 변화 중 1가지만 포함하여 부피가 증가하기 때문이라고 서술한 경우	50 %

30 실내기에서는 기화열을 흡수하므로 주변의 온도가 낮아지고, 실외기에서는 액화열을 방출하므로 주변의 온도가 높아진다.

모범 답안 실내기에서는 액체 냉매가 기체 냉매로 기화하면서 기화열을 흡수하고, 실외기에서는 기체 냉매가 액체 냉매로 액화하면서 액화열을 방출하기 때문이다.

채점 기준	배점
찬 바람과 더운 바람이 나오는 원리를 모두 옳게 서술한 경우	100 %
찬 바람과 더운 바람이 나오는 원리 중 1가지만 옳게 서술한 경우	50 %

VI 빛과 파동 »»

01 빛과 색

1 빛의 직진 **2** ㉠ 빛, ㉡ 빛, ㉢ 반사 **3** (1) ○ (2) × (3) × (4) ×
4 (1) 파란색 (2) 청록색 (3) 흰색 **5** (1) 빨간색 (2) 빨간색 (3) 검은색

1 제시된 현상들은 모두 빛이 직진하기 때문에 나타난다.

2 우리가 물체를 보려면 빛이 있어야 하고, 그 빛이 우리 눈에 들어와야 한다. 스스로 빛을 내는 광원은 광원에서 나온 빛이 눈에 들어오면 볼 수 있고, 스스로 빛을 내지 못하는 대부분의 물체는 광원에서 나온 빛이 물체에서 반사되어 눈에 들어오면 볼 수 있다.

3 **오답 피하기** | (2) 빛의 삼원색은 빨간색, 초록색, 파란색이다.
(3) 빨간색과 보색 관계인 청록색 빛을 적절히 합성하면 흰색 빛을 만들 수 있다.
(4) 빛의 삼원색을 적절하게 합성하면 다양한 색의 빛을 만들 수 있다.

4 (1) 파란색 빛만 켜져 있으므로 파란색으로 보인다.
(2) 초록색과 파란색 빛이 켜져 있으므로 두 색의 합성색인 청록색으로 보인다.
(3) 빛의 삼원색인 빨간색, 초록색, 파란색 빛이 모두 켜져 있으므로 세 가지 색의 합성색인 흰색으로 보인다.

5 (1) 빨간색 사과에 빨간색 조명을 비추면 사과는 빨간색 빛을 반사하여 빨간색으로 보인다.
(2) 빨간색 사과에 노란색(＝빨간색＋초록색) 조명을 비추면 사과는 빨간색 빛을 반사하여 빨간색으로 보인다.
(3) 빨간색 사과에 파란색 조명을 비추면 사과는 반사하는 빛이 없어 검은색으로 보인다.

Beyond 특강 개념 학습 교재 66쪽

1 (1) ㉠ 빨간색, ㉡ 검은색, ㉢ 검은색, ㉣ 빨간색, ㉤ 검은색, ㉥ 빨간색
(2) ㉠ 검은색, ㉡ 초록색, ㉢ 검은색, ㉣ 초록색, ㉤ 초록색, ㉥ 검은색
(3) ㉠ 검은색, ㉡ 검은색, ㉢ 파란색, ㉣ 검은색, ㉤ 파란색, ㉥ 파란색
(4) ㉠ 빨간색, ㉡ 초록색, ㉢ 검은색, ㉣ 노란색, ㉤ 초록색, ㉥ 빨간색
(5) ㉠ 검은색, ㉡ 초록색, ㉢ 파란색, ㉣ 초록색, ㉤ 청록색, ㉥ 파란색
(6) ㉠ 빨간색, ㉡ 검은색, ㉢ 파란색, ㉣ 빨간색, ㉤ 파란색, ㉥ 자홍색

1 우리 눈에 보이는 물체의 색은 조명에 포함된 빛의 색과 물체가 반사하는 빛의 색 중 공통적으로 포함된 색이다.

---

01 ④ **02** ④ **03** ㉠ (가), ㉡ (나) **04** ④ **05** ③ **06** ④ **07** ④
08 ③ **09** 흰색 **10** ④ **11** ③

01 일식은 달이 직진하는 태양 빛을 가려서 나타나는 현상이다. 즉, 빛이 직진하기 때문에 나타나는 현상이다.

02 ㄱ, ㄷ. 물체에서 나오거나 물체에서 반사된 빛이 눈에 들어오면 물체를 볼 수 있다. 따라서 물체를 보려면 빛을 내는 광원이 필요하다.
오답 피하기 | ㄴ. 달은 스스로 빛을 내지 못하고 태양 빛을 반사하여 빛이 나는 것처럼 보인다. 따라서 달을 보는 것은 광원이 아닌 물체를 보는 것이다.

03 광원을 볼 때는 (가)와 같이 광원에서 나온 빛이 직접 눈으로 들어오고, 광원이 아닌 물체를 볼 때는 (나)와 같이 광원에서 나온 빛이 물체에서 반사된 후 눈으로 들어온다.

04 ④는 광원이 아닌 물체를 보는 과정이고, 나머지는 전부 광원을 보는 과정이다.

05 광원에서 나온 빛이 물체에서 반사된 후 우리 눈에 들어오기 때문에 우리가 물체를 볼 수 있는 것이다.

06 ① A는 빨간색 빛과 파란색 빛이 합성되어 나타나는 자홍색이다.
② B는 빨간색 빛과 초록색 빛이 합성되어 나타나는 노란색이다.
③ C는 초록색 빛과 파란색 빛이 합성되어 나타나는 청록색이다.
⑤ A는 자홍색(＝빨간색＋파란색)이므로 A와 초록색 빛을 합성하면 빛의 삼원색을 모두 합성하는 것이다. 따라서 흰색 빛을 만들 수 있다.
오답 피하기 | ④ D는 빛의 삼원색이 모두 합성되어 나타나므로 흰색이다.

07 **오답 피하기** | ㄷ. 두 가지 이상의 색의 빛이 합쳐져서 또 다른 색의 빛으로 보이는 것을 빛의 합성이라고 한다. 백색광이 여러 가지 색의 빛으로 나누어지는 것은 빛의 분산이다.

08 화소는 빛의 삼원색인 빨간색, 초록색, 파란색으로 이루어져 있다. 화면에 노란색으로 보이려면 이 중 빨간색과 초록색 빛이 켜져야 한다.

09 풍선에서는 빛의 삼원색인 빨간색, 초록색, 파란색 빛이 모두 합성되므로 흰색으로 보인다.

10 빨간색 손전등만 껐을 때는 풍선에서 초록색과 파란색 빛이 반사되므로 청록색으로 보이고, 초록색 손전등만 껐을 때는 풍선에서 빨간색과 파란색 빛이 반사되므로 자홍색으로 보인다.

11 파란색과 초록색 색종이에서 각각 반사된 파란색과 초록색 빛이 합성되어 청록색으로 보인다.

1 모범 답안 (1) 스스로 빛을 내는 물체이다.

(2) • 광원인 물체: LED 전구, 휴대 전화 화면, 손전등

• 광원이 아닌 물체: 거울, 달

	채점 기준	배점
(1)	모범 답안과 같이 서술한 경우	50 %
	그 외의 경우	0 %
(2)	모범 답안과 같이 서술한 경우	50 %
	그 외의 경우	0 %

2 모범 답안

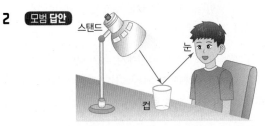

채점 기준	배점
모범 답안과 같이 그린 경우	100 %
경로는 옳게 그렸으나 화살표의 방향을 표시하지 않은 경우	50 %

2-1 모범 답안

3 모범 답안 (1) 빨간색, 꽃이 빨간색 조명에서 나온 빨간색 빛을 반사하기 때문이다.

(2) 검은색, 잎은 반사하는 빛이 없기 때문이다.

	채점 기준	배점
(1)	빨간색이라고 쓰고, 그 까닭을 옳게 서술한 경우	50 %
	빨간색이라고만 쓴 경우	20 %
(2)	검은색이라고 쓰고, 그 까닭을 옳게 서술한 경우	50 %
	검은색이라고만 쓴 경우	20 %

02 거울과 렌즈

1 (1) × (2) ○ (3) × (4) ○　**2** 20 cm　**3** 볼록 거울　**4** (가) 볼록 거울, (나) 오목 거울　**5** (1) 평면 (2) 볼록 (3) 오목 (4) 오목 (5) 볼록 (6) 오목　**6** (1) B (2) C　**7** 빛의 굴절　**8** ㄱ, ㄹ　**9** (1) ○ (2) × (3) ○ (4) × (5) ×　**10** ㄷ, ㅁ

1 오답 피하기 (1) 평면거울에 의한 상은 항상 실제 물체와 크기가 같다.

(3) 거울 앞에 물체를 두면 실제 물체와 좌우가 바뀐 모습의 상이 생긴다.

2 평면거울에 상이 생길 때 물체에서 거울까지의 거리와 거울에서 상까지의 거리가 같다.

3 제시된 경우는 넓은 범위를 보기 위해서 볼록 거울을 이용한다.

4 (가)는 나란하게 입사한 빛이 반사 후 퍼져 나가므로 볼록 거울이고, (나)는 나란하게 입사한 빛이 반사 후 한 점에 모이므로 오목 거울이다.

5 (1) 평면거울에는 자신의 모습이 그대로 비치므로 무용실의 전신 거울에 이용한다.

(2), (5) 나란하게 입사한 빛이 볼록 거울에서 반사되면 빛은 넓게 퍼진다. 또, 볼록 거울에는 항상 실제 물체보다 작고 바로 선 상이 생기므로 볼록 거울은 평면거울보다 더 넓은 범위를 볼 수 있어 도로의 안전 거울, 상점의 보안 거울, 자동차의 오른쪽 측면 거울 등에 이용한다.

(3), (4), (6) 나란하게 입사한 빛이 오목 거울에서 반사되면 빛은 한 점에 모이기 때문에 태양열 조리기나 성화 채화 거울에 이용한다. 그리고 한 점에서 나온 빛이 오목 거울에서 반사되면 빛은 한 방향으로 나란하게 나아가기 때문에 자동차의 전조등에 이용한다.

6 (1) 입사각은 입사 광선과 법선이 이루는 각이므로 B이다.

(2) 굴절각은 굴절 광선과 법선이 이루는 각이므로 C이다.

7 제시된 현상들은 빛의 굴절에 의해 나타난다.

8 볼록 렌즈에 나란하게 입사한 빛은 굴절 후 한 점에 모이고, 오목 렌즈에 나란하게 입사한 빛은 굴절 후 한 점에서 나온 것처럼 퍼져 나간다.

9 (1) 볼록 렌즈로 가까이 있는 물체를 보면 확대되어 보인다.

(3) 물체와 볼록 렌즈 사이의 거리가 멀어지면 어느 순간 거꾸로 선 상이 보이고 크기가 점점 작아진다.

오답 피하기 (2) 볼록 렌즈는 오목 거울과 비슷한 특징의 상이 생긴다.

(4) 근시를 교정할 때는 오목 렌즈를 이용한다. 볼록 렌즈는 원시를 교정할 때 이용한다.

(5) 항상 실제 물체보다 작고 바로 선 상이 생기는 것은 오목 렌즈이다.

10 ㄷ, ㅁ. 오목 렌즈를 이용하는 예이다.

오답 피하기| ㄱ, ㄴ, ㄹ. 볼록 렌즈를 이용하는 예이다.

과학적 사고로! **탐구하기** 개념 학습 교재 74쪽

Ⓐ ㉠ 같다, ㉡ 같다

1 (1) ○ (2) × (3) × (4) ○ **2** 2.0 m

Ⓐ

1 **오답 피하기**| (2) 아크릴 판에서 물체까지의 거리와 아크릴 판에서 상까지의 거리는 같으므로 아크릴 판에서 물체까지의 거리가 멀어지면 아크릴 판에서 상까지의 거리도 멀어진다.

(3) 빛이 평면거울의 거울면에서 반사하기 때문에 평면거울에 의한 상이 생기는 것이다.

2 시계에서 거울까지의 거리는 0.8 m＋1.2 m＝2.0 m이다. 따라서 거울면에서 거울에 비친 시계의 상까지의 거리도 2.0 m 이다.

Beyond **특강** 개념 학습 교재 75쪽

1 볼록 거울 **2** ① **3** ④ **4** 오목 거울 **5** ② **6** ⑤

1 볼록 거울에 의해서는 항상 실제 물체보다 작고 바로 선 상이 생긴다.

2 볼록 거울에 의한 상은 물체와 거울 사이의 거리에 관계없이 항상 실제 물체보다 작고 바로 선 모습이다.

3 **오답 피하기**| ㄱ. 잠망경에는 평면거울을 이용한다.

ㄴ. 치과용 거울에는 가까이 있는 물체를 확대해서 볼 수 있는 오목 거울을 이용한다.

4 오목 거울로 멀리 떨어진 물체를 보면 거꾸로 선 상이 생긴다.

5 오목 거울로 가까이 있는 물체를 보면 실제 물체보다 크고 바로 선 상이 생긴다.

6 **오답 피하기**| ⑤ 자동차의 오른쪽 측면 거울에는 넓은 범위를 볼 수 있는 볼록 거울을 이용한다.

Beyond **특강** 개념 학습 교재 76쪽

1 (가) 볼록 렌즈, (나) 오목 렌즈 **2** (가) 오목 렌즈, (나) 볼록 렌즈

3 ④ **4** ① **5** ②

1 (가)는 렌즈가 물체 가까이 있을 때 크고 바로 선 상이 생겼으므로 볼록 렌즈이고, (나)는 렌즈가 물체 가까이 있을 때 작고 바로 선 상이 생겼으므로 오목 렌즈이다.

2 (가)는 렌즈가 물체 멀리 있을 때 작고 바로 선 상이 생겼으므로 오목 렌즈이고, (나)는 렌즈가 물체 멀리 있을 때 거꾸로 선 상이 생겼으므로 볼록 렌즈이다.

3 ㄴ, ㄷ. 오목 거울과 볼록 렌즈로부터 물체가 멀리 있을 때 거꾸로 선 상을 볼 수 있다.

오답 피하기| ㄱ, ㄹ. 볼록 거울과 오목 렌즈에 의해서는 항상 실제 물체보다 작고 바로 선 상이 보인다.

4 물체가 렌즈에서 멀리 있을 때 작고 바로 선 상이 보이므로 이 렌즈는 오목 렌즈이다. 오목 렌즈에 의해서는 렌즈와 물체 사이의 거리에 관계없이 항상 실제 물체보다 작고 바로 선 상이 보인다.

5 물체가 렌즈에서 멀리 있을 때 거꾸로 선 상이 보이므로 이 렌즈는 볼록 렌즈이다. 볼록 렌즈로 가까이 있는 물체를 보면 실제 물체보다 크고 바로 선 상이 보인다.

실력을 키워! **내신 잡기** 개념 학습 교재 77~80쪽

01 ③ **02** ③ **03** 1 m **04** ⑤ **05** ③ **06** ④ **07** ② **08** ①, ③ **09** ③ **10** ③ **11** ① **12** ㉠ 오목 거울, ㉡ 볼록 거울 **13** ⑤ **14** ③ **15** 빛의 굴절 **16** ① **17** ② **18** ①, ④ **19** ④ **20** ⑤ **21** ②

01 ㄱ, ㄷ. 각 A는 입사각이고 각 B는 반사각이다. 각 A의 크기는 90°−40°=50°이고, 반사 법칙에 의해 입사각과 반사각의 크기는 같으므로 각 B의 크기도 50°이다.

오답 피하기| ㄴ. 각 C는 40°이고 반사각인 각 B는 50°이므로 각 C는 각 B보다 작다.

02 ③ (나)는 매끄러운 면에서 일어나는 정반사이다.

오답 피하기| ①, ② (가)는 거친 면에서 일어나는 난반사이고, (나)는 매끄러운 면에서 일어나는 정반사이다.

④, ⑤ 정반사와 난반사 모두 각각의 빛은 반사 법칙에 따라 입사각과 반사각의 크기가 같게 반사한다.

03 물체에서 평면거울까지의 거리와 평면거울에서 상까지의 거리는 같으므로 물체에서 평면거울까지의 거리와 평면거울에서 상까지의 거리는 1 m로 같다.

04 수직으로 세운 CD 덮개에 생긴 상은 평면거울에 생긴 상과 특징이 같다. 따라서 덮개에 대칭인 위치에 원래 그림과 같은 크기의 상이 생긴다.

05 수직으로 세운 CD 덮개는 평면거울과 같은 역할을 하므로 원래 그림과 같은 크기의 상이 생긴다. 따라서 검은 종이 위에 따라 그린 그림의 가로 길이와 세로 길이는 원래 그림과 같다.

06 ㄱ, ㄷ. 각각의 광선은 거울면에서 반사 법칙에 따라 반사하며, 물체에서 평면거울까지의 거리와 평면거울에서 상까지의 거리는 같다.
오답 피하기 ㄴ. 상은 실제 물체와 비교했을 때 상하는 그대로이고 좌우가 바뀌어 보인다.

07 ② 잠망경은 평면거울 2개를 이용해서 외부를 볼 수 있게 만든 도구로 빛의 반사 법칙을 이용한다.
오답 피하기 ① 잠망경에는 평면거울 2개가 있어 빛이 두 번 반사하므로 상의 좌우가 바뀌어 보이지 않는다.
③ 빛의 반사 현상을 이용한 도구이다.
④, ⑤ 평면거울을 이용하므로 항상 실제 물체와 같은 크기의 상이 보인다.

08 ① 볼록 거울에 의해서는 항상 물체보다 작고 바로 선 상이 관찰되므로 더 넓은 범위를 볼 수 있다.
③ 볼록 거울은 빛을 퍼지게 하는 성질이 있고, 오목 거울은 빛은 한 점에 모으는 성질이 있다.
오답 피하기 ② 성화를 채화할 때 사용하는 것은 빛을 한 점에 모을 수 있는 오목 거울이다.
④ 볼록 거울에 의해서는 항상 물체보다 작고 바로 선 상이 관찰된다.
⑤ 나란하게 입사한 빛이 거울면에서 반사된 후 한 점에 모이는 것은 오목 거울이다.

09 **오답 피하기** ㄷ. (가)는 나란하게 입사한 빛이 반사 후 퍼져 나가므로 볼록 거울이고, (나)는 나란하게 입사한 빛이 반사 후 한 점에 모이므로 오목 거울이다.

10 ③ 태양열 조리기는 오목 거울을 이용한 도구로, 빛을 반사 후 한 점에 모이게 하여 음식을 조리한다.
오답 피하기 ①, ②, ④, ⑤ 주로 빛의 굴절 현상을 이용한 것이다.

11 볼록 거울에 의해서는 물체와 거울 사이의 거리에 관계없이 항상 실제 물체보다 작고 바로 선 상이 생긴다.

12 숟가락의 오목한 면은 오목 거울과 같은 역할을 하여 얼굴을 멀리서 비추어 보면 거꾸로 선 상이 보인다. 숟가락의 볼록한 면은 볼록 거울과 같은 역할을 하여 얼굴이 항상 실제보다 작고 바로 선 상으로 보인다.

13 **오답 피하기** ⑤ 자동차의 오른쪽 측면 거울에는 볼록 거울을 이용한다.

14 ㄷ. 입사각이 커지면 굴절각도 커진다. 즉, 각 A가 커지면 각 B도 커진다.

ㄹ. 그림에서 확인할 수 있듯이 공기 중에서 물속으로 진행할 때 입사각 A가 굴절각 B보다 크다.
오답 피하기 ㄱ, ㄴ. 각 A는 입사 광선과 법선이 이루는 각이므로 입사각이고, 각 B는 굴절 광선과 법선이 이루는 각이므로 굴절각이다.

15 제시된 현상은 성질이 다른 물질로 진행할 때 빛의 진행 방향이 꺾이는 빛의 굴절 때문에 나타나는 현상이다.

16 ㄱ. 볼록 렌즈는 가장자리보다 가운데가 두꺼운 렌즈이다.
오답 피하기 ㄴ. 볼록 렌즈로 가까이 있는 물체를 볼 때는 실제 물체보다 크게 보이지만 아주 멀리 있는 물체를 볼 때는 실제 물체보다 작게 보인다.
ㄷ. 볼록 렌즈에 나란하게 입사한 빛은 렌즈를 통과한 후 한 점에 모인다.

17 동전에서 반사된 빛이 물속에서 공기 중으로 진행할 때 빛의 속력이 느린 물 쪽으로 진행 방향이 꺾인다. 우리 눈은 빛이 직진했다고 인식하므로 실제 동전의 위치보다 떠올라 있는 위치에 동전이 있는 것으로 보게 된다.

18 볼록 렌즈에 나란하게 입사한 빛은 굴절 후 한 점에 모이고, 오목 렌즈에 나란하게 입사한 빛은 굴절 후 한 점에서 나온 것처럼 퍼져 나간다.

19 볼록 렌즈 가까이에 물체가 있을 때는 실제 물체보다 크고 바로 선 상이 생기며, 물체가 렌즈에서 멀어지면 어느 순간 상이 거꾸로 뒤집힌 후 상의 크기는 점점 작아진다.

20 **오답 피하기** ⑤ 볼록 거울과 오목 렌즈에 의해서는 항상 물체보다 작고 바로 선 상이 생긴다.

21 가까운 곳의 물체를 잘 보지 못하는 눈의 이상인 원시는 볼록 렌즈로 교정하고, 먼 곳의 물체를 잘 보지 못하는 눈의 이상인 근시는 오목 렌즈로 교정한다.

실력의 완성! **서술형 문제** 개념 학습 교재 81쪽

1 **모범 답안** 응급차 앞에서 가는 차 안의 후방 거울로 뒤를 보았을 때 좌우가 바뀌므로 'AMBULANCE'라는 글자를 바로 보기 위해서이다.

채점 기준	배점
'AMBULANCE'라는 글자를 바로 보기 위해서라는 언급이 있는 경우	100 %
그 외의 경우	0 %

2 모범 답안 (1)

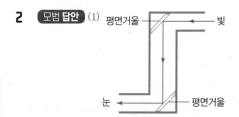

(2) 과학, 평면거울에서 반사할 때 좌우가 바뀌는데 평면거울에서 두 번 반사하였으므로 원래 글자의 모습대로 보이기 때문이다.

	채점 기준	배점
(1)	모범 답안과 같이 옳게 그린 경우	50 %
	경로는 옳게 그렸으나 화살표의 방향을 표시하지 않은 경우	20 %
(2)	'과학'이라고 쓰고, 그 까닭을 옳게 서술한 경우	50 %
	'과학'이라고만 쓴 경우	20 %

2-1 반사 법칙에 의해 입사각과 반사각의 크기는 같다.

모범 답안 45°

3 모범 답안 처음에는 실제 민수보다 작고 거꾸로 선 상이 보이다가 거울에 가까워질수록 상의 크기가 점점 커진다. 그러다 어느 순간 실제 민수보다 크고 바로 선 상으로 보인다.

채점 기준	배점
처음의 상의 모습과 가까워졌을 때의 상의 모습을 모두 언급하여 옳게 서술한 경우	100 %
상의 크기가 커진다만 쓴 경우	40 %
상이 뒤집힌다고만 쓴 경우	40 %

03 파동과 소리

기초를 튼튼히! **개념 잡기**　　개념 학습 교재 83, 85쪽

1 ㉠ 매질, ㉡ 에너지, ㉢ 진동　**2** A: 마루, B: 골, C: 진폭, D: 파장
3 (1) ○ (2) × (3) ○　**4** (1) 20 Hz (2) 0.02초 (3) 0.02 Hz (4) 0.25 Hz
5 (1) 횡파 (2) 종파 (3) 횡파 (4) 종파　**6** (1) ○ (2) × (3) × (4) ×
7 진동　**8** (1) ㉡ (2) ㉠ (3) ㉢　**9** (나)　**10** D

2 진동 중심에서 마루나 골까지의 거리는 진폭이고, 이웃한 마루와 마루, 또는 골과 골 사이의 거리는 파장이다.

3 오답 피하기 (2) 위치 – 시간 그래프에서는 파동의 진폭과 주기, 진동수를 알 수 있다. 파동의 파장을 알 수 있는 것은 위치 – 거리 그래프이다.

4 (1) 진동수는 1초 동안 파동이 진동한 횟수이다. 이 파동은 1초에 20회 진동하므로 진동수는 20 Hz이다.

(2) 진동수는 주기와 역수 관계이므로 $\frac{1}{50\,Hz}$=0.02초이다.

(3) 주기는 진동수와 역수 관계이므로 $\frac{1}{50초}$=0.02 Hz이다.

(4) 이 파동의 주기는 4초이므로 진동수는 $\frac{1}{4초}$=0.25 Hz이다.

6 오답 피하기 (2) 소리는 매질이 고체, 액체, 기체 상태일 때 모두 전달된다.
(3) 소리는 매질이 없는 진공 중에서는 전달되지 않는다.
(4) 소리는 종파이므로 소리의 진행 방향과 공기의 진동 방향은 서로 나란하다.

7 물체의 진동으로 발생한 소리는 주변의 공기를 진동시키면서 전달된다.

8 소리의 3요소는 소리의 크기, 소리의 높낮이, 음색으로 각각 진폭, 진동수, 파형과 관계가 있다.

9 진폭이 클수록 큰 소리가 난다.

10 실로폰의 길이가 짧을수록 가벼워서 진동수가 커지므로 높은 소리가 난다.

실력을 키워! **내신 잡기**　　개념 학습 교재 86~88쪽

01 ③　**02** ③　**03** ②　**04** ④　**05** 파장 : 4 m, 주기: 0.5초　**06** (가)
횡파, (나) 종파　**07** ④　**08** ⑤　**09** ④　**10** ②　**11** ㄴ, ㄷ　**12** ①
13 ⑤　**14** ⑤　**15** ①　**16** ⑤

01 물결파가 진행할 때 매질인 물이 제자리에서 위아래로 진동하므로 공도 제자리에서 위아래로 진동만 한다.

02 파동이 전파될 때 파동이 가진 에너지가 함께 전달되므로 해안가 절벽에서 풍화 작용이 일어나거나 지진파에 의해 건물이 파괴된다.

03 ㄷ. D는 진동 중심에서 마루까지의 거리이므로 진폭이다.
오답 피하기| ㄱ. A는 파동의 가장 높은 부분인 마루이고, C는 파동의 가장 낮은 부분인 골이다.
ㄴ. B는 인접한 마루와 마루 사이의 거리이므로 파장을 나타낸다.

04 그림과 같이 다음 순간 오른쪽으로 진행한 파동을 그려 보면 P점에 있는 매질은 아래쪽으로 움직인다는 것을 알 수 있다.

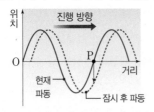

05 파장은 파동이 한 번 진동할 때 이동한 거리이므로 제시된 그림에서 4 m임을 알 수 있다. 이 파동은 1초에 2회 진동하므로 진동수는 2 Hz이고, 진동수의 역수인 주기는 0.5초이다.

06 (가)와 같이 파동의 진행 방향과 매질의 진동 방향이 서로 수직이면 횡파이고, (나)와 같이 서로 나란하면 종파이다.

07 지진파의 S파, 빛, 전파 등은 횡파에 해당하고, 지진파의 P파, 소리(음파), 초음파 등은 종파에 해당한다.

08 파동의 진행 방향과 매질의 진동 방향이 서로 수직이면 횡파, 서로 나란하면 종파이다.

09 촛불이 앞뒤로 흔들리는 것은 촛불 주위의 공기가 진동하기 때문이다. 따라서 소리는 공기의 진동으로 전달된다는 것을 알 수 있다.

10 소리는 매질이 있어야만 전달된다. 공기를 모두 뺀 유리 용기 속은 진공 상태이므로 소리를 전달하는 매질이 없어 자명종 소리가 들리지 않는다.

11 ㄴ. 소리는 물체의 진동으로 발생한다. 사람의 목소리도 성대의 진동으로 발생한다.
ㄷ. 소리는 공기의 진동으로 전달되며, 공기의 진동이 고막을 진동시켜 대뇌에서 소리를 인식하여 소리를 듣게 된다.
오답 피하기| ㄱ. 사람은 진동수가 20000 Hz 이상인 초음파는 듣지 못한다. 사람은 진동수가 20~20000 Hz 사이의 소리만 들을 수 있다.

12 진폭이 클수록 큰 소리이다. 따라서 진폭이 가장 큰 (가)가 가장 큰 소리이고, 진폭이 가장 작은 (나)가 가장 작은 소리이다.

13 ① (가)와 (다)의 진폭이 같으므로 소리의 크기는 같다.
② (나)와 (라)의 진폭이 같으므로 소리의 크기는 같다.
③ (가)와 (나)는 진동수가 같으므로 높이가 같은 소리이다.

④ (가)는 (라)보다 진폭은 작고 진동수는 크다. 따라서 (가)는 (라)보다 작고 높은 소리이다.
오답 피하기| ⑤ (가)~(라)의 파형은 모두 동일하므로 (가)~(라)는 모두 같은 물체에서 발생한 소리이다.

14 유리병의 입구를 입으로 불었을 때는 병의 입구와 수면 사이의 공기 기둥이 진동하여 소리가 난다. 따라서 진동하는 공기 기둥의 길이가 가장 짧은 C에서 진동수가 가장 크므로 가장 높은 소리가 난다.

15 유리병을 막대로 쳤을 때는 유리병이 진동하여 소리가 난다. 따라서 병의 무게가 가장 가벼운 A에서 진동수가 가장 크므로 가장 높은 소리가 난다.

16 ㄴ. 일반적으로 남자의 목소리는 여자의 목소리에 비해 진동수가 작으므로 낮은 소리가 난다.
ㄷ. 같은 '미' 음이라도 악기마다 음색이 달라 악기마다 다른 소리가 난다.
오답 피하기| ㄱ. 진폭이 클수록 큰 소리가 나고, 진동수가 클수록 높은 소리가 난다.

실력의 완성! **서술형 문제** 개념 학습 교재 **89쪽**

1 **모범 답안** 파동이 전파될 때 매질은 파동과 함께 이동하지 않고 제자리에서 진동한다. 파동과 같이 전달되는 것은 에너지이다.

채점 기준	배점
2가지 모두 옳게 서술한 경우	100 %
1가지만 옳게 서술한 경우	50 %

1-1 **모범 답안** 위아래로 진동한다.

2 **모범 답안** 소리는 매질을 통해서만 전달되므로 소리의 크기가 점점 작아지다가 진공 상태가 되면 소리가 더 이상 들리지 않게 된다.

채점 기준	배점
제시된 단어를 모두 포함하여 옳게 서술한 경우	100 %
제시된 단어의 일부만 포함하여 서술한 경우	50 %

3 **모범 답안** (1) C 구간, 진폭이 클수록 큰 소리가 나기 때문이다.
(2) E 구간, 진동수가 클수록 높은 소리가 나기 때문이다.

	채점 기준	배점
(1)	C 구간을 고르고, 그 까닭을 옳게 서술한 경우	50 %
	C 구간만 고른 경우	20 %
(2)	E 구간을 고르고, 그 까닭을 옳게 서술한 경우	50 %
	E 구간만 고른 경우	20 %

1 ❶빛 ❷눈 ❸반사 ❹눈
2 ❶초록 ❷밝아 ❸삼원
3 ❶반사 ❷검은 ❸빨간 ❹검은
4 ❶방향 ❷같다 ❸좌우 ❹같다
5 ❶오목 ❷작고 ❸볼록 ❹크고 ❺속력
6 ❶매질 ❷에너지 ❸역수 ❹진행 ❺진동
7 ❶진동 ❷매질 ❸크기 ❹높낮이 ❺음색

01 ①   02 ①   03 초록색   04 빨간색, 초록색, 파란색   05 ④
06 ④   07 ③   08 ①   09 ②   10 ④   11 ⑤   12 ③   13 ④
14 ④   15 현수: 오목 렌즈, 명수: 볼록 렌즈   16 ⑤   17 ①   18 B
19 ④   20 ③   21 ③   22 ③   23 A   24 ④   25 ③   26 ③
27 해설 참조   28 해설 참조   29 해설 참조

01 제시된 현상들은 빛이 직진하기 때문에 나타난다.

02 광원인 전등에서 나온 빛이 장난감 자동차에서 반사되어 우리 눈에 들어오면 장난감 자동차를 볼 수 있게 된다.

03 자홍색은 빨간색과 파란색 빛의 합성색이므로 자홍색 빛에 초록색 빛을 합성시키면 빛의 삼원색이 모두 합성되어 백색광을 만들 수 있다.

04 화소는 빛의 삼원색인 빨간색, 초록색, 파란색으로 이루어진 색 점이다.

05 물체는 빨간색과 초록색 빛을 반사하므로 백색광 아래에서 이 두 빛의 합성색인 노란색으로 보인다.

06 노란색(=빨간색+초록색) 레몬은 초록색 빛을 반사하여 초록색으로 보이고, 빨간색 쟁반은 반사하는 빛이 없어 검은색으로 보인다.

07 자료 분석

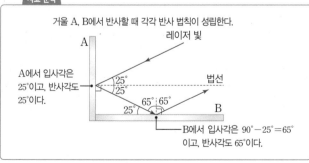

거울 A, B에서 반사할 때 각각 반사 법칙이 성립한다.

레이저 빛

A

A에서 입사각은 25°이고, 반사각도 25°이다.

법선

25°/25°

65°/65°

25°

B

B에서 입사각은 90°−25°=65°이고, 반사각도 65°이다.

반사 법칙에 의해 입사각과 반사각이 같으므로 A에서 반사될 때 반사각은 25°이다. 따라서 B에 입사할 때 입사각은 65°이므로 반사각도 65°이다.

08 ㄱ. 잠망경은 평면거울을 이용하므로 빛의 반사를 이용한 기구이다.
오답 피하기 ㄴ, ㄷ. 잠망경은 평면거울 2개를 이용하므로 글자는 실제와 같은 크기와 같은 모습으로 보인다. 따라서 '2'라는 글자를 잠망경으로 보면 그대로 '2'로 보인다.

09 물체가 거울에 가까이 있을 때 평면거울에는 실제 물체와 같은 크기의 상이, 볼록 거울에는 실제 물체보다 크기가 작은 상이, 오목 거울에는 실제 물체보다 크기가 큰 상이 생긴다.

10 항상 물체보다 작은 상이 생기므로 이 거울은 볼록 거울이다. 볼록 거울에 나란하게 입사한 빛은 반사 후 한 점에서 나온 것처럼 퍼져 나간다.

11 볼록 거울은 넓은 범위를 보아야 하는 상점의 보안 거울, 도로의 안전 거울, 자동차의 오른쪽 측면 거울 등에 이용한다.

12 오목 거울과 볼록 렌즈 가까이에 물체를 놓으면 실제 물체보다 크기가 크고 바로 선 상을 관찰할 수 있다.

13 **오답 피하기** ㄷ. 물속에 잠긴 다리가 실제보다 짧아 보이는 것은 빛이 굴절하기 때문이다.

14 볼록 렌즈로 아주 멀리 있는 물체를 보면 실제 물체보다 작고 거꾸로 선 상이 보이고, 오목 렌즈로 아주 멀리 있는 물체를 보면 실제 물체보다 작고 바로 선 상이 보인다.

15 현수는 가까운 곳이 잘 보이고 먼 곳이 잘 보이지 않는 근시이므로 오목 렌즈로 교정해야 하고, 명수는 먼 곳이 잘 보이고 가까운 곳이 잘 보이지 않는 원시이므로 볼록 렌즈로 교정해야 한다.

16 ①, ② 이 물체를 통과한 빛은 굴절하면서 바깥쪽으로 퍼져 나간다. 따라서 이 물체는 오목 렌즈이다.
③ 오목 렌즈를 이용해서 근시를 교정하고, 볼록 렌즈를 이용해서 원시를 교정한다.
④ 오목 렌즈는 가운데 부분이 가장자리보다 얇고, 볼록 렌즈는 가운데 부분이 가장자리보다 두껍다.
오답 피하기 ⑤ 이 물체는 나란하게 입사한 빛을 퍼지게 하는 오목 렌즈로, 오목 렌즈에 의해서는 항상 실제 물체보다 작고 바로 선 상이 보인다.

17 ① 파동은 어느 한곳에서 발생한 물체의 진동이 주위로 퍼져 나가는 현상이다.
오답 피하기 ② 파동이 처음 발생한 지점을 파원이라고 한다.
③ 파동이 진행할 때 에너지는 파동과 함께 이동하지만 매질은 제자리에서 진동만 한다.
④ 매질의 한 점이 1초 동안 진동한 횟수를 진동수라고 한다.
⑤ 파동이 1회 진동하는 동안 이동하는 거리를 파장이라고 한다.

18 진동수와 역수 관계인 파동의 요소는 주기이다. 주기는 파동이 1회 진동하는 데 걸린 시간으로 파동의 위치를 시간에 따라 나타낸 그래프에서 이웃한 마루와 마루 사이의 거리(B)와 같다.

19

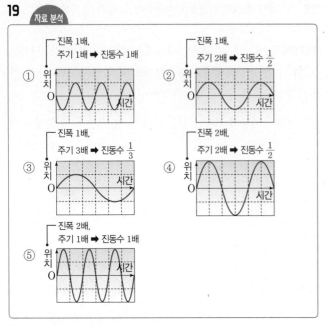

진폭은 진동 중심에서 마루나 골까지의 거리이고, 주기가 2배이면 주기의 역수인 진동수는 $\frac{1}{2}$이 된다.

20 **오답 피하기**| ③ 용수철을 더 세게 흔들면 진폭이 커진다. 진동 수가 커지려면 용수철을 더 빠르게 흔들어야 한다.

21

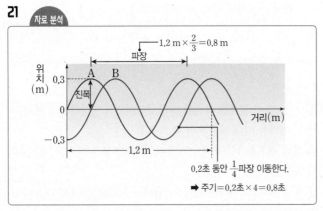

파동의 파장은 인접한 마루와 마루 사이의 거리이므로 0.8 m이고, 진폭은 진동 중심에서 마루나 골까지의 거리이므로 0.3 m이다. 파 동은 A에서 B 위치까지 0.2초 동안 $\frac{1}{4}$파장만큼 이동했으므로 한 파장만큼 이동하는 데 걸린 시간인 주기는 0.8초이다.

22 ㄱ, ㄷ. 소리의 크기는 진폭에 따라 결정되며, 물체의 진동이 클수록 진폭이 커서 큰 소리가 난다.
오답 피하기| ㄴ. 물체가 빠르게 진동하면 진동수가 커서 높은 소리 가 난다.

23 강철자의 길이가 짧을수록 가볍기 때문에 진동수가 커서 높은 소리가 난다.

24 (가)는 진동수가 다른 두 소리, 즉 높낮이가 다른 소리이고, (나)는 파형이 다른 두 소리, 즉 음색이 다른 소리이다.

25 자전거 바퀴가 빨리 돌아가면 바퀴살과 종이가 부딪히는 횟수 가 증가한다. 즉, 진동수가 커지므로 더 높은 소리가 난다.

26 ①, ②, ④, ⑤ 진동수가 달라 소리가 다르게 들리는 것이다.
오답 피하기| ③ 음색이 달라 소리가 다르게 들리는 것이다.

27 **모범 답안** 파란색, 흰색은 빛의 삼원색인 빨간색, 초록색, 파 란색이 합성될 때 나타나기 때문이다.

채점 기준	배점
파란색이라고 쓰고, 그 까닭을 옳게 서술한 경우	100 %
파란색이라고만 쓴 경우	40 %

28 망막 앞에 상이 맺혀 가까운 곳은 잘 보이지만 먼 곳은 잘 보 이지 않는 눈의 이상을 근시라고 한다. 근시는 오목 렌즈를 이용하 여 상이 망막에 맺히도록 교정한다.
모범 답안 (1) 근시
(2) 오목 렌즈
(3) 상이 망막 앞에 맺히므로 오목 렌즈를 이용하여 빛을 퍼지게 하 여 상이 망막에 맺히도록 한다.

	채점 기준	배점
(1)	근시라고 쓴 경우	20 %
(2)	오목 렌즈라고 쓴 경우	20 %
(3)	제시된 단어를 모두 포함하여 옳게 서술한 경우	60 %
	제시된 단어의 일부만 포함하여 서술한 경우	30 %

29 **모범 답안** 소리는 고체인 실을 통해서도 전달되기 때문이다.

채점 기준	배점
소리는 고체를 통해서도 전달된다는 내용을 서술한 경우	100 %
소리가 전달되기 때문이라고만 서술한 경우	50 %

01 과학과 나의 미래

기초를 튼튼히! 개념 잡기 　개념 학습 교재 **99, 101**쪽

1 (1) 기초 (2) 응용 (3) 응용 (4) 기초 (5) 응용 (6) 기초 　**2** (1) ○ (2) ×
(3) × (4) ○ 　**3** 국가 직무 능력 표준(NCS) 　**4** (1) ㄱ (2) ㅂ (3) ㄹ
(4) ㄴ (5) ㄷ (6) ㅁ 　**5** (1) × (2) ○ (3) × (4) ○ 　**6** (1) ㄷ (2) ㄱ (3) ㅂ
(4) ㄹ 　**7** (1) ⓒ (2) ⓔ (3) ㉠ (4) ⓛ 　**8** ㉠ 고령화, ⓛ 다문화, ⓒ 디지털

1 (1), (4), (6) 과학 지식을 탐구하는 기초 과학과 관련된 직업은
물리학, 화학, 생명 과학, 지구 과학과 같은 분야와 관계가 있다.
직업의 예로는 물리학자, 화학자, 생명 과학자, 지구 과학자 등이
있다.
(2), (3), (5) 과학 지식을 이용하여 생활 속 문제를 해결하는 응용과
학과 관련된 직업은 기술, 공학, 의학, 농학과 같은 분야와 관계가
있다. 직업의 예로는 로봇 연구원, 데이터 과학자, 기계 공학자 등
이 있다.

2 연구 대상의 특성에 따른 과학의 연구 분야에는 물리학, 화학,
생명 과학, 지구 과학이 있다.
(2) 물질의 구조와 성질, 물질의 변화 등을 연구하는 학문은 화학이
다.
(3) 힘과 운동, 빛과 파동, 열과 에너지 등을 연구하는 학문은 물리
학이다.

3 국가 직무 능력 표준(NCS)은 산업 현장에서 직무를 수행하
기 위해 요구되는 지식, 기술, 태도 등의 내용을 체계화한 것이다.
국가 직무 능력 표준(NCS)은 과학 관련 직업을 자연 과학, 화학,
생명 공학, 재료 공학 등 여러 가지 분야로 분류할 수 있다.

4 (1) 새로운 것을 생각해 내는 능력은 창의력이다.
(2) 컴퓨터나 스마트 기기 등을 활용하는 능력은 정보 통신 활용 능
력이다.
(3) 새로운 과학 기술 환경에 적응하기 위해 지속해서 학습하는 능
력은 평생 학습 능력이다.
(4) 과학 기술의 사회 문제에 관심을 가지고 의사 결정 과정에 참여
하는 능력은 과학적 참여이다.
(5) 과학적인 증거와 이론을 바탕으로 합리적으로 추론하는 능력으
로, 다양하고 독창적인 아이디어를 제안하는 능력은 과학적 사고
력이다.
(6) 과학 지식을 일상생활의 문제 해결에 활용하는 능력으로, 다양
한 정보와 자료를 활용한 해결 방안을 제시하고 실행하는 능력은
과학적 문제 해결력이다.

5 (1) 개별 연구보다 함께 연구하는 일이 많아지면서 과학 분야
가 서로 융합한다.
(2) 과학과 다른 분야가 융합된 직업들도 어떤 과학 지식을 활용하
느냐에 따라 하는 일이 각각 다르다.
(3) 기술, 공학, 사회, 예술, 문학 분야 등과 관련된 직업에서는 과
학의 중요성이 커지고 있다.
(4) 과학 분야가 서로 융합하여 만들어진 직업이나 과학과 기술, 공
학, 사회, 예술, 문학 분야 등과 융합하여 만들어진 직업이 많아지
고 있다.

6 과학 전문 기자는 과학 지식과 글쓰기 능력을 가지고 있어 과
학 관련 사건을 취재, 기사 작성, 보도하는 일을 한다. 음악 분수
연출가는 분수의 물줄기가 음악에 따라 움직이도록 설계한다.
(1) 폐기물 재활용 기술을 개발하거나 관련 활동을 관리하는 직업
은 재활용 관리사이다.
(2) 과학과 관련된 상식과 정보를 바탕으로 과학적이고 실감 나는
작품을 만드는 직업은 영화감독이다.
(3) 과학적 검증 방법을 이용하여 수많은 정보를 정리하고 해석하
여 필요한 서비스를 제안하는 직업은 빅 데이터 분석가이다.
(4) 역사적 지식과 함께 X선 촬영이나 물질의 특성 등 과학 지식을
바탕으로 오래된 문화재를 관리하고, 손상된 유물을 수리하여 원
래 모습으로 되돌리는 직업은 문화재 보존 연구원이다.

7 (1) 드론은 조종사 없이 무선 전파의 유도로 비행 및 조종이 가
능하게 하며, 무인기라고도 한다.
(2) 인공 지능은 인간의 지능으로 할 수 있는 학습, 추론 등을 컴퓨
터가 해내는 기술로, 로봇에 인공 지능을 탑재하여 이용할 수 있
다.
(3) 사물 인터넷은 사람과 사물, 사물과 사물의 데이터가 인터넷으
로 연결되는 기술이다. 대표적인 예로 스마트폰을 이용한 가전제
품의 제어가 있다.
(4) 3D 프린팅은 3차원 도면을 이용해 다양한 재료를 분사하여 3
차원 물체를 만드는 기술이다.

8 미래에 나타날 직업은 고령화 사회에 따른 직업, 다문화 사회
의 직업, 스마트 디지털 기술 사회의 직업으로 구분할 수 있다.

01 ③　**02** ④　**03** ②　**04** 국가 직무 능력 표준(NCS)　**05** ④
06 ②　**07** ④　**08** ⑤　**09** ③　**10** 인공 지능　**11** ⑤　**12** ⑤

01 ・학생 A: 과학 기술이 발달함에 따라 과학과 관련된 직업의 종류가 많아지고 있다.
・학생 B: 기초 과학에는 물리학, 화학, 생명 과학, 지구 과학의 네 분야가 있다.
오답 피하기 ・학생 C: 우리의 일상생활은 과학과 관련이 많아지고 있고, 과학과 관련된 직업의 종류와 수도 많아지고 있다.

02 ㄱ. 기초 과학과 관련된 직업은 과학 지식을 탐구하는 직업이다.
ㄴ. 기초 과학과 관련된 직업의 예로는 물리학자, 화학자, 생명 과학자, 지구 과학자가 있다.
오답 피하기 ㄷ. 물리학, 화학, 생명 과학, 지구 과학은 기초 과학 분야이고, 공학, 의학은 응용과학 분야이다.

03 ① 기계 공학자는 기계 부품의 설계나 제작과 관련된 기술을 개발하는 직업이다.
③ 항공 정비사는 항공기를 안전하게 운항할 수 있도록 유지하고 보수하는 직업이다.
④ 영양사는 식품의 성분을 알고, 영양과 맛을 고려하여 식단을 계획하는 직업이다.
⑤ 로봇 연구원은 산업용, 의료용 및 실생활에 이용할 수 있는 로봇을 연구하고 개발하는 직업이다.
오답 피하기 ② 생명 과학자는 여러 가지 생명 현상이나 생물체의 구조와 기능을 연구하는 직업이다. 지구 내부에서 일어나는 현상과 지층에 대해 연구하는 직업은 지구 과학자이다.

04 국가 직무 능력 표준(NCS)은 산업 현장에서 직무를 수행하기 위해 요구되는 지식, 기술, 태도 등의 내용을 체계화한 것으로, 과학 관련 직업을 여러 가지 분야로 분류할 수 있다.

05 (가) 수, 통계 자료, 도표 등을 이해하고 응용하는 능력은 수리 능력이다.
(나) 새로운 과학 기술 환경에 적응하기 위해 지속해서 학습하는 능력은 평생 학습 능력이다.
(다) 실험과 조사를 실행하는 탐구 능력이며, 다양한 방법으로 자료를 수집·해석·평가하여 새로운 과학 지식을 얻는 능력은 과학적 탐구 능력이다.

06 ② 현대 사회에는 과학 분야가 서로 융합하여 만들어진 직업이 많아졌다.
오답 피하기 ① 개별 연구보다 함께 모여 연구하는 일이 많아졌다.
③ 과학과 문화, 예술 등 다른 분야가 융합하여 만들어진 직업이 많아지고 있다.
④ 어떤 과학 지식을 활용하느냐에 따라 하는 일이 각각 다르다.
⑤ 새롭게 발견하거나 축적된 과학 지식을 이용한다.

07 ㄱ. 과학 전문 기자는 과학과 문학 등 다른 분야가 융합하여 만들어진 직업이다.
ㄴ. 과학 전문 기자가 되기 위해서는 기사를 잘 쓰기 위한 글쓰기 능력이 필요하고, 취재를 하면서 다른 사람들과 소통하기 위한 의사소통 능력이 필요하다.
오답 피하기 ㄷ. 과학 전문 기자는 글쓰기 능력과 함께 기초 과학 및 응용과학뿐만 아니라 과학과 여러 분야가 융합된 지식이 있어야 한다.

08 ①, ④ 과학 기술이 발달함에 따라 기존 직업이 사라지거나 직업의 모습이 달라지기도 하고 새로운 직업이 생기기도 한다.
②, ③ 과학 기술이 발달함에 따라 직업과 취미 생활의 구분이 모호해지고, 사람들의 직업이 여러 번 바뀌기도 한다.
오답 피하기 ⑤ 단순하거나 반복적인 일은 기계나 로봇이 그 기능을 대신하여 그러한 일을 하는 직업들은 점차 사라지게 된다.

09 과거에는 이동 수단으로 마차를 이용하였으므로 마부, 마차 제작자, 마차 수리공 등의 직업이 있었으나 현재에는 마차를 이용하지 않기 때문에 이러한 직업들이 사라졌다.

10 인공 지능은 미래를 바꾸고 미래 사회 직업에 영향을 미칠 과학 기술이다. 인간의 지능으로 할 수 있는 학습, 추론 등을 컴퓨터가 대신 해내는 기술이다.

11 ⑤ 탈부착 골근격 증강기 연구원은 고령화 사회가 됨에 따라 나타날 직업으로, 노화로 인해 퇴행된 근육을 대신할 수 있도록 입거나 벗을 수 있는 골근격 증강기를 개발한다.
오답 피하기 ① 오감 인식 기술자는 표정이나 음성 인식으로 인해 안전 운행, 장애인 보행을 돕는다.
② 아바타 개발자는 인간을 대체하는 아바타를 만들고, 아바타 홀로그램을 개발한다.
③ 데이터 소거원은 인터넷에 떠돌고 있는 의뢰인의 부정적인 정보를 찾아서 안전하게 제거한다.
④ 문화 갈등 해결원은 인종, 국가, 민족, 종교 등 문화가 다른 사람들 사이의 갈등을 예방하고 분쟁을 조정한다.

12 ①, ③ 미래에 자신에게 맞는 직업을 선택하기 위해서는 다양한 직업에 관심을 가지고, 현재보다 미래에 유망한 직업을 가지기 위해 노력한다.
② 과학 기술의 발달에 의해 사람들의 직업이 여러 번 바뀌기도 하므로 평생 학습에 대한 의지를 가지고 있어야 한다.
④ 직업에 필요한 능력을 알고 미리 준비해야 하며, 적성이 자신과 맞는지 확인해야 한다.
오답 피하기 ⑤ 먼저 직업에 필요한 능력을 파악하고, 본인의 적성, 가치관, 성격 등이 그 직업과 맞는지 고려해야 한다.

1   과학 지식을 탐구하는 기초 과학과 관련된 직업은 화학자, 물리학자, 생명 과학자, 지구 과학자이다. 과학 지식을 이용하여 생활 속 문제를 해결하는 응용과학과 관련된 직업은 영양사, 로봇 공학자, 기계 공학자이다.

모범 답안 (1) 화학자, 물리학자, 생명 과학자, 지구 과학자

(2) 영양사, 로봇 공학자, 기계 공학자

(3) 영양사는 식품의 성분을 알고, 영양과 맛을 고려하여 식단을 계획한다. 로봇 공학자는 산업용, 의료용 및 실생활에 이용할 수 있는 로봇을 연구하고 개발한다. 기계 공학자는 기계 부품의 설계나 제작과 관련된 기술을 개발한다.

	채점 기준	배점
(1)	기초 과학과 관련된 직업을 모두 옳게 쓴 경우	30 %
(2)	응용과학과 관련된 직업을 모두 옳게 쓴 경우	30 %
(3)	(2)에 해당하는 직업 중 1가지 직업의 하는 일을 옳게 서술한 경우	40 %
	(2)에 해당하는 직업 중 1가지 직업의 하는 일을 미흡하게 서술한 경우	20 %

2   과학적 의사소통 능력은 과학과 관련된 직업을 가지기 위해 필요한 역량 중 하나이다.

모범 답안 자신의 생각을 말, 글, 그림, 기호 등으로 표현하는 능력이며, 자신의 생각을 주장하고 다른 사람의 생각을 이해하고 조정하는 능력이다.

채점 기준	배점
제시된 단어를 모두 포함하여 옳게 서술한 경우	100 %
제시된 단어 중 3가지만 사용하여 서술한 경우	50 %

2-1 과학과 관련된 직업을 가지기 위해서는 각 직업에 필요한 역량이 있다.

모범 답안 과학적 사고력, 과학적 탐구 능력, 과학적 문제 해결력, 과학적 의사소통 능력, 과학적 참여, 평생 학습 능력, 논리적 사고력, 창의력, 수리 능력, 정보 통신 활용 능력, 호기심, 성실성, 자기 직업에의 애정 중 2가지

3   고령화 사회에 따른 직업에는 탈부착 골근격 증강기 연구원, 인공 장기 조직 개발자 등이 있다. 다문화에 따른 국제화 사회의 직업에는 국제 인재 채용 대리인, 문화 갈등 해결원 등이 있다. 스마트 디지털 기술 사회의 직업에는 아바타 개발자, 데이터 소거원, 오감 인식 기술자 등이 있다.

모범 답안 아바타 개발자, 데이터 소거원. 아바타 개발자는 인간을 대체하는 아바타를 만들고, 아바타 홀로그램을 개발한다. 데이터 소거원은 인터넷에 떠돌고 있는 의뢰인의 부정적인 정보를 찾아서 안전하게 제거한다.

채점 기준	배점
스마트 디지털 기술 사회에서 생겨나거나 유망한 직업을 모두 쓰고, 그중 1가지 직업에 대해 옳게 서술한 경우	100 %
스마트 디지털 기술 사회에서 생겨나거나 유망한 직업만 모두 쓴 경우	30 %

Ⅳ 기체의 성질 》

01 입자의 운동

중 단 원 핵심 정리
시험 대비 교재 2쪽

❶ 입자 ❷ 모든 ❸ 높을 ❹ 확산 ❺ 운동 ❻ 높을 ❼ 확산 ❽ 증발 ❾ 운동 ❿ 높을 ⓫ 낮을 ⓬ 넓을 ⓭ 감소 ⓮ 증발

중단원 퀴즈
시험 대비 교재 3쪽

❶ 입자 ❷ 모든 ❸ 확산 ❹ 확산 ❺ ㉠ 높을, ㉡ 작을, ㉢ 진공 속 ❻ ㉠ 가까운, ㉡ 모든 ❼ 증발 ❽ 증발 ❾ ㉠ 높을, ㉡ 낮을, ㉢ 강할, ㉣ 넓을 ❿ (1) 증발 (2) 증발 (3) 증발 (4) 확산 (5) 확산 (6) 확산

중단원 기출 문제
시험 대비 교재 4~7쪽

01 ② 02 ① 03 ① 04 ④ 05 ① 06 ④ 07 ⑤ 08 ②, ⑤ 09 ⑤ 10 ⑤ 11 증발 12 ⑤ 13 ③ 14 ④ 15 ㄱ 16 ④ 17 ⑤ 18 ③ 19 ⑤ 20 ② 21 해설 참조 22 해설 참조 23 해설 참조

01 ㄱ, ㄹ. 주사기에 기체를 넣고 끝을 막은 다음 피스톤을 누르면 피스톤이 밀려 들어가면서 기체의 부피가 줄어든다. 이때 기체 입자들은 서로 떨어져 있고, 기체 입자 사이에는 빈 공간이 있기 때문에 주사기의 피스톤을 누르면 기체 입자 사이의 거리가 가까워지므로 피스톤이 밀려 들어가는 것이다.
오답 피하기 ㄴ. 기체 입자들은 서로 떨어진 채 골고루 퍼져 있다.
ㄷ. 기체 입자들은 모든 방향으로 움직인다.

02 풀잎에 맺힌 이슬이 사라지는 현상과 손등에 바른 알코올이 사라지는 현상은 증발이고, 마약 탐지견이 냄새로 마약을 찾는 현상은 확산이다. 증발과 확산은 모두 입자가 스스로 운동하기 때문에 나타나는 현상이다.
오답 피하기 ③, ⑤ 입자는 종류에 따라 성질이 다르고, 온도가 높을수록 활발하게 운동하지만 제시된 현상들이 일어나는 공통적인 원인은 아니다.

03 입자가 스스로 운동하고 있다는 증거가 되는 현상에는 확산과 증발이 있다.
②, ③ 전기 모기향을 피워 모기를 쫓는 것과 급식실 근처에서 음식 냄새를 맡을 수 있는 것은 확산 현상이다.

④, ⑤ 염전에서 바닷물을 증발시켜 소금을 얻는 것과 물걸레로 바닥을 닦은 후 물이 마르는 것은 증발 현상이다.
오답 피하기 ① 폭포의 물이 아래로 떨어지는 것은 중력에 의한 현상으로, 입자 운동으로 나타나는 현상이 아니다.

04 ① 물질의 상태가 액체보다 기체일 때 확산 속도가 빠르므로 물보다 수증기가 확산 속도가 빠르다.
② 온도가 높을수록 입자 운동이 활발하므로 확산 속도가 빠르다.
③ 진공 속에서는 확산을 방해하는 입자가 없으므로 기체 속보다 확산 속도가 빠르다.
⑤ 새집 증후군이란 새로 지은 건물 안에서 지내다 보면 두통, 메스꺼움, 가려움 등의 증상이 나타나는 것이다. 건물을 지을 때 사용하는 건축 재료 중 몸에 해로운 물질을 이루고 있는 입자가 기체로 되어 공기 중으로 확산하면서 새집 증후군이 생긴다. 따라서 확산은 새집 증후군이 생기는 원인이 된다.
오답 피하기 ④ 물질을 이루는 입자의 질량이 작을수록 확산 속도가 빠르다.

05 향수 입자가 스스로 운동하여 공기 중으로 퍼져 나가는 확산 현상을 나타내는 모형이다.
②, ③, ④, ⑤ 나프탈렌 냄새, 빵 냄새, 음식 냄새가 퍼지는 것과 냄새로 폭발물을 찾는 것은 모두 확산 현상이다.
오답 피하기 ① 노랫소리가 멀리 퍼지는 것은 파동에 의한 현상이다.

06 온도가 높은 물에서 잉크가 더 많이 퍼졌으므로 온도가 높을수록 확산 속도가 빠르다는 것을 알 수 있다.
④ 겨울보다 여름에는 온도가 높아 확산 속도가 빠르므로 향수 냄새가 더 빨리 퍼진다.
오답 피하기 ① 물이 높은 곳에서 낮은 곳으로 흐르는 것은 중력에 의한 현상이다.
② 헬륨은 공기보다 밀도가 작으므로 헬륨을 넣은 풍선은 하늘 위로 올라간다.
③ 습도가 낮을수록 증발이 잘 일어나기 때문에 나타나는 현상이다.
⑤ 표면적이 넓을수록 증발이 잘 일어나기 때문에 나타나는 현상이다.

07 온도가 높을수록, 물질의 상태가 고체<액체<기체 순으로, 일어나는 곳이 액체 속<기체 속<진공 속 순으로 확산이 잘 일어난다. 따라서 온도가 50 ℃로 높고, 물질의 상태가 기체이며, 진공 속에서 확산이 일어날 때 확산이 가장 잘 일어난다.

08 ②, ⑤ 암모니아수를 묻힌 솜에서 증발한 암모니아 입자가 스스로 운동하여 빨대 속으로 확산하여 만능 지시약 종이와 만나 만능 지시약 종이의 색깔을 변하게 한다.
오답 피하기 ① 암모니아 입자는 모든 방향으로 운동한다.
③, ④ 암모니아 입자가 운동하여 만능 지시약 종이를 만나므로 암

모니아수를 묻힌 솜에서 가까운 쪽부터 만능 지시약 종이의 색깔이 변한다. 암모니아수를 묻힌 솜의 색깔은 변하지 않는다.

09 ⑤ 확산 속도는 온도가 높을수록 빨라지므로 헤어드라이어로 빨대에 뜨거운 바람을 불어 주면 암모니아 입자의 확산 속도가 빨라져 만능 지시약 종이의 색깔이 더 빨리 변한다.

오답 피하기 ①, ② 온도가 낮아지므로 암모니아 입자의 확산 속도가 느려져 만능 지시약 종이의 색깔이 더 느리게 변한다.
③ 암모니아수에 물을 더 넣으면 암모니아수를 묻힌 솜에 있는 암모니아 입자의 개수가 줄어들 수 있으므로 만능 지시약 종이의 색깔이 더 빨리 변하지 않는다.
④ 빨대를 더 긴 것으로 바꾸면 같은 길이의 만능 지시약 종이를 넣었을 때 암모니아수를 묻힌 솜과 만능 지시약 종이 사이의 거리가 멀어지므로 만능 지시약 종이의 색깔이 더 빨리 변하지 않는다.

10 암모니아 입자가 스스로 운동하여 모든 방향으로 퍼져 나가 솜에 떨어뜨린 페놀프탈레인 용액과 만나므로 암모니아수에서 가까운 솜부터 먼 쪽으로 차례대로 붉게 변한다.

오답 피하기 ①, ②, ③, ④ 암모니아 입자가 한쪽 방향으로만 운동하여 퍼져 나가므로 옳지 않다.

11 입자 운동의 증거가 되는 현상 중 액체를 이루는 입자가 스스로 운동하여 액체 표면에서 기체로 변하는 현상은 증발이다. 젖은 머리카락을 헤어드라이어로 말리는 것은 증발 현상이다.

12 고추를 햇빛에 말리는 것과 교실 바닥에 흘린 물이 사라지는 것은 모두 증발 현상이다.
⑤ 증발은 입자가 스스로 운동하기 때문에 일어난다.

오답 피하기 ① 증발은 모든 온도에서 일어난다.
② 증발은 습도가 낮을수록 잘 일어난다.
③ 증발은 액체를 이루는 입자가 스스로 운동하여 액체 표면에서 기체로 변하는 현상이다.
④ 증발이 일어나도 입자의 종류는 변하지 않는다.

13 ㄴ. (가)는 물 입자가 스스로 운동하여 액체 표면에서 기체로 변하는 증발 현상을 나타내고, (나)는 향수 입자가 스스로 운동하여 퍼져 나가는 확산 현상을 나타낸다.
ㄷ. 온도가 높을수록 입자 운동이 활발해져 증발과 확산이 모두 빠르게 일어난다.

오답 피하기 ㄱ. (가)는 증발, (나)는 확산 현상의 모형이다.
ㄹ. 전기 모기향을 피워 모기를 쫓는 것은 확산의 예이므로 (나)와 관계있다.

14 ①, ②, ③, ⑤ 감을 말려 곶감을 만드는 것, 가뭄이 들어 땅이 갈라지는 것, 어항 속의 물이 점점 줄어드는 것, 수채 물감으로 그린 그림이 마르는 것은 모두 액체를 이루는 입자가 스스로 운동하여 액체 표면에서 기체로 변하는 증발 현상이다.

오답 피하기 ④ 물질을 이루는 입자가 스스로 운동하여 퍼져 나가는 확산 현상이다.

15 ㄱ. (가)~(다) 모두 물을 이루는 입자가 스스로 운동하여 물 표면에서 수증기로 변하는 현상이므로 증발이다.

오답 피하기 ㄴ, ㄷ. 물 표면에서 수증기로 변하는 물 입자의 개수는 (다)<(가)<(나) 순으로 많으므로 입자의 운동이 활발한 정도와 온도는 모두 (다)<(가)<(나) 순이다. 따라서 입자의 운동이 가장 활발한 것은 (나)이다.

16 젖은 빨래를 뭉쳐 놓을 때보다 펼쳐 놓을 때 공기와 닿는 면적이 넓고, 젖은 우산을 접어놓을 때보다 펼쳐 놓을 때 공기와 닿는 면적이 넓다. 따라서 물이 더 잘 증발할 수 있으므로 빨래와 우산이 빨리 마른다.

17 ㄴ. 기온이 높은 날 빨래에 있는 물 입자의 운동이 활발하여 더 빠르게 증발하므로 빨래가 잘 마른다.
ㄷ. 햇빛이 강할수록 염전에 있는 물 입자의 운동이 활발하여 더 빠르게 증발하므로 소금을 더 많이 얻을 수 있다.
ㄹ. 젖은 머리카락을 찬바람보다 뜨거운 바람으로 말리면 젖은 머리카락에 있는 물 입자의 운동이 활발하여 더 빠르게 증발하므로 머리카락이 잘 마른다.

오답 피하기 ㄱ. 염화 수소 입자보다 암모니아 입자가 가볍기 때문에 더 빨리 확산한다. 이는 입자의 질량이 작을수록 확산이 잘 일어나는 현상이다.

18 ①, ②, ④ 거름종이에 있는 아세톤이 스스로 운동하여 증발하므로 거름종이에 있는 아세톤 입자의 개수가 줄어들어 저울의 숫자가 점점 작아지며, 아세톤이 모두 증발하면 저울의 숫자가 0이 된다.
⑤ 거름종이에 있는 아세톤이 증발해도 아세톤 입자의 크기는 변하지 않는다.

오답 피하기 ③ 습도가 낮을수록 증발이 잘 일어나므로 실험실의 습도가 낮을수록 질량이 빨리 변한다.

19
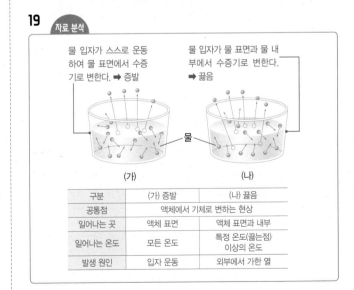

구분	(가) 증발	(나) 끓음
공통점	액체에서 기체로 변하는 현상	
일어나는 곳	액체 표면	액체 표면과 내부
일어나는 온도	모든 온도	특정 온도(끓는점) 이상의 온도
발생 원인	입자 운동	외부에서 가한 열

(가)는 증발, (나)는 끓음 현상을 나타내는 모형이다.
⑤ 풀잎에 맺힌 이슬이 사라지는 것은 증발 현상이므로 (가)에 의해 일어나는 현상이다.

오답 피하기 | ① 증발과 끓음이 일어나도 물의 성질은 달라지지 않는다.

② (가) 증발은 물 표면에서 일어나고, (나) 끓음은 물 표면과 내부에서 일어난다.

③ (가) 증발은 모든 온도에서 일어나고, (나) 끓음은 끓는점 이상의 온도에서 일어난다.

④ (가) 증발은 액체를 이루는 입자가 스스로 운동하여 일어나고, (나) 끓음은 가열에 의해 일어난다.

20 자료 분석

구분	(가)	(나)	(다)
온도(℃)	20	60	60
액체의 종류	물	에탄올	물

온도와 액체의 종류가 모두 다르다. / 온도는 같고 액체의 종류는 다르다. / 온도는 다르고 액체의 종류는 같다.

ㄱ. 온도가 높을수록, 입자 사이에 서로 잡아당기는 힘이 작을수록 증발이 잘 일어나므로, 온도가 높고 물보다 입자 사이에 서로 잡아당기는 힘이 작은 에탄올을 떨어뜨린 (나)에서 증발이 가장 잘 일어난다.

ㄹ. (나)와 (다)는 온도는 같고, 액체의 종류만 물과 에탄올로 다르며, 입자 사이에 서로 잡아당기는 힘은 물>에탄올이다. 따라서 (나)와 (다)를 비교하면 입자 사이에 서로 잡아당기는 힘이 증발 속도에 미치는 영향을 알 수 있다.

오답 피하기 | ㄴ. (가)와 (나)는 온도와 액체의 종류가 모두 다르므로, (가)와 (나)를 비교하면 온도와 액체의 종류(입자 사이에 서로 잡아당기는 힘) 중 무엇에 의해 증발 속도가 달라지는지 알 수 없다.

ㄷ. (가)와 (다)는 온도만 다르므로 (가)와 (다)를 비교하면 온도가 증발 속도에 미치는 영향을 알 수 있으며, 액체의 종류는 물로 같으므로 입자 사이에 서로 잡아당기는 힘이 증발 속도에 미치는 영향은 알 수 없다.

21 온도는 (가)<(나)<(다)이며, 온도가 높을수록 입자의 운동이 활발하므로 확산 속도가 빠르다.

모범 답안 (가)<(나)<(다), 온도가 높을수록 입자의 운동이 활발하여 확산 속도가 빨라지기 때문이다.

채점 기준	배점
확산 속도를 옳게 비교하고, 그 까닭을 옳게 서술한 경우	100 %
확산 속도만 옳게 비교한 경우	40 %

22 (1) 온도가 높을수록 입자 운동이 활발하므로 확산 속도가 빠르다.

(2) 진공 속에서는 입자 운동을 방해하는 다른 입자가 없으므로 기체 속보다 확산 속도가 빠르다.

모범 답안 (1) 짧아진다. 온도가 높아지면 염화 수소 입자와 암모니아 입자의 운동이 활발해져 확산 속도가 빨라지기 때문이다.

(2) 짧아진다. 진공 속에서는 입자의 운동을 방해하는 다른 입자가 없어 염화 수소 입자와 암모니아 입자의 확산 속도가 빨라지기 때문이다.

	채점 기준	배점
(1)	흰 연기가 생기는 데 걸리는 시간 변화를 옳게 쓰고, 그 까닭을 옳게 서술한 경우	50 %
	흰 연기가 생기는 데 걸리는 시간 변화만 옳게 쓴 경우	20 %
(2)	흰 연기가 생기는 데 걸리는 시간 변화를 옳게 쓰고, 그 까닭을 옳게 서술한 경우	50 %
	흰 연기가 생기는 데 걸리는 시간 변화만 옳게 쓴 경우	20 %

23 (1) 에탄올이 물보다 빨리 증발하므로 거름종이 위에 물이 에탄올보다 많이 남아 있어 저울이 물을 떨어뜨린 쪽으로 점점 기울어진다.

(2) 오랜 시간이 지나면 물과 에탄올이 모두 증발하므로 저울이 다시 수평이 된다.

모범 답안 (1) 에탄올의 증발 속도가 물의 증발 속도보다 빠르기 때문이다.

(2) 수평이 된다. 물과 에탄올이 모두 증발하기 때문이다.

	채점 기준	배점
(1)	저울이 물을 떨어뜨린 쪽으로 기울어진 까닭을 물과 에탄올의 증발 속도를 이용하여 옳게 서술한 경우	50 %
(2)	저울의 움직임을 옳게 쓰고, 그 까닭을 옳게 서술한 경우	50 %
	저울의 움직임만 옳게 쓴 경우	20 %

02 압력과 온도에 따른 기체의 부피 변화

중·단·원 핵심 정리
시험 대비 교재 8쪽

❶ 압력 ❷ 모든 ❸ 많을 ❹ 작을 ❺ 높을 ❻ 감소 ❼ 증가
❽ 증가 ❾ 감소 ❿ 반비례 ⓫ 일정 ⓬ 증가 ⓭ 감소 ⓮ 증가

중단원 퀴즈
시험 대비 교재 9쪽

1 ㉠ 압력, ㉡ 충돌 **2** ㉠ 많을, ㉡ 작을, ㉢ 높을 **3** ㉠ 감소, ㉡ 증가 **4** ㄴ, ㄹ **5** 보일 **6** 2 L **7** ㉠ 증가, ㉡ 감소 **8** ㄱ, ㄷ, ㄹ
9 샤를 **10** (1) 보일 (2) 보일 (3) 샤를

계·산 문제 공략
시험 대비 교재 10쪽

1 15 mL **2** 2.5 L **3** ㉠ 15, ㉡ 6 **4** 0.8 L **5** 3기압 **6** 5배
7 6기압 **8** ㉠ 2, ㉡ 4

1 온도가 일정할 때 $P_{처음} \times V_{처음} = P_{나중} \times V_{나중}$ 이므로 1기압 $\times$ 60 mL $=$ 4기압 $\times V_{나중}$이다. 따라서 $V_{나중} = 15$이므로 공기의 부피는 15 mL이다.

2 압력을 2배로 높이면 2기압이다. 온도가 일정할 때 $P_{처음} \times V_{처음} = P_{나중} \times V_{나중}$ 이므로 1기압 $\times$ 5 L $=$ 2기압 $\times V_{나중}$이다. 따라서 $V_{나중} = 2.5$이므로 기체의 부피는 2.5 L이다.

3 온도가 일정할 때 $P_{처음} \times V_{처음} = P_{나중} \times V_{나중}$ 이므로 1기압 $\times$ 30 mL $=$ 2기압 $\times$ ㉠ mL $=$ 5기압 $\times$ ㉡ mL이다. 따라서 ㉠은 15이고, ㉡은 6이다.

4 온도가 일정할 때 $P_{처음} \times V_{처음} = P_{나중} \times V_{나중}$ 이므로 1기압 $\times$ 4 L $=$ 5기압 $\times V_{나중}$이다. 따라서 $V_{나중} = 0.8$이므로 기체의 부피는 0.8 L이다.

5 온도가 일정할 때 $P_{처음} \times V_{처음} = P_{나중} \times V_{나중}$ 이므로 1기압 $\times$ 45 mL $= P_{나중} \times$ 15 mL이다. 따라서 $P_{나중} = 3$이므로 기체의 압력은 3기압이다.

6 온도가 일정할 때 $P_{처음} \times V_{처음} = P_{나중} \times V_{나중}$ 이므로 1기압 $\times$ 100 mL $= P_{나중} \times$ 20 mL이다. 따라서 $P_{나중} = 5$이므로 기체의 압력은 5기압이다. 따라서 압력을 5배로 높여야 한다.

7 온도가 일정할 때 $P_{처음} \times V_{처음} = P_{나중} \times V_{나중}$ 이므로 1기압 $\times$ 120 mL $= P_{나중} \times$ 20 mL이다. 따라서 $P_{나중} = 6$이므로 기체의 압력은 6기압이다.

8 온도가 일정할 때 $P_{처음} \times V_{처음} = P_{나중} \times V_{나중}$ 이므로 1기압 $\times$ 100 mL $=$ ㉠기압 $\times$ 50 mL $=$ ㉡기압 $\times$ 25 mL이다. 따라서 ㉠은 2이고, ㉡은 4이다.

중단원 기출 문제
시험 대비 교재 11~15쪽

01 ① **02** ④ **03** ⑤ **04** ⑤ **05** ㄷ, ㅁ **06** ④ **07** ③ **08** ⑤
09 ⑤ **10** ④ **11** 0.25기압 **12** ② **13** ① **14** ② **15** ㄷ, ㄹ
16 ②, ③ **17** ⑤ **18** ④ **19** ② **20** ③ **21** ⑤ **22** ④ **23** ②
24 ③ **25** ② **26** ⑤ **27** 해설 참조 **28** 해설 참조 **29** 해설 참조

01 작용하는 힘의 크기가 클수록, 힘을 받는 면의 넓이가 좁을수록 압력이 크다. 같은 힘을 가하므로 연필의 뾰족한 끝을 누르는 A 쪽의 손가락에 작용하는 압력이 더 크다. 따라서 A 쪽의 손가락이 더 아프다.

02 ①, ⑤ 기체 입자들이 끊임없이 운동하면서 용기 벽에 충돌할 때 용기 벽의 일정한 넓이에 작용하는 힘의 크기를 기체의 압력이라고 하며, 기체는 모든 방향으로 운동하므로 기체의 압력은 모든 방향에 같은 크기로 작용한다.
② 기체 입자의 충돌 횟수가 많을수록 용기 벽의 일정한 넓이에 작용하는 힘의 크기가 크므로 기체의 압력이 크다.
③ 부피와 입자의 개수가 같을 때 온도가 높을수록 기체 입자의 운동이 활발하여 충돌 횟수가 많으므로 기체의 압력이 커진다.
오답 피하기 ④ 온도와 입자의 개수가 같을 때 용기의 부피가 작을수록 기체 입자의 충돌 횟수가 많으므로 기체의 압력이 커진다.

03 ①, ②, ③ 농구공 속의 기체 입자는 끊임없이 모든 방향으로 운동하면서 농구공 안쪽 벽에 충돌하여 압력을 가한다.
④ 농구공에 공기를 더 넣으면 농구공 속 기체 입자의 개수가 많아져 기체 입자가 농구공 안쪽 벽에 충돌하는 횟수가 증가한다. 따라서 농구공 속 기체의 압력이 커져 농구공이 팽팽하게 부풀어 오른다.
오답 피하기 ⑤ 농구공 속 기체 입자의 개수가 많아져도 온도가 일정하므로 기체 입자의 운동 속도는 변하지 않는다.

04 풍선에 공기를 불어 넣으면 풍선 속 기체 입자의 개수가 증가하므로 기체 입자가 풍선 안쪽 벽에 충돌하는 횟수가 증가하여 기체의 압력이 증가하기 때문에 풍선이 커진다.

05 ㄷ, ㅁ. 실린더에 올려놓은 추의 개수를 늘리면 실린더에 가해지는 압력이 증가하므로 기체의 부피는 감소한다. 따라서 기체 입자가 실린더 벽에 충돌하는 횟수가 증가하므로 기체의 압력은 증가한다.
오답 피하기 ㄱ, ㄹ. 입자의 개수가 일정하므로 기체의 질량이 일정하다.
ㄴ. 외부 압력이 증가하므로 기체의 부피는 감소한다.
ㅂ. 온도가 일정하므로 기체 입자의 운동 속도가 일정하다.

06 ④ 온도가 일정하므로 기체 입자의 운동 속도가 일정하다.
오답 피하기 ①, ②, ⑤ 실린더에 작용하는 압력을 낮추면 기체의 부피는 증가하므로 기체 입자가 실린더 벽에 충돌하는 횟수가 감소하여 기체의 압력은 감소한다. 따라서 기체 입자가 실린더 벽에 충돌하는 횟수와 기체의 압력은 (가)>(나)이고, 기체의 부피는 (가)<(나)이다.

③ 기체 입자의 개수는 일정하므로 (가)=(나)이다.

07 $P_{처음} \times V_{처음} = P_{나중} \times V_{나중}$이므로 1기압×60 mL=1.5기압×㉠ mL=㉡기압×24 mL이다. 따라서 ㉠은 40이고, ㉡은 2.5이다.

08 제시된 실험으로 일정한 온도에서 기체의 부피와 압력은 반비례한다는 보일 법칙을 알 수 있다.
⑤ 수면으로 올라갈수록 수압이 낮아지므로 물속에서 잠수부가 내뿜은 공기 방울은 수면으로 올라갈수록 점점 커진다.
오답 피하기 ①은 증발, ②는 확산 현상이다.
③, ④ 일정한 압력에서 기체의 온도와 부피 관계를 알 수 있는 샤를 법칙으로 설명할 수 있다.

09 온도가 일정할 때 용기에 들어 있는 기체에 가하는 압력이 2배, 3배가 되면 기체의 부피는 $\frac{1}{2}$배, $\frac{1}{3}$배로 줄어든다. 보일 법칙은 온도가 일정할 때 일정량의 기체의 부피는 압력에 반비례한다는 것이다.

10 ④ 기체의 부피가 A>B>C이므로 기체 입자의 충돌 횟수는 A<B<C이다.
오답 피하기 ① 기체 입자의 충돌 횟수가 A<B<C이므로 기체의 압력도 A<B<C이다.
②, ⑤ 기체의 부피는 A>B>C이므로 기체 입자 사이의 거리도 A>B>C이다.
③ 온도가 일정하므로 기체 입자의 운동 속도는 A=B=C이다.

11 $P_{처음} \times V_{처음} = P_{나중} \times V_{나중}$이므로 1기압×40 mL=$P_{나중}$×160 mL이다. 따라서 $P_{나중}$=0.25이므로 기체의 압력은 0.25기압이다.

12 위로 올라갈수록 대기압이 낮아져 과자 봉지 속 기체의 부피가 커지므로 과자 봉지가 부풀어 오른다. 따라서 기체의 압력과 부피가 반비례하는 것을 나타내는 그래프로 설명할 수 있다.

13 위로 올라갈수록 고막 바깥쪽의 압력(대기압)이 작아진다. 따라서 비행기가 이륙하면 고막 안쪽의 공기의 부피가 커지면서 고막을 밀어내므로 귀가 먹먹해진다. 물속에서 수면으로 올라갈수록 수압이 작아져 기체의 부피가 커지므로 공기 방울이 점점 커진다. 따라서 2가지 현상을 통해 기체의 압력과 부피는 반비례한다는 사실을 알 수 있다.

14 감압 용기 속의 공기를 빼내면 용기 속 공기 입자의 개수가 줄어들어 기체의 압력이 감소한다. 따라서 고무풍선 속 공기의 부피가 증가하므로 풍선의 크기가 커진다.

15 ㄷ. 하늘로 올라갈수록 대기압이 작아지므로 고무풍선에 가해지는 압력이 감소한다. 따라서 고무풍선 속 기체 입자 사이의 거리가 증가하여 기체의 부피가 증가하므로 풍선의 크기가 커진다.
ㄹ. 압력이나 부피가 변해도 기체 입자의 크기는 변하지 않는다.
오답 피하기 ㄱ. 고무풍선에 가해지는 압력은 감소한다.

ㄴ. 고무풍선 속 기체의 부피가 증가하므로 기체 입자의 충돌 횟수가 감소한다.

16 ② 기체가 실린더로 들어오거나 빠져나가지 않으므로 기체 입자의 개수는 변하지 않는다.
③ 기체 입자의 크기는 변하지 않는다.
오답 피하기 ①, ④, ⑤ 실린더를 가열하면 온도가 높아지므로 기체 입자의 운동 속도가 빨라진다. 따라서 기체의 부피가 증가하여 기체 입자 사이의 거리도 멀어진다.

17 온도가 20 ℃씩 높아질 때마다 기체의 부피가 0.7 mL씩 증가한다. 따라서 온도가 높아지면 기체의 부피는 일정한 비율로 증가한다는 것을 알 수 있다.
오답 피하기 ② 온도가 높아질수록 기체의 부피가 증가하므로 온도와 기체의 부피를 곱한 값은 온도가 높아질수록 커진다.

18 ④ 온도가 높을수록 기체 입자의 운동 속도가 빠르므로 기체 입자의 운동 속도는 A<B<C이다.
오답 피하기 ①, ③ 기체의 부피는 A<B<C이므로 기체 입자 사이의 거리도 A<B<C이다.
② 기체 입자의 크기는 변하지 않으므로 A=B=C이다.
⑤ 온도가 높을수록 기체의 부피가 크므로 온도와 기체의 부피를 곱한 값은 A<B<C이다.

19 일정한 압력에서 물을 가열하여 온도를 높이면서 공기의 부피를 측정하므로 온도에 따른 기체의 부피 변화를 측정하는 것이다. 따라서 일정한 압력에서 기체의 온도와 부피 관계를 알아보는 실험이다.

20 ③ 기체의 온도와 부피 관계로 설명할 수 있는 현상이어야 한다. 찌그러진 탁구공을 뜨거운 물에 넣으면 탁구공 속 공기의 온도가 높아져 부피가 증가하므로 탁구공이 다시 펴진다.
오답 피하기 ①, ②, ④, ⑤ 모두 압력 변화에 따라 기체의 부피가 변하는 현상이므로 기체의 압력과 부피 관계로 설명할 수 있다.

21 유리컵 안 공기의 온도가 낮아지면서 공기 입자의 운동이 느려지므로 공기의 부피가 감소한다. 따라서 고무풍선이 유리컵 안으로 빨려 들어간다.

22 ④ (가)에서는 삼각 플라스크를 뜨거운 물에 넣었고, (나)에서는 삼각 플라스크를 얼음물에 넣었으므로 (가)가 (나)보다 기체의 온도가 더 높다. 따라서 기체의 부피는 (가)가 (나)보다 더 크므로 기체 입자 사이의 거리도 (가)가 (나)보다 더 멀다.
오답 피하기 ①, ②, ⑤ 기체의 온도는 (가)>(나)이므로 기체 입자의 운동 속도와 기체의 부피도 (가)>(나)이다.
③ 기체 입자의 개수는 변하지 않으므로 (가)=(나)이다.

23 ① 온도에 따른 기체의 부피 변화 현상으로 샤를 법칙과 관계 있다. 도로를 달리면 자동차의 타이어 속 기체의 온도가 높아져 부피가 증가하므로 타이어가 팽팽해진다.

③ 온도에 따른 기체의 부피 변화 현상으로 샤를 법칙과 관계있다. 풍등에 달린 고체 연료에 불을 붙이면 풍등 안쪽 기체의 온도가 높아져 기체의 부피가 증가하면서 풍등이 떠오른다.

④ 온도에 따른 기체의 부피 변화 현상으로 샤를 법칙과 관계있다. 햇빛이 비치는 곳에서는 과자 봉지 속 기체의 온도가 높아져 부피가 증가하므로 과자 봉지가 부풀어 오른다.

⑤ 온도에 따른 기체의 부피 변화 현상으로 샤를 법칙과 관계있다. 페트병을 냉장고에 넣으면 페트병 속 기체의 온도가 낮아져 부피가 감소하므로 페트병이 찌그러진다.

오답 피하기 ② 압력에 따른 기체의 부피 변화 현상으로 보일 법칙과 관계있다. 샴푸통의 꼭지 부분을 누르면 통 속 공기의 부피가 줄어들면서 압력이 커지고, 그 압력이 내용물을 용기 밖으로 밀어낸다.

24 기체의 부피는 온도가 높을수록, 압력이 낮을수록 증가한다. 따라서 일정량의 기체의 온도를 높이고, 압력을 낮추면 부피가 가장 커진다.

25 자료 분석

— (가)와 (나)는 온도가 0 ℃로 같고, 압력은 각각 1기압과 2기압이므로 압력이 낮은 (가)의 부피가 더 크다. ➡ 부피: A>B

구분	압력(기압)	온도(℃)	부피
(가)	1	0	A
(나)	2	0	B
(다)	1	273	C

— (가)와 (다)는 압력이 1기압으로 같고, 온도가 각각 0 ℃와 273 ℃이므로 온도가 높은 (다)의 부피가 더 크다. ➡ 부피: A<C

ㄴ. (가)와 (나)는 온도가 같고 압력이 다르므로 부피를 비교하면, 일정한 온도에서 기체의 압력과 부피 관계를 나타내는 보일 법칙을 확인할 수 있다.

오답 피하기 ㄱ. (가)와 (나)를 비교하면 온도가 같고 압력이 (가)<(나)이므로 부피는 A>B이다. (가)와 (다)를 비교하면 압력이 같고 온도가 (가)<(다)이므로 부피는 A<C이다. 따라서 부피는 B<A<C이다.

ㄷ. (나)와 (다)는 압력과 온도가 모두 다르므로 샤를 법칙을 확인할 수 없다. (가)와 (다)는 압력이 같고 온도가 다르므로 부피를 비교하면, 일정한 압력에서 기체의 온도와 부피 관계를 나타내는 샤를 법칙을 확인할 수 있다.

26 자료 분석

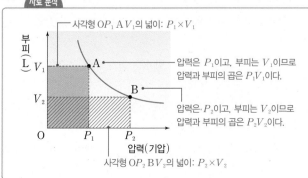

⑤ 감압 용기에 과자 봉지를 넣고 용기 속 공기를 빼내면 용기 속 기체의 압력이 작아져 과자 봉지에 가해지는 압력이 감소하므로 과자 봉지 속 기체의 부피가 커진다. 따라서 압력이 작아지고 부피가 커지는 B → A로의 변화가 일어난다.

오답 피하기 ① 기체 입자의 충돌 횟수는 압력이 클수록 많으므로 A<B이다.

② 기체의 압력과 부피를 곱한 값은 일정하므로 A=B이다.

③ 보일 법칙에서 기체의 압력과 부피를 곱한 값은 일정하므로 $P_1V_1=P_2V_2$이다. 이때 사각형 OP_1AV_1의 넓이는 P_1V_1이고, 사각형 OP_2BV_2의 넓이는 P_2V_2이므로 두 사각형의 넓이는 같다.

④ 헬륨을 넣은 풍선이 하늘 위로 올라가면 대기압이 낮아져 풍선에 가해지는 압력이 감소하므로 풍선 속 헬륨의 부피가 커진다. 따라서 압력이 작아지고 부피가 커지는 B → A로의 변화가 일어난다.

27 (가)에서 (나)로 될 때는 입자 운동의 활발한 정도가 같으므로 온도가 같은데, 올려놓은 추의 개수가 늘어나 부피가 감소했으므로 압력을 높인 것이다. (가)에서 (다)로 될 때는 올려놓은 추의 개수 같으므로 압력이 같은데, 입자 운동이 활발해져 부피가 증가했으므로 온도를 높인 것이다.

모범 답안 (가)에서 (나)로 될 때는 압력을 높이고, (가)에서 (다)로 될 때는 온도를 높인다.

채점 기준	배점
2가지 조건을 모두 옳게 서술한 경우	100 %
2가지 조건 중 1가지만 옳게 서술한 경우	50 %

28 감압 용기 속의 공기를 빼내면 용기 속 기체 입자의 개수가 감소하여 기체의 압력이 감소한다. 따라서 과자 봉지에 작용하는 압력이 감소하므로 과자 봉지 속 기체의 부피가 증가하여 과자 봉지가 부풀어 오른다.

모범 답안 (1) 과자 봉지가 부풀어 오른다.

(2) 감압 용기 속의 공기를 빼내면 용기 속 기체의 압력이 감소하여 과자 봉지에 작용하는 압력이 감소하므로 과자 봉지 속 기체의 부피가 증가하기 때문이다.

	채점 기준	배점
(1)	과자 봉지의 부피 변화를 옳게 서술한 경우	40 %
(2)	2가지 단어를 모두 포함하여 옳게 서술한 경우	60 %
	'기체의 부피'만 포함하여 서술한 경우	30 %

29 차가운 빈 병을 양손으로 감싸 쥐면 체온에 의해 병 속 공기의 온도가 높아진다.

모범 답안 병 속 공기의 온도가 높아지므로 공기의 부피가 증가하여 동전을 밀어내기 때문이다.

채점 기준	배점
공기의 온도와 부피의 변화를 모두 포함하여 옳게 서술한 경우	100 %
공기의 온도 변화와 부피 변화 중 1가지만 포함하여 서술한 경우	50 %

01 물질의 상태 변화

❶ 일정함 ❷ 액체 ❸ 일정하지 않음 ❹ 융해 ❺ 액화 ❻ 기화
❼ 응고 ❽ 규칙적 ❾ 불규칙 ❿ 가까워짐 ⓫ 증가 ⓬ 감소
⓭ 개수 ⓮ 감소

1 기체 **2** (1) 고체 (2) 기체 (3) 액체 **3** (1) 기화 (2) 승화(기체 → 고체) (3) 융해 (4) 액화 **4** (가) 기체, (나) 액체, (다) 고체 **5** ㉠ 고체, ㉡ 기체 **6** ㉠ 냉각, ㉡ 가열 **7** B, C, E **8** E **9** ㉠ 감소, ㉡ 증가 **10** ㄱ, ㄴ, ㅁ

01 ⑤   **02** ③   **03** ②   **04** A, C, F   **05** ③   **06** ④   **07** 액화
08 ②   **09** ⑤   **10** ㄷ, ㄹ   **11** ③   **12** ⑤   **13** ④   **14** ⑤   **15** ②
16 ②, ④   **17** ⑤   **18** ①   **19** ②   **20** ⑤   **21** ③   **22** 해설 참조
23 해설 참조   **24** 해설 참조

01 ① 액체와 기체는 흐르는 성질이 있다.
② 기체는 모양과 부피가 일정하지 않으며, 담는 그릇에 따라 모양과 부피가 변한다.
③ 기체는 온도가 높아지면 부피가 증가하고, 압력이 높아지면 부피가 감소한다.
④ 고체는 담는 그릇을 바꾸어도 모양과 부피가 항상 일정하다.
오답 피하기 | ⑤ 밀가루는 담는 그릇에 따라 모양이 변하는 것처럼 보이지만 알갱이 하나하나는 모양과 부피가 일정하므로 고체이다.

02 제시된 특징은 액체에 대한 설명이다. 얼음, 소금, 철, 쇠구슬, 설탕은 고체, 식초, 우유, 알코올, 주스, 물, 식용유는 액체, 수증기, 공기, 산소, 이산화 탄소는 기체이다.

03 (가)는 액체, (나)는 기체, (다)는 고체이다.
② (나) 기체는 힘을 받으면 쉽게 압축된다.
오답 피하기 | ① (가) 액체는 눈에 보인다. 눈에 보이지 않는 것은 대부분의 기체이다.
③ (나) 기체는 담는 그릇에 따라 모양과 부피가 달라진다.
④, ⑤ (다) 고체는 담는 그릇을 가득 채우지 않고, 사방으로 퍼지는 성질이 없다. 담는 그릇을 가득 채우고, 사방으로 퍼지는 성질이 있는 것은 기체이다.

04 가열할 때 일어나는 상태 변화는 융해(A), 기화(C), 승화(고체 → 기체)(F)이고, 냉각할 때 일어나는 상태 변화는 응고(B), 액화(D), 승화(기체 → 고체)(E)이다.

05 A는 융해, B는 응고, C는 기화, D는 액화, E는 승화(기체 → 고체), F는 승화(고체 → 기체)이다.
③ 손에 뿌린 손 소독제가 사라지는 것은 액체가 기체로 변하는 기화(C) 현상이다.
오답 피하기 | ① 고드름이 생기는 것은 액체가 고체로 변하는 응고(B) 현상이다.
② 이슬이 맺히는 것은 기체가 액체로 변하는 액화(D) 현상이다.
④ 용암이 식어서 암석이 되는 것은 액체가 고체로 변하는 응고(B) 현상이다.
⑤ 성에가 생기는 것은 승화(기체 → 고체)(E) 현상이다.

06 융해는 고체가 액체로 변하는 현상이다.
①, ②, ③, ⑤ 얼었던 강물이 녹는 것, 아이스크림이 녹는 것, 철이 녹아 쇳물이 되는 것, 고드름이 녹는 것은 모두 융해 현상이다.
오답 피하기 | ④ 물에 염화 수소를 녹여 염산을 만드는 것은 상태 변화가 아니라 용질이 용매에 녹아 섞이는 현상으로 용해라고 한다.

07 • 풀잎에 이슬이 맺히는 것은 공기 중의 수증기가 차가운 풀잎에 닿아 물로 액화하는 현상이다.
• 차가운 음료가 담긴 컵의 표면에 물방울이 맺히는 것은 공기 중의 수증기가 차가운 컵에 닿아 물방울로 액화하는 현상이다.
• 안경이 뿌옇게 흐려지는 것은 공기 중의 수증기가 차가운 안경에 닿아 물로 액화하는 현상이다.

08 고체 양초가 융해하여 촛농이 되고, 촛농이 심지를 타고 올라가 기화하여 타며, 촛농의 일부가 흘러내려 응고한다.

09 ⑤ B는 물이 끓을 때 발생한 수증기(A)가 주위의 찬 공기에 의해 액화하여 작은 물방울이 된 것으로, 김이라고 한다.
오답 피하기 | ① A는 수증기로 기체이고, B는 김으로 액체이므로 물질의 상태가 서로 다르다.
② A는 물이 끓을 때 발생한 수증기로 눈에 보이지 않는다.
③, ④ B는 수증기가 액화하여 작은 물방울이 된 것이다.

10 ㄷ. A의 물에 푸른색 염화 코발트 종이를 대면 붉은색으로 변한다. 물을 가열하면 끓어 수증기로 기화하고, 이 수증기가 얼음이 담긴 차가운 시계 접시에 닿아 물방울로 액화한다. 따라서 시계 접시 아랫부분(B)에 푸른색 염화 코발트 종이를 대면 붉은색으로 변한다.
ㄹ. B에서는 액화가 일어나며, 안개는 공기 중의 수증기가 액화하여 작은 물방울이 된 것이다.
오답 피하기 | ㄱ. A에서는 물의 기화, B에서는 수증기의 액화, C에서는 얼음의 융해가 일어난다.
ㄴ. 시계 접시의 얼음은 비커 속의 물이 끓어 생긴 수증기의 액화가 잘 일어나도록 도와 준다.

11 (가)는 고체, (나)는 액체, (다)는 기체이다.

①, ② (가) 고체는 입자 배열이 가장 규칙적이고, 입자가 제자리에서 진동한다.

④, ⑤ (다) 기체는 입자 사이의 거리가 가장 멀고, 입자 사이에 서로 잡아당기는 힘이 거의 작용하지 않는다.

오답 피하기 ③ (나) 액체는 입자가 비교적 자유롭게 운동한다. 입자 운동이 가장 둔한 것은 (가) 고체이다.

12 제시된 설명은 기체의 성질이다. 돌, 나무, 구리, 소금은 고체, 아세톤, 간장, 바닷물은 액체, 수소, 공기, 이산화 탄소는 기체이다.

13 ① 구슬의 움직임과 배열 상태로 물질의 세 가지 상태를 나타내므로 구슬은 물질을 구성하는 입자라고 할 수 있다.

② (가)는 구슬이 촘촘히 배열되어 있으므로 고체, (나)는 플라스틱 컵을 흔들기 전보다 구슬이 불규칙하게 배열되어 있으므로 액체, (다)는 구슬이 매우 불규칙하게 배열되어 있으므로 기체를 나타낸다.

③ (가) 고체와 (나) 액체는 담는 그릇에 관계없이 부피가 일정하다.

⑤ (나) 액체와 (다) 기체는 담는 그릇에 따라 모양이 변한다.

오답 피하기 ④ 힘을 가하면 (가) 고체는 부피가 변하지 않지만 (다) 기체는 부피가 변한다.

14 A는 기체가 액체로 변하는 액화, B는 액체가 기체로 변하는 기화, C는 고체가 액체로 변하는 융해, D는 액체가 고체로 변하는 응고, E는 고체가 기체로 변하는 승화(고체 → 기체), F는 기체가 고체로 변하는 승화(기체 → 고체)이다.

15 ② B는 기화로, 액체가 기체로 변하므로 입자 배열이 불규칙해진다.

오답 피하기 ① A는 액화로, 기체가 액체로 변하므로 입자 운동이 둔해진다.

③ C는 융해이며, 물질의 상태 변화가 일어날 때 질량은 변하지 않는다.

④ E는 승화(고체 → 기체)로, 고체에서 기체로 변하므로 물질의 부피가 증가한다.

⑤ F는 승화(기체 → 고체)로, 기체에서 고체로 변하므로 입자 사이의 거리가 가까워진다.

16 ②, ④ 알루미늄 포일의 구멍 바로 윗부분과 김이 생기는 부분에 푸른색 염화 코발트 종이를 대면 모두 붉은색으로 변하므로 상태 변화가 일어나도 물질의 성질이 변하지 않음을 알 수 있다.

오답 피하기 ① 물이 끓으면 기체 상태인 수증기가 작은 구멍으로 빠져나온다.

③ 알루미늄 포일의 구멍 바로 윗부분에는 수증기가 있으며, 이 부분에 푸른색 염화 코발트 종이를 대면 붉은색으로 변한다.

⑤ 이 실험으로 상태 변화가 일어나도 물질의 성질이 변하지 않음을 알 수 있으므로, 상태 변화가 일어날 때 물질을 이루는 입자의 종류가 변하지 않음을 알 수 있다.

17 제시된 변화가 나타나는 상태 변화는 융해, 기화, 승화(고체 → 기체)이다.

⑤ 젖은 머리카락을 헤어드라이어로 말리는 것은 머리카락의 물이 수증기로 기화하는 현상이다.

오답 피하기 ① 목욕탕 유리에 김이 생기는 것은 공기 중의 수증기가 차가운 유리에 닿아 물로 액화하는 현상이다.

② 성에가 생기는 것은 공기 중의 수증기가 얼음으로 승화(기체 → 고체)하는 현상이다.

③ 쇳물이 식어 단단한 철이 되는 것은 액체가 고체로 응고하는 현상이다.

④ 고드름이 생기는 것은 물이 얼음으로 응고하는 현상이다.

18 ① (가)에서는 얼음의 융해, (나)에서는 드라이아이스의 승화(고체 → 기체)가 일어나며, 상태 변화가 일어나도 질량은 변하지 않는다.

오답 피하기 ② (가)에서는 얼음이 녹아 물이 되므로 지퍼 백이 부풀어 오르지 않고, (나)에서는 드라이아이스가 승화(고체 → 기체)하여 이산화 탄소가 되므로 지퍼 백이 부풀어 오른다.

③ (가)에서는 융해, (나)에서는 승화(고체 → 기체)가 일어난다.

④ (가)와 (나)에서는 모두 입자 운동이 활발해진다.

⑤ (가)에서는 액체인 물이 생기고, (나)에서는 기체인 이산화 탄소가 생긴다.

19 드라이아이스는 기체 이산화 탄소로 승화하므로 부피가 증가하여 지퍼 백이 부풀어 오른다. 이때 이산화 탄소 입자는 지퍼 백에 골고루 퍼져 있다.

20 거푸집의 크기를 실제 만들려고 하는 금속 제품보다 더 크게 만드는 까닭은 쇳물의 응고가 일어날 때 부피가 감소하기 때문이다.

⑤ 액체 양초가 식으면 가운데가 오목하게 들어가는 것은 응고가 일어날 때 부피가 감소하기 때문이다.

오답 피하기 ①, ③ 추운 겨울 수도관이 터지는 것과 물을 넣어 얼린 유리병이 깨지는 것은 물이 응고하여 얼음이 될 때 부피가 증가하기 때문이다.

② 더운 여름날 철도 레일이 늘어나 휘어지는 것은 온도가 높아지면 철도 레일을 이루는 철이 팽창하여 늘어나기 때문이다.

④ 아세톤을 넣은 비닐봉지에 뜨거운 바람을 불어 주면 부풀어 오르는 것은 아세톤이 기화하여 기체 상태가 될 때 부피가 증가하기 때문이다.

21 자료 분석

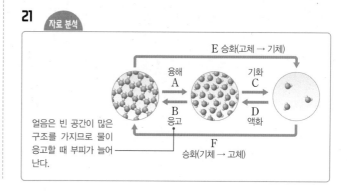

E 승화(고체 → 기체)

융해 A / B 응고

기화 C / D 액화

F 승화(기체 → 고체)

얼음은 빈 공간이 많은 구조를 가지므로 물이 응고할 때 부피가 늘어난다.

ㄷ. 응고(B), 액화(D), 승화(기체 → 고체)(F)가 일어날 때 입자 사이에 서로 잡아당기는 힘이 강해진다.

ㄹ. D 과정에서 부피가 크게 감소하므로 같은 부피 속에 포함된 입자의 개수가 많아진다.

오답 피하기 ㄱ. 상태 변화가 일어나도 입자의 개수는 변하지 않는다.

ㄴ. 대부분의 물질은 융해, 기화, 승화(고체 → 기체)가 일어날 때 부피가 증가하지만 물의 경우는 응고(B), 기화(C), 승화(고체 → 기체)(E)가 일어날 때 부피가 증가한다.

22 공기 중의 수증기가 차가운 물체에 닿으면 액화하여 물이 된다.

모범 답안 공기 중의 수증기가 차가운 거미줄에 닿아 액화하여 물방울이 된다.

채점 기준	배점
물방울이 맺히는 과정을 '액화'라는 용어를 포함하여 옳게 서술한 경우	100 %
그 외의 경우	0 %

23 물은 예외적으로 응고할 때 부피가 증가하므로 물을 가득 채운 페트병을 얼리면 페트병이 볼록하게 튀어나온다.

모범 답안 물이 얼음으로 응고하면서 부피가 증가하기 때문이다.

채점 기준	배점
'물의 응고'와 '부피 증가'라는 내용을 모두 포함하여 옳게 서술한 경우	100 %
'물의 응고'와 '부피 증가' 중 1가지만 포함하여 서술한 경우	50 %

24 (1) 상태 변화가 일어나도 질량은 변하지 않고, 대부분의 물질은 응고가 일어날 때 부피가 감소한다.

(2) 양초의 응고가 일어날 때 양초를 이루는 입자 사이의 거리가 가까워지므로 부피가 감소하고, 입자의 종류와 개수가 변하지 않기 때문에 질량이 변하지 않는다.

모범 답안 (1) 부피는 감소하고, 질량은 변하지 않는다.

(2) 양초를 이루는 입자 사이의 거리가 가까워지고, 입자의 종류와 개수는 변하지 않기 때문이다.

	채점 기준	배점
(1)	부피 변화와 질량 변화를 모두 옳게 서술한 경우	50 %
	부피 변화와 질량 변화 중 1가지만 옳게 서술한 경우	25 %
(2)	부피 변화와 질량 변화의 까닭을 모두 옳게 서술한 경우	50 %
	부피 변화와 질량 변화의 까닭 중 1가지만 옳게 서술한 경우	25 %

02 상태 변화와 열에너지

중 단 원 핵심 정리　　　　시험 대비 교재 22쪽

❶ 융해　❷ 녹는점　❸ 끓는점　❹ 활발해짐　❺ 액화　❻ 어는점　❼ 둔해짐　❽ 융해열　❾ 액화열　❿ 낮아진다　⓫ 기화열　⓬ 높아진다　⓭ 응고열　⓮ 기화열　⓯ 액화열

중단원 퀴즈　　　　시험 대비 교재 23쪽

1 B 구간, D 구간　**2** ㉠ 액체, ㉡ 액체+기체　**3** 상태 변화　**4** ㉠ 어는점, ㉡ 고체　**5** ㉠ 둔해져, ㉡ 규칙적, ㉢ 가까워　**6** ㉠ 흡수, ㉡ 방출　**7** ㉠ 낮아, ㉡ 높아　**8** (1) 융해열 (2) 기화열 (3) 응고열　**9** (1) 방출 (2) 흡수 (3) 흡수　**10** ㉠ 흡수, ㉡ 방출

중단원 기출 문제　　　　시험 대비 교재 24~27쪽

01 ④　**02** ⑤　**03** B 구간: ㄱ, D 구간: ㅂ　**04** ③　**05** ②　**06** ④　**07** ②　**08** ③　**09** BC 구간: 융해열, EF 구간: 응고열　**10** ⑤　**11** ⑤　**12** ②　**13** ②　**14** ②　**15** ①　**16** ④　**17** ㄷ, ㄹ　**18** ⑤　**19** ③, ④　**20** ㉠ (나), ㉡ 기화열　**21** ⑤　**22** 해설 참조　**23** 해설 참조　**24** 해설 참조

01 ④ D 구간에서 기화가 일어나므로 이 구간의 온도를 끓는점이라고 한다.

오답 피하기 ① A 구간에서는 고체의 온도가 높아진다.

② B 구간에서는 입자 운동이 활발해지고, 입자 배열이 불규칙해지며, 입자 사이의 거리가 멀어지면서 융해가 일어난다.

③ C 구간에서는 액체 상태로 존재하고, 액체의 온도가 높아진다.

⑤ E 구간에서는 기체의 온도가 높아지며, 기화열을 흡수하는 구간은 기화가 일어나는 D 구간이다.

02 B 구간에서는 융해가 일어나고, D 구간에서는 기화가 일어나며, 이때 가해 준 열에너지는 모두 상태 변화에 사용되기 때문에 계속 가열해도 온도가 높아지지 않고 일정하게 유지된다.

03 B 구간에서는 융해, D 구간에서는 기화가 일어난다. ㄱ은 융해, ㄴ은 승화(기체 → 고체), ㄷ은 응고, ㄹ은 승화(고체 → 기체), ㅁ은 액화, ㅂ은 기화를 나타내는 모형이다.

04 ③ 5분~7분일 때 온도가 일정하게 유지되므로 이때 고체 물질의 융해가 일어난다. 따라서 물질을 이루는 입자 사이의 거리가 멀어진다.

오답 피하기 ① 융해가 일어나므로 물질은 고체 상태와 액체 상태가 함께 존재한다.

②, ④ 융해가 일어나므로 입자 운동이 활발해지고, 입자 배열이 불규칙해진다.

⑤ 융해가 일어나므로 가해 준 열에너지는 모두 물질의 상태 변화에 사용된다.

05 ㄱ. 25 °C는 녹는점(−114 °C)보다 높고, 끓는점(78 °C)보다 낮으므로 25 °C에서 이 물질은 액체 상태로 존재한다.
ㄷ. A는 고체, B는 액체, C는 기체이므로 B 상태에서 A 상태로 변할 때 응고열을 방출한다. 따라서 주변의 온도가 높아진다.
오답 피하기 | ㄴ. −114 °C가 녹는점이므로 −114 °C에서 이 물질은 고체 상태와 액체 상태가 함께 존재한다.
ㄹ. B는 액체이고, C는 기체이므로 B 상태에서 C 상태로 변할 때 기화열을 흡수한다.

06 ④ A 구간에서는 응고가 일어나므로 입자 사이의 거리가 가까워진다.
오답 피하기 | ①, ②, ③, ⑤ A 구간에서 응고가 일어나므로 열에너지(응고열)를 방출한다. 이때 고체 상태와 액체 상태가 함께 존재하며, 이 구간의 온도는 어는점이다.

07 ①, ③, ④ 온도가 일정하게 유지되는 BC 구간에서 물이 응고하면서 응고열을 방출한다. 따라서 BC 구간에서 액체 상태인 물과 고체 상태인 얼음이 함께 존재한다.
⑤ CD 구간에서는 고체 상태인 얼음으로 존재한다.
오답 피하기 | ② AB 구간에서는 물의 온도가 낮아지고, BC 구간에서 물이 응고한다.

08 ③ (가)는 융해로, 열에너지(융해열)를 흡수하므로 주변의 온도가 낮아지고, (나)는 응고로, 열에너지(응고열)를 방출하므로 주변의 온도가 높아진다.
오답 피하기 | ①, ② (가)는 융해, (나)는 응고이므로 (가)는 열에너지(융해열)를 흡수하고, (나)는 열에너지(응고열)를 방출한다.
④ (가)는 입자 운동이 활발해지고, (나)는 입자 운동이 둔해진다.
⑤ (가)는 물질의 부피가 증가하고, (나)는 물질의 부피가 감소한다.

09 온도가 변하지 않고 일정한 구간에서 상태 변화가 일어난다. BC 구간에서 융해가 일어나므로 이 구간에서 융해열이 흡수되고, EF 구간에서 응고가 일어나므로 이 구간에서 응고열이 방출된다.

10 물이 끓는 동안 가해 준 열에너지는 모두 물이 기화하는 데 사용되므로 온도가 높아지지 않고 일정하게 유지된다. 따라서 종이가 탈 수 있는 온도까지 높아지지 않으므로 종이컵이 타지 않는다.

11 ⑤ 생선에 얼음을 채우면 얼음이 융해하면서 융해열을 흡수하므로 주변의 온도가 낮아져 생선을 신선하게 보관할 수 있다.
오답 피하기 | ①, ③ 수증기가 액화하면서 액화열을 방출하므로 후텁지근하다.
② 얼음이 융해하면서 융해열을 흡수하므로 시원해진다.
④ 물이 기화하면서 기화열을 흡수하므로 시원해진다.

12 ② 물에 얼음을 넣으면 물이 시원한 것은 융해열 흡수, 분수대 근처에 있으면 시원한 것은 기화열 흡수, 드라이아이스를 뿌린 무대 근처가 시원한 것은 승화열 흡수로 나타나는 현상이다.

오답 피하기 | ①, ③ 각각 융해, 기화, 승화(고체 → 기체)가 일어나며, 모두 열에너지를 흡수하므로 주변의 온도가 낮아진다.
④, ⑤ 모두 열에너지를 흡수하는 상태 변화가 일어나므로 물질을 이루는 입자의 운동이 활발해지고, 입자의 배열이 불규칙해진다.

13 ㄱ. 열에너지를 흡수하는 상태 변화는 (가) 융해, (나) 기화, (마) 승화(고체 → 기체)이고, 열에너지를 방출하는 상태 변화는 (다) 응고, (라) 액화, (바) 승화(기체 → 고체)이다.
ㄹ. 아이스박스에 얼음을 채우면 얼음이 융해하면서 열에너지(융해열)를 흡수하므로 주변의 온도가 낮아져 음료수를 시원하게 보관할 수 있다. 따라서 (가) 융해와 관계있다.
오답 피하기 | ㄴ. 주변의 온도가 높아지는 상태 변화는 열에너지를 방출하는 (다) 응고, (라) 액화, (바) 승화(기체 → 고체)이다.
ㄷ. 입자 운동이 활발해지는 상태 변화는 열에너지를 흡수하는 (가) 융해, (나) 기화, (마) 승화(고체 → 기체)이다.

14 ①, ③, ④, ⑤ 모두 기화열을 흡수하여 주변의 온도가 낮아지기 때문에 나타나는 현상이다.
오답 피하기 | ② 오렌지 주스에 얼음을 넣으면 얼음이 융해하면서 열에너지(융해열)를 흡수하므로 주변의 온도가 낮아져 주스가 시원해진다.

15 ② 아이스박스에 얼음을 채우면 얼음이 융해하면서 융해열을 흡수하므로 주변의 온도가 낮아져 음식물을 시원하게 보관할 수 있다.
③ 공원의 분수 옆에 있으면 물이 기화하면서 기화열을 흡수하므로 주변의 온도가 낮아져 시원하다.
④ 열이 날 때 물수건으로 몸을 닦으면 물이 기화하면서 기화열을 흡수하므로 주변의 온도가 낮아져 체온이 낮아진다.
⑤ 아이스크림을 포장할 때 드라이아이스를 함께 넣으면 드라이아이스가 승화(고체 → 기체)하면서 승화열을 흡수하므로 주변의 온도가 낮아져 아이스크림이 녹지 않는다.
오답 피하기 | ① 얼음집 안에 물을 뿌리면 물이 응고하면서 응고열을 방출하므로 주변의 온도가 높아진다.

16 화초에 뿌린 물과 그릇에 담아 둔 물이 응고하면서 열에너지(응고열)를 방출하여 주변의 온도가 높아지기 때문에 나타나는 현상이다.

17 ㄷ. 보일러에서는 기화가 일어나므로 기화열을 흡수한다.
ㄹ. 증기 난방기에서는 액화가 일어나므로 액화열을 방출한다. 따라서 실내가 따뜻해진다.
오답 피하기 | ㄱ. 보일러에서는 물이 수증기로 기화한다.
ㄴ. 증기 난방기에서는 수증기가 물로 액화한다.

18 ①, ④ 기체 냉매가 응축기에서 액화하므로 (가)에서 냉매는 액체 상태이다.
②, ③ 액체 냉매가 증발기에서 기화하므로 (나)에서 냉매는 기체 상태이다.

오답 피하기 ⑤ 응축기에서 열에너지(액화열)를 방출하므로 응축기는 냉장고의 외부에 설치되어 있다.

19

자료 분석

녹는점보다 낮은 온도: 고체 상태, 녹는점과 끓는점 사이의 온도: 액체 상태, 끓는점보다 높은 온도: 기체 상태로 존재한다.

물질	A	B	C	D	E
녹는점(℃)	−218	−98	0	81	1358
끓는점(℃)	−183	65	100	218	2862
−10 ℃에서의 상태	기체	액체	고체	고체	고체
25 ℃에서의 상태	기체	액체	액체	고체	고체

③ 25 ℃에서 A는 기체, B와 C는 액체, D와 E는 고체이므로 입자 운동이 가장 활발한 것은 기체인 A이다.
④ D의 녹는점은 81 ℃이므로 고체 D를 가열하면 81 ℃에서 온도가 일정하게 유지된다.
오답 피하기 ① B의 녹는점은 −98 ℃이고 끓는점은 65 ℃이므로 −10 ℃에서 B는 액체 상태이다.
② 25 ℃에서 B와 C가 액체 상태로 존재한다.
⑤ E의 녹는점은 1358 ℃이고, 끓는점은 2862 ℃이므로 고체 E를 액체로 만들기 위해서는 가열하여 온도를 1358 ℃보다 높고, 2862 ℃보다 낮게 해야 한다.

20 (나) 온도계는 거즈에 있는 에탄올이 기화하면서 열에너지(기화열)를 흡수하므로 주변의 온도가 낮아져 온도계의 온도가 낮아진다.

21 ⑤ 실내기에서는 액체 냉매가 기화하므로 기화열을 흡수한다. 사막에서 가죽으로 만든 물통을 사용할 때 물통을 이루는 가죽에는 아주 작은 구멍이 있어 물이 새어 나오는데, 새어 나온 물이 수증기로 기화하면서 기화열을 흡수하여 물이 시원해진다.
오답 피하기 ① 냉매 A는 액체 상태, 냉매 B는 기체 상태이므로 냉매 B가 냉매 A보다 입자 운동이 활발하다.
②, ③ 실내기에서는 기화가 일어나므로 열에너지(기화열)를 흡수하고, 실외기에서는 액화가 일어나므로 열에너지(액화열)를 방출한다.
④ 실외기에서는 기체 냉매가 액화하므로 액화열을 방출한다. 눈이 내리면 공기 중의 수증기가 얼음으로 될 때 승화열을 방출하므로 날씨가 포근해진다.

22 (1) 물질을 냉각하면 온도가 점점 낮아지다가 일정해지는 구간이 나타나며, 이 구간에서 물질의 상태 변화가 일어난다.
(2) B 구간에서 응고가 일어나며, 이때 방출하는 응고열이 온도가 낮아지는 것을 막아 주기 때문에 온도가 낮아지지 않고 일정하게 유지된다.
모범 답안 (1) B 구간, 입자 운동은 둔해지고, 입자 배열은 규칙적으로 변하며, 입자 사이의 거리는 가까워진다.
(2) 물질의 상태가 변하는 동안 열에너지를 방출하며, 이때 방출하는 열에너지가 온도가 낮아지는 것을 막아 주기 때문이다.

채점 기준	배점
(1) 상태 변화가 일어난 구간을 옳게 쓰고, 입자 운동, 입자 배열, 입자 사이의 거리 변화를 모두 옳게 서술한 경우	60 %
상태 변화가 일어난 구간을 옳게 쓰고, 입자 운동, 입자 배열, 입자 사이의 거리 변화 중 1~2가지만 옳게 서술한 경우	40 %
상태 변화가 일어난 구간만 옳게 쓴 경우	20 %
(2) B 구간에서 온도가 일정하게 유지되는 까닭을 옳게 서술한 경우	40 %

23 (가)에서는 물이 수증기로 기화하면서 기화열을 흡수하고, (나)에서는 물이 얼음으로 응고하면서 응고열을 방출한다.
모범 답안 (가)에서는 물이 기화하면서 기화열을 흡수하므로 주변의 온도가 낮아지고, (나)에서는 물이 응고하면서 응고열을 방출하므로 주변의 온도가 높아지기 때문이다.

채점 기준	배점
(가)와 (나)에서 일어나는 상태 변화와 출입하는 열에너지를 모두 이용하여 옳게 서술한 경우	100 %
(가)와 (나)에서 일어나는 상태 변화와 출입하는 열에너지 중 1가지만 이용하여 서술한 경우	50 %

24 액체 파라핀이 응고하면서 열에너지(응고열)를 방출하며, 이 열에너지가 통증 부위를 따뜻하게 하므로 통증을 치료할 수 있다.
모범 답안 액체 파라핀이 응고할 때 응고열을 방출하기 때문이다.

채점 기준	배점
액체 파라핀의 상태 변화와 출입하는 열에너지를 모두 이용하여 옳게 서술한 경우	100 %
액체 파라핀의 상태 변화와 출입하는 열에너지 중 1가지만 이용하여 서술한 경우	50 %

VI 빛과 파동

01 빛과 색

시험 대비 교재 28쪽

중 단 원 핵심 정리

❶ 빛 ❷ 빛 ❸ 반사 ❹ 밝아 ❺ 청록색 ❻ 초록색 ❼ 합성
❽ 빨간색 ❾ 반사 ❿ 검은색 ⓫ 초록색

중단원 퀴즈

시험 대비 교재 29쪽

1 태양, 촛불, 손전등 **2** ㉠ (가), ㉡ (나) **3** 빛의 합성 **4** 빨간색, 초록색, 파란색 **5** ㄷ, ㄹ **6** 노란색 **7** ㉠ 흰색, ㉡ 파란색 **8** 검은색 **9** ㉠ 빨간색, ㉡ 검은색, ㉢ 파란색

5 빛의 삼원색을 모두 합성하면 흰색(백색광)이 나타난다. 청록색은 초록색과 파란색 빛이 합성된 색이므로 빨간색과 합성하면 흰색(백색광)이 나타난다.

9 자홍색은 빨간색과 파란색 빛의 합성색이므로 초록색 조명 아래에서 보면 반사하는 빛이 없어 검은색으로 보인다.

개념 문제 공략

시험 대비 교재 30쪽

1 A: 노란색, B: 청록색, C: 자홍색 **2** A: 자홍색, B: 노란색, C: 청록색, D: 흰색 **3** A: 흰색, B: 흰색, C: 흰색 **4** ⑴ 노란색 ⑵ 청록색 ⑶ 자홍색 ⑷ 흰색 **5** 파란색 **6** 청록색

2 A는 파란색과 빨간색 빛이 합성된 자홍색이고, B는 빨간색과 초록색 빛이 합성된 노란색이다. C는 파란색과 초록색 빛이 합성된 청록색이고, D는 파란색, 빨간색, 초록색 빛이 합성된 흰색이다.

3 A에서는 빨간색과 청록색(=초록색+파란색), B에서는 초록색과 자홍색(=빨간색+파란색), C에서는 파란색과 노란색(=빨간색+초록색)이 겹쳐진다. 즉, 빛의 삼원색이 합성되는 것과 같으므로 모두 흰색을 띤다.

4 원판을 빠르게 회전시키면 우리 눈에는 원판에서 반사된 빛이 합성된 색으로 보이다.

5 빨간색과 합성되어 자홍색으로 보이는 것은 파란색이다.

---

6 빛의 삼원색이 합성되는 경우에 흰색으로 보인다. 따라서 A는 초록색과 파란색 빛의 합성색인 청록색이다.

개념 문제 공략

시험 대비 교재 31쪽

1 ⑴ 반사하는 빛의 색: 빨간색, 흡수하는 빛의 색: 초록색, 파란색
⑵ 반사하는 빛의 색: 초록색, 흡수하는 빛의 색: 빨간색, 파란색
2 ⑴ ㉠ 빨간색, ㉡ 검은색 ⑵ ㉠ 검은색, ㉡ 초록색 ⑶ ㉠ 검은색, ㉡ 검은색 **3** ⑴ 흰색 ⑵ 검은색 **4** ⑴ 빨간색 ⑵ 검은색 ⑶ 파란색 ⑷ 자홍색 ⑸ 빨간색 ⑹ 파란색 ⑺ 자홍색

1 ⑴ 빨간색 피망은 빨간색 빛만 반사하고 나머지 색의 빛은 모두 흡수한다.
⑵ 초록색 꼭지는 초록색 빛만 반사하고 나머지 색의 빛은 모두 흡수한다.

2 ⑴ 빨간색 피망은 빨간색 빛만 반사하고 초록색 꼭지는 초록색 빛만 반사한다. 따라서 빨간색 조명을 비추면 빨간색 빛만 반사한 피망은 빨간색으로, 반사하는 빛이 없는 꼭지는 검은색으로 보인다.
⑵ 초록색 조명을 비추면 반사하는 빛이 없는 피망은 검은색으로, 초록색 빛만 반사한 꼭지는 초록색으로 보인다.
⑶ 파란색 조명을 비추면 반사하는 빛이 없어 피망과 꼭지 모두 검은색으로 보인다.

3 ⑴ 모든 색의 빛을 반사하면 흰색으로 보인다.
⑵ 모든 색의 빛을 흡수하면 검은색으로 보인다.

4 자홍색 상자는 빨간색과 파란색 빛을 반사하므로 비추는 조명의 색에 따라 다르게 보인다.

중단원 기출 문제

시험 대비 교재 32~35쪽

01 ③ **02** ④ **03** ④ **04** ② **05** (나)-(가)-(다)-(라) **06** ④
07 ③ **08** ③ **09** ② **10** ③ **11** ①, ④ **12** 노란색 **13** ㉠ 빨간색, ㉡ 파란색 **14** ③ **15** ⑤ **16** 노란색 **17** ③ **18** ④ **19** ②
20 직진 **21** ① **22** 해설 참조 **23** 해설 참조 **24** 해설 참조

01 오답 피하기 | ㄱ, ㄹ. 빛의 반사에 의한 현상이다.

02 스스로 빛을 내는 태양, LED 전구가 광원에 해당한다.

03 광원인 스탠드에서 나온 빛이 책에서 반사된 후 우리 눈에 들어오면 책을 볼 수 있다.

04 ㄴ. (가)에서 광원인 전등을 볼 때 빛의 진행 경로는 전등 → 눈이다.
오답 피하기 | ㄱ. 전등은 광원이지만 책은 광원이 아니다.

ㄷ. (나)에서 광원이 아닌 책을 볼 때 빛의 진행 경로는 전등 → 책 → 눈이다.

05 광원인 태양에서 나온 햇빛(나)이 나무에 도달한 후(가) 나무에서 반사된다(다). 이 반사된 햇빛이 우현이의 눈에 도달하면(라) 나무를 볼 수 있게 된다.

06 ① A는 빨간색과 초록색 빛이 합성된 노란색이다.
② B는 빨간색과 파란색 빛이 합성된 자홍색이다.
③ C는 초록색과 파란색 빛이 합성된 청록색이다.
⑤ 빨간색 빛과 보색인 C, 즉 청록색 빛을 합성하면 D와 같이 흰색이 된다.
오답 피하기| ④ A, B, C, 즉 노란색, 자홍색, 청록색 빛을 모두 합성하면 흰색이 된다.

07 빨간색, 초록색, 파란색 빛이 모두 합성되어 흰색으로 보이던 부분은 초록색과 파란색 빛만 합성되어 청록색으로 보인다.

08 ③ 빨간색과 파란색 조명을 한곳에 겹쳐지게 비추면 자홍색으로 보인다.
오답 피하기| ① 빨간색 조명의 세기를 약하게 하여 비춰도 계속 빨간색으로 보인다.
② 빨간색과 초록색 조명을 한곳에 겹쳐지게 비추면 노란색으로 보인다.
④ 초록색과 파란색 조명을 한곳에 겹쳐지게 비추면 청록색으로 보인다.
⑤ 빨간색, 초록색, 파란색 조명을 한곳에 겹쳐지게 비추면 흰색(백광색)으로 보인다.

09 제시된 현상들은 빛의 합성을 이용하는 예이다.

10 A에는 파란색 빛이 도달하지 못하므로 빨간색과 초록색 빛이 합성된 노란색으로 보이고, B에는 초록색 빛이 도달하지 못하므로 빨간색과 파란색 빛이 합성된 자홍색으로 보이며, C에는 빨간색이 도달하지 못하므로 초록색과 파란색 빛이 합성된 청록색으로 보인다.

11 ①, ④ 빛의 삼원색을 같은 세기로 합성하면 백색광이 나타난다. 따라서 빨간색과 청록색, 노란색과 파란색, 초록색과 자홍색 빛을 합성하면 백색광이 나타난다.

12 화소 중 빨간색과 초록색만 켜져 있으므로 빨간색과 초록색 빛의 합성색인 노란색으로 보인다.

13 화면에 노란색이 나타나려면 빨간색과 초록색 화소는 켜져 있고 파란색 화소는 꺼져 있어야 한다. 따라서 켜져 있는 ㉠은 빨간색이고, 꺼져 있는 ㉡은 파란색이다.

14 초록색과 파란색 빛이 합성되면 청록색으로 보인다. 따라서 흰색 옷에 초록색과 파란색 조명을 비춰야 한다.

15 A는 모든 색의 빛을 반사하므로 빨간색 조명 아래에서 빨간색으로 보이고, B는 파란색 빛만 반사하므로 빨간색 조명 아래에서 검은색으로 보인다.

16 물체는 빨간색과 초록색 빛은 반사하고, 파란색 빛은 흡수한다. 따라서 백색광 아래에서 보면 노란색으로 보인다.

17 노란색(=빨간색+초록색) 레몬은 파란색 조명 아래에서 반사하는 빛이 없어 검은색으로 보이고, 파란색 가방은 청록색(=초록색+파란색) 조명 아래에서 파란색 빛만을 반사하여 파란색으로 보인다.

18 흰색 물체는 모든 색의 빛을 반사하므로 터널 안에서 흰색 차에 노란색(=빨간색+초록색) 조명을 비추면 빨간색과 초록색 빛을 반사하여 노란색으로 보인다.

19 자료 분석

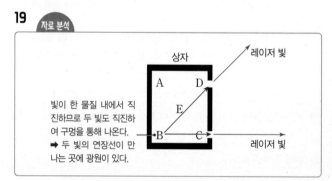

레이저 빛은 직진하므로 두 화살표의 연장선이 만나는 B의 위치에 레이저 광원이 놓여 있다는 것을 알 수 있다.

20 빛은 직진하는 성질이 있다.

21 자료 분석

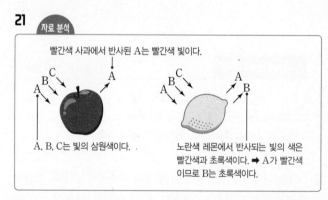

빨간색 사과에서 반사되는 A는 빨간색이고, 노란색 레몬에서 빨간색인 A와 함께 반사되는 B는 초록색이다. 따라서 C는 파란색이다.

22 모범 답안 빛이 직진하기 때문이다.

채점 기준	배점
빛의 직진을 언급하여 까닭을 서술한 경우	100 %
그 외의 경우	0 %

23 모범 답안 (1) 볼 수 있는 물체가 없다. 광원이 없어서 눈으로 들어오는 빛이 없기 때문이다.

(2) 스탠드를 켜서 스탠드에서 나온 빛이 책에서 반사되도록 한다.

	채점 기준	배점
(1)	볼 수 있는 물체가 없다고 쓰고, 그 까닭을 옳게 서술한 경우	50 %
	볼 수 있는 물체가 없다고만 쓴 경우	20 %
(2)	스탠드를 켠다는 언급을 하여 서술한 경우	50 %
	빛이 있어야 한다고 서술한 경우	20 %

24 흰색은 모든 색의 빛을 반사하므로 빨간색 조명만 비추면 빨간색, 초록색 조명만 비추면 초록색, 파란색 조명만 비추면 파란색, 빨간색과 초록색 조명을 비추면 노란색, 빨간색과 파란색 조명을 비추면 자홍색, 초록색과 파란색 조명을 비추면 청록색, 빨간색, 초록색, 파란색 조명을 비추면 흰색으로 보인다.

모범 답안 7가지, 흰색 드레스는 모든 색의 빛을 반사하기 때문이다.

채점 기준	배점
7가지라고 쓰고, 그 까닭을 옳게 서술한 경우	100 %
7가지라고만 쓴 경우	40 %

02 거울과 렌즈

중단원 기출 문제   시험 대비 교재 38~41쪽

01 ④   **02** ⑤   **03** 30 cm   **04** ④   **05** 60°   **06** ④   **07** ④
08 ②   **09** ④   **10** ④   **11** ㄷ, ㄹ   **12** ③   **13** ③   **14** ③   **15** ③
16 ④   **17** ①   **18** A   **19** ㄱ, ㄷ, ㄹ   **20** 해설 참조   **21** 해설 참조

01 ㄴ. 반사 법칙에 의해 입사각과 반사각의 크기는 항상 같으므로 입사각 B가 커지면 반사각 D도 커진다.
ㄷ. C는 반사면에 대해 수직인 법선이다.
오답 피하기 | ㄱ. 입사각은 입사 광선과 법선이 이루는 각이므로 B이고, 반사각은 반사 광선과 법선이 이루는 각이므로 D이다.

02 물체에서 반사되어 거울로 입사한 빛이 거울면에서 반사되어 우리 눈으로 들어온다. 우리 눈은 빛이 거울면의 뒤쪽에서 직진했다고 느끼므로 거울면의 뒤쪽에 상이 있는 것으로 본다.

03 평면거울에서 물체까지의 거리와 평면거울에서 물체의 상까지의 거리는 30 cm로 같다.

04 ㄱ. 입사각과 반사각의 크기는 항상 같으므로 ㉠은 입사각과 같은 45이다.
ㄷ. 거울면에 수직인 선은 법선이므로 입사 광선과 거울면에 수직인 선 사이의 각은 입사각이고, 반사 광선과 거울면에 수직인 선 사이의 각은 반사각이다.
오답 피하기 | ㄴ. 입사각과 반사각의 크기는 항상 같으므로 이 실험을 통해 입사각이 커지면 반사각도 커진다는 것을 알 수 있다.

05 입사 광선과 거울면에 수직인 선 사이의 각이 입사각이며, 입사각이 30°일 때 입사 광선과 거울면 사이의 각은 90°—30°=60°이다.

06 ④ 그림의 거울은 오목 거울이므로 자동차의 전조등에 이용된다.
오답 피하기 | ①, ② 나란하게 들어온 빛을 한 점에 모으는 역할을 하므로 이 거울은 오목 거울이다.
③ 물체가 거울에 가까이 있거나 멀리 있거나 항상 실제 물체보다 작은 상이 보이는 거울은 볼록 거울이다.
⑤ 자동차의 오른쪽 측면 거울에 이용하는 거울은 볼록 거울이다.

07 평행하게 입사한 빛이 반사 후 바깥쪽으로 퍼져 나가므로 이 거울은 볼록 거울이다. 볼록 거울에 의해서는 항상 실제 물체보다 작고 바로 선 상이 생긴다.

08 평면거울에 의해서는 항상 얼굴과 같은 크기의 상이 생기고, 볼록 거울에 의해서는 항상 얼굴보다 작은 크기의 상이 생기며, 오목 거울에 의해서는 가까이 있을 때 얼굴보다 큰 상이 생긴다.

09 ㄱ. 실제 물체보다 작고 거꾸로 선 상이 보였으므로 이 거울은 오목 거울이다.
ㄷ. 오목 거울이므로 거울에 가까운 C 위치에 물체를 놓으면 실제 물체보다 크고 바로 선 상이 보인다.
오답 피하기 | ㄴ. 거울의 종류에 관계없이 빛이 반사할 때 반사 법칙은 항상 성립한다.

10 오목 거울에서 멀어질수록 거꾸로 선 상의 크기는 점점 더 작아진다. 따라서 A에서는 B에서 보였던 상보다 더 작은 거꾸로 선 상이 보인다.

11 ㄷ, ㄹ. 오목 거울과 볼록 렌즈는 빛을 한 점에 모으는 성질이 있다.
오답 피하기 | ㄴ, ㅁ. 볼록 거울과 오목 렌즈는 빛을 퍼지게 하는 성질이 있다.

12 ㄱ, ㄴ. 빛의 굴절 현상에 의해 물고기가 실제 위치보다 떠올라 보이므로 작살로 물고기를 잡을 때는 보이는 위치보다 아래쪽을 겨냥해야 한다.
오답 피하기 | ㄷ. 레이저는 빛이므로 레이저 총으로 잡을 때는 보이는 위치를 겨냥하면 된다.

13 ③ 돋보기에는 볼록 렌즈를 이용하며, 볼록 렌즈에서는 나란하게 진행한 빛이 굴절하여 한 점에 모인다.
오답 피하기 | ① 오목 거울에서 빛이 진행하는 모습이다.
② 볼록 거울에서 빛이 진행하는 모습이다.
④ 오목 렌즈에서 빛이 진행하는 모습이다.
⑤ 평면거울에서 빛이 진행하는 모습이다.

14 빛은 렌즈의 두꺼운 쪽으로 굴절하므로 볼록 렌즈에서는 한 점에 모이고, 오목 렌즈에서는 빛이 퍼져 나간다.

15 (가)는 볼록 렌즈로 가까이 있는 물체를 보는 것이므로 크고 바로 선 상이 보이고, (나)는 오목 렌즈로 가까이 있는 물체를 보는 것이므로 작고 바로 선 상이 보인다.

16 망막의 뒤쪽에 상이 맺히는 눈의 이상은 가까운 곳을 잘 보지 못하는 원시로 볼록 렌즈를 이용하여 교정한다. 볼록 렌즈는 가운데가 가장자리보다 두꺼운 렌즈이다.
오답 피하기 | ①, ②, ③ 오목 렌즈의 모습이다.

17 현수에서 평면거울까지의 거리와 평면거울에서 현수의 상까지의 거리는 항상 같으므로 현수가 거울에 다가가면 현수의 상도 거울에 가까워진다. 이때 현수와 현수의 상의 크기는 항상 같다.

18

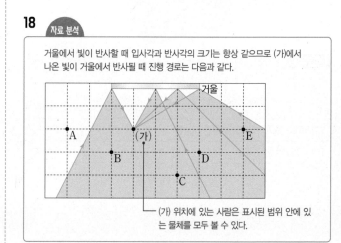

거울에서 빛이 반사할 때 입사각과 반사각의 크기는 항상 같으므로 (가)에서 나온 빛이 거울에서 반사될 때 진행 경로는 다음과 같다.

— (가) 위치에 있는 사람은 표시된 범위 안에 있는 물체를 모두 볼 수 있다.

거울에서 빛이 반사할 때 입사각과 반사각의 크기는 항상 같으므로 A에 있는 물체를 볼 수 없다.

19 물체가 오목 거울로부터 아주 먼 곳에 있을 때는 물체보다 작고 거꾸로 선 상(ㄷ)이 생기다가 가까워질수록 상의 크기가 점점 커져 물체와 같은 크기의 거꾸로 선 상(ㄹ)이 보인다. 그 후 오목 거울 가까이에 물체가 있으면 물체보다 크고 바로 선 상(ㄱ)이 보인다.

20 평면거울에 의한 상은 항상 물체와 크기가 같다.
모범 답안 (1) 160 cm
(2) 80 cm, 평면거울에서 빛이 반사될 때 입사각과 반사각의 크기가 같기 때문이다.

	채점 기준	배점
(1)	160 cm라고 쓴 경우	40 %
(2)	80 cm라고 쓰고, 그 까닭을 옳게 서술한 경우	60 %
	80 cm라고만 쓴 경우	30 %

21 [모범 답안] (1) 평면거울, 물체와 같은 크기의 상이 보인다.

(2) 오목 거울, 빛을 멀리까지 나아가도록 해 준다.

(3) 볼록 거울, 넓은 범위를 보여 준다.

	채점 기준	배점
(1)	평면거울이라고 쓰고, 그 까닭을 옳게 서술한 경우	30 %
	평면거울이라고만 쓴 경우	20 %
(2)	오목 거울이라고 쓰고, 그 까닭을 옳게 서술한 경우	35 %
	오목 거울이라고만 쓴 경우	20 %
(3)	볼록 거울이라고 쓰고, 그 까닭을 옳게 서술한 경우	35 %
	볼록 거울이라고만 쓴 경우	20 %

03 파동과 소리

중 단 원 핵심 정리   시험 대비 교재 **42**쪽

❶ 진동 ❷ 매질 ❸ 에너지 ❹ 주기 ❺ 진동수 ❻ 횡파 ❼ 종파 ❽ 종파 ❾ 진폭 ❿ 진동수

중단원 퀴즈   시험 대비 교재 **43**쪽

1 ㉠ 파원, ㉡ 매질 **2** 파장: 4 cm, 진폭: 2 cm **3** 주기: 4초, 진동수: 0.25 Hz **4** ㉠ 수직인, ㉡ 나란한 **5** ㄱ, ㄹ **6** ㉠ 공기, ㉡ 고막 **7** (가) **8** 음색

계 산 문제 공략   시험 대비 교재 **44**쪽

1 ㉠ 1초, ㉡ 5, ㉢ 5 **2** 4 Hz **3** 20 Hz **4** 50 Hz **5** 2 Hz **6** ㉠ 1회, ㉡ 0.1, ㉢ 0.1 **7** 0.05초 **8** 0.3초 **9** 진동수: 2 Hz, 주기: 0.5초 **10** 2초

1 진동수는 매질의 한 점이 1초 동안 진동하는 횟수이다. 이 파동은 10초 동안 50회 진동하므로 1초 동안 5회 진동한다. 따라서 이 파동의 진동수는 5 Hz이다.

2 이 파동은 60초 동안 240회, 즉 1초 동안 4회 진동하므로 진동수는 4 Hz이다.

3 1회 진동하는 데 걸리는 시간이 0.05초이므로 이 파동의 주기는 0.05초이다. 따라서 주기의 역수인 진동수는 $\frac{1}{0.05 \text{ s}} = 20 \text{ Hz}$ 이다.

4 진동수는 주기의 역수이므로 $\frac{1}{0.02 \text{ s}} = 50 \text{ Hz}$이다.

5 1초에 2회 진동하므로 진동수는 2 Hz이다.

6 주기는 매질의 한 점이 1회 진동하는 데 걸리는 시간이다. 이 파동은 1초 동안 10회 진동하므로 1회 진동하는 데 0.1초가 걸린다. 따라서 이 파동의 주기는 0.1초이다.

7 주기는 진동수의 역수이므로 $\frac{1}{20 \text{ Hz}} = 0.05$초이다.

8 주기는 파동이 1회 진동하는 데 걸리는 시간이므로 이 파동의 주기는 0.3초이다.

9 파동이 60초 동안 120회, 즉 1초 동안 2회 진동했으므로 진동수는 2 Hz이고, 진동수의 역수인 주기는 $\frac{1}{2 \text{ Hz}} = 0.5$초이다.

10 10초 동안 파동이 5번 나타났으므로 1회 진동하는 데 걸리는 시간이 2초라는 것을 알 수 있다. 따라서 이 파동의 주기는 2초이다.

시험 대비 교재 **45**쪽

개념 문제 공략

1 (1) A, E (2) C (3) 4 cm (4) 8 cm (5) A: ↓, B: ↑, C:↑, D: ↓, E: ↓ **2** 진폭: 2 cm, 주기: 2초, 진동수: 0.5 Hz **3** (1) 40 cm (2) 2초

1 (1) 마루는 매질의 위치가 가장 높은 곳이다.
(2) 골은 매질의 위치가 가장 낮은 곳이다.
(3) 진동 중심에서 마루나 골까지의 거리가 진폭이다.
(4) 인접한 마루와 마루, 또는 골과 골 사이의 거리가 파장이다.
(5) 그림과 같이 다음 순간 진행 방향으로 진행한 점선 파동을 그리면 각 점의 진동 방향을 알 수 있다.

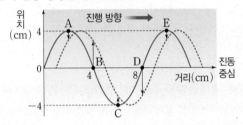

그림에서 보면 다음 순간 A, D, E는 아래 방향으로 진동하고, B, C는 위 방향으로 진동한다.

2 위치 – 시간 그래프에서 이웃한 마루와 마루, 또는 골과 골 사이의 거리는 주기를 의미하므로 주기는 2초이고, 진동수는 주기의 역수이므로 $\dfrac{1}{2\ \text{s}}$=0.5 Hz이다.

3 (1) 파장은 파동이 한 번 진동하는 동안 이동한 거리이므로 40 cm이다.
(2) 파동은 0.5초 동안 $\dfrac{1}{4}$파장만큼 이동하므로 1파장 이동하는 데 걸리는 시간은 2초이다. 따라서 이 파동의 주기는 2초이다.

중단원 기출 문제

시험 대비 교재 **46~49**쪽

01 ④ **02** ① **03** ③ **04** ⓒ **05** ④ **06** ④ **07** ④ **08** ⑤
09 ② **10** ② **11** ④, ⑤ **12** ㄴ, ㄷ **13** ⑤ **14** ⑤ **15** 음색
16 ⑤ **17** ④ **18** ③ **19** ④ **20** 해설 참조 **21** 해설 참조 **22** 해설 참조

01 **오답 피하기|** ④ 음파는 기체, 고체, 액체 매질에서 모두 전파된다.

02 **오답 피하기|** ① 빛은 매질이 필요없는 파동이다.

03 **오답 피하기|** ㄴ. 물결이 전파될 때 매질인 물은 제자리에서 진동만 하므로 스타이로폼 공도 제자리에서 진동만 한다.

04 파동이 오른쪽으로 진행하므로 A점은 다음 순간 아래쪽, 즉 ⓒ 방향으로 진동한다.

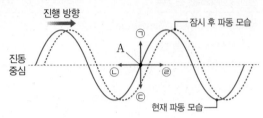

05 ㄴ. 이 파동은 10초 동안 100회 진동하므로 1초 동안은 10회 진동한다. 따라서 진동수는 10 Hz이다.
ㄷ. 1초 동안 10회 진동하므로 이 파동이 1회 진동하는 데 걸리는 시간은 0.1초이다.
오답 피하기| ㄱ. 이 파동이 1회 진동하는 데 걸리는 시간은 0.1초이므로 주기는 0.1초이다.

06 ① 파동은 1초 동안 $\dfrac{1}{4}$파장만큼 이동하므로 1파장 이동하는 데 걸리는 시간인 주기는 4초이다.
② 진폭은 진동 중심에서 마루나 골까지의 거리이므로 0.2 m이다.
③ 인접한 마루와 마루, 또는 골과 골 사이의 거리인 파장은 0.4 m이다.
⑤ 이 파동의 주기는 4초이므로 주기의 역수인 진동수는 $\dfrac{1}{4\ \text{s}}$=0.25 Hz이다.
오답 피하기| ④ A점은 파동의 가장 높은 곳인 마루에 위치해 있다.

07 ㄱ. (가)와 (나)의 파동의 진폭은 6 m로 같다.
ㄴ. (가)와 (나)의 파동의 파장은 12 m로 같다.
오답 피하기| ㄷ. (가)의 파동은 2초 동안 $\dfrac{1}{4}$파장만큼 이동하므로 주기가 8초이고, (나)의 파동은 4초 동안 $\dfrac{1}{4}$파장만큼 이동하므로 주기가 16초이다. 따라서 (가)와 (나)의 파동의 진동수는 다르다.

08 ⑤ 밀한 곳과 소한 곳이 번갈아가며 생성되므로 파동의 진행 방향과 매질의 진동 방향이 나란한 종파임을 알 수 있다.
오답 피하기| ① 종파이다.
②, ④ 1초 동안 5회 진동하므로 진동수는 5 Hz이고, 진동수의 역수인 주기는 $\dfrac{1}{5\ \text{Hz}}$=0.2초이다.
③ 종파에서 파장은 밀한 곳에서 다음 밀한 곳까지의 거리이므로 20 cm이다.

09 A는 파동의 진행 방향과 매질의 진동 방향이 수직인 횡파이고, B는 파동의 진행 방향과 매질의 진동 방향이 나란한 종파이다.

따라서 A와 B는 매질의 진동 방향과 파동의 진행 방향의 관계에 따라 구분한 것이다.

10 ①, ⑤ 이 파동은 리본이 진동하는 방향, 즉 매질이 진동하는 방향과 파동이 진행하는 방향이 수직인 횡파이다.
③ 진동수는 1초 동안 파동이 진동하는 횟수이므로 빨리 흔들수록 파동의 진동수가 커진다.
④ 파동이 진행할 때 매질은 파동을 따라 진행하지 않으므로 리본은 제자리에 좌우로 진동한다.
오답 피하기ㅣ ② 좌우로 빨리 흔들수록 진동수는 커지고 주기는 작아진다.

11 **오답 피하기ㅣ** ④ 소리는 매질이 없는 진공 중에서는 전달되지 않는다.
⑤ 소리는 소리의 진행 방향과 매질의 진동 방향이 나란한 종파이다.

12 **오답 피하기ㅣ** ㄱ. 북을 세게 칠수록 큰 소리가 들린다. 높은 소리가 들리려면 북을 빠르게 쳐야 한다.

13 ㄴ. 소리가 나는 스피커는 진동하므로 이 진동이 주변 공기를 진동시켜 촛불이 앞뒤로 흔들린다.

14 같은 세기로 쳤으므로 큰 북과 작은 북에서 나는 소리의 크기는 같고, 작은 북이 질량이 작아 같은 세기로 쳤을 때 더 많이 진동하므로 작은 북에서 더 높은 소리가 난다.

15 소리의 크기, 소리의 높낮이, 음색을 소리의 3요소라고 하는데, 서로 다른 물체에서 나는 소리를 구분할 수 있는 것은 음색 때문이다.

16 진동수가 클수록 높은 소리가 난다. (가)와 (라)는 파형이 달라 음색은 다르지만 진동수는 같으므로 같은 높이의 소리이다.

17 (가)와 (나)는 진폭과 파형이 같으므로 소리의 크기와 음색이 같다. 반면 진동수는 (나)가 더 크므로 (가)는 (나)보다 낮은 소리이다.

18 자료 분석

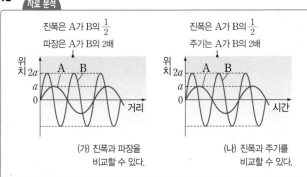

진폭은 A가 B의 $\frac{1}{2}$이고, 파장은 A가 B의 2배, 주기는 A가 B의 2배이다.

19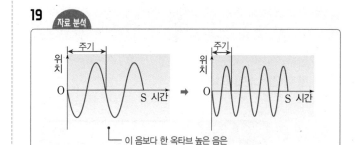

한 옥타브 높은 '도' 음은 제시된 그림보다 진동수가 2배이므로 진동수의 역수인 주기는 $\frac{1}{2}$이다. 따라서 제시된 그림보다 주기가 $\frac{1}{2}$인 ④번이 파형으로 적절하다.

20 **모범 답안** 사람은 매질, 물은 에너지에 비유할 수 있다. 파동이 진행할 때 매질은 제자리에서 진동하고 에너지는 파동을 따라 이동하기 때문이다.

채점 기준	배점
사람은 매질, 물은 에너지에 비유하고, 그 까닭을 옳게 서술한 경우	100 %
사람은 매질, 물은 에너지에 비유만 한 경우	40 %

21 **모범 답안** (1) 소리는 매질이 있어야만 전달되는데 우주는 진공 상태이므로 소리를 전달할 매질이 없기 때문이다.
(2) 소리는 고체 매질에서도 전달되므로 헬멧을 맞대고 대화를 한다.

	채점 기준	배점
(1)	매질이 없어서 전달되지 않는다고 서술한 경우	50 %
	우주는 진공 상태이기 때문이라고만 서술한 경우	30 %
(2)	헬멧을 맞대고 대화한다고 서술한 경우	50 %
	그 외의 경우	0 %

22 **모범 답안** (1) 진폭이 클수록 큰 소리이므로 A는 B보다 큰 소리이다.
(2) 진동수가 클수록 높은 소리이므로 A는 B보다 낮은 소리이다.

	채점 기준	배점
(1)	까닭과 함께 A가 B보다 큰 소리라고 서술한 경우	50 %
	A가 B보다 큰 소리라고만 서술한 경우	30 %
(2)	까닭과 함께 A가 B보다 낮은 소리, 또는 B가 A보다 높은 소리라고 서술한 경우	50 %
	A가 B보다 낮은 소리, 또는 B가 A보다 높은 소리라고만 서술한 경우	30 %

01 과학과 나의 미래

중·단·원 **핵심 정리**　　시험 대비 교재 50쪽

❶ 기초 과학　❷ 응용과학　❸ 국가 직무 능력 표준　❹ 문제 해결력　❺ 의사소통 능력　❻ 창의력　❼ 빅 데이터　❽ 인공 지능　❾ 사물 인터넷　❿ 고령화　⓫ 다문화

중단원 **퀴즈**　　시험 대비 교재 51쪽

1 기초　**2** 응용　**3** 국가 직무 능력 표준(NCS)　**4** 사고력　**5** 평생 학습　**6** ㉠ 수리 능력, ㉡ 정보 통신 활용 능력　**7** ㉠ 과학 전문 기자, ㉡ 재활용 관리사　**8** ㉠ 자율 주행, ㉡ 3D 프린팅　**9** ㉠ 드론, ㉡ 인공 지능　**10** 인공 장기 조직 개발자　**11** 문화 갈등 해결원　**12** 데이터 소거원

중단원 **기출 문제**　　시험 대비 교재 52~54쪽

01 ④　**02** ㉠ 지구 과학, ㉡ 물리학, ㉢ 화학　**03** ③　**04** ④　**05** ③　**06** ④　**07** ⑤　**08** ①　**09** ③　**10** ⑤　**11** ②, ③　**12** ⑤　**13** ⑤　**14** ②　**15** 해설 참조　**16** 해설 참조　**17** 해설 참조

01 ㄴ, ㄷ. 기계 공학자, 항공 정비사, 로봇 연구원은 과학 지식을 이용하여 생활 속 문제를 해결하는 직업으로, 응용과학 분야와 관계가 있다.
오답 피하기 ㄱ. 과학 지식을 탐구하는 기초 과학과 관련된 직업은 물리학자, 화학자, 생명 과학자, 지구 과학자이다.

02 연구 대상의 특성에 따른 과학의 연구 분야는 물리학, 화학, 생명 과학, 지구 과학으로 구분할 수 있다.

03 ①, ④ 국가 직무 능력 표준은 사회가 개인의 능력을 공정하게 평가하고 인정하기 위해 개발한 것으로, 국가 경쟁력을 유지하기 위해 개개인이 지닌 소질과 적성에 맞게 능력을 키우기 위한 것이다.
② 생물학자, 생명 과학 기술 공학자, 유전자 감식 연구원, 생물학 연구원은 생명 공학 직업군에 속한다.
⑤ 국가 직무 능력 표준은 산업 현장에서 직무를 수행하기 위해 요구되는 지식, 기술, 태도 등의 내용을 체계화한 것이다.
오답 피하기 ③ 금속 기술자, 재료 공학 기술자, 태양 전지 연구원은 재료 공학 직업군에 속한다. 자연 과학 직업군에는 물리학 연구원, 물리학자, 기상 연구원, 화학자 등이 있다.

04 (가) 과학적인 증거와 이론을 바탕으로 합리적으로 추론하고, 다양하고 독창적인 아이디어를 제안하는 능력은 과학적 사고력

이다.
(나) 새로운 것을 생각해 내는 능력은 창의력이다.
(다) 새로운 과학 기술 환경에 적응하기 위해 지속해서 학습하는 능력은 평생 학습 능력이다.

05 분석 화학자에게 가장 필요한 역량은 과학적 탐구 능력이다. 과학적 탐구 능력은 실험과 조사를 실행하는 탐구 능력이며, 다양한 방법으로 자료를 수집·해석·평가하여 새로운 과학 지식을 얻는 능력이다.

06 섬유 공학 기술자는 섬유의 소재 및 의류 등 섬유 제품을 개발하고 기능 개선을 위한 연구 실험 분석을 수행하고, 섬유 가공 기술의 개발 및 제품화를 위한 공정을 설계한다.

07 재활용 관리사는 화학, 전기, 환경 공학 등이 융합된 직업이므로 화학, 전기, 환경 공학 분야의 지식을 가지고 있어야 한다.

08 ㄱ. 과학 분야가 서로 융합하여 만들어진 직업이나 과학과 다른 분야가 융합하여 만들어진 직업이 많아지고 있다.
오답 피하기 ㄴ. 예술, 문학 분야와 관련된 직업에서도 과학의 중요성이 커지고 있다.
ㄷ. 개별 연구보다 집단 연구가 많아지면서 과학 분야가 서로 융합된 직업이 많아지고 있다.

09 ① 직업과 취미 생활의 구분이 모호해지고, 여가 활동이 직업으로 발전하기도 할 것이다.
② 기존 직업이 사라지거나 직업의 모습이 달라지고 새로운 직업이 생기기도 한다.
④ 미래에는 첨단 과학 기술의 융합, 친환경, 삶의 질 향상과 관련된 직업이 나타날 것이다.
⑤ 자율 주행 자동차, 인공 지능, 사물 인터넷, 3D 프린팅, 드론(무인기) 등 과학 기술이 미래 사회 직업에 영향을 미친다.
오답 피하기 ③ 미래 사회에는 직업이 여러 번 바뀌기도 하고, 여러 가지 일을 동시에 수행할 수도 있다.

10 국제 인재 채용 대리인은 국가 간 인재 채용을 대신하고, 현지에 잘 적응할 수 있도록 돕는다.

11 ②, ③ 첨단 과학 기술 중 나노 기술은 1 nm에서 수십 nm 크기의 물질이나 구조를 다루는 기술이다. 우주 항공 기술은 인공위성이나 항공기 등을 개발하는 것과 관련된 기술이다.
오답 피하기 ① 환경 기술은 환경 오염 예방이나 훼손된 환경 복원 등과 관련된 기술이다.
④ 문화 기술은 문화 및 예술 산업 발전과 관련된 기술이다.
⑤ 정보 기술은 정보의 수집, 저장, 처리, 검색, 전송과 관련된 기술이다.

12 진로 계획의 점검 과정은 '희망 직업에 대해 검토하고 탐색한다. → 자신의 특성과 주변 환경을 검토한다. → 희망 직업에 필요

한 역량을 검토한다. → 진로 목표를 달성한 후 자신의 모습에 만족하는지 검토한다.' 순이다.

13
자료 분석

	석유 화학 공학 기술자, 음식료품 화학 공학 기술자, 조향사 등
직업군	직업의 예
자연 과학	물리학 연구원, 물리학자, 기상 연구원, 화학자 등
화학	㉠
생명 공학 ㉡	생물학자, 생명 과학 기술 공학자, 유전자 감식 연구원 등
재료 공학	㉢

이외에도 보건·의료, 환경·에너지, 전기 전자 분야 직업군 등이 있다.

금속 기술자, 섬유 공학 기술자, 비파괴 검사원, 재료 공학 기술자 등

① 화학 직업군에 속하는 직업의 예로는 석유 화학 공학 기술자, 음식료품 화학 공학 기술자, 조향사 등이 해당한다.
② 생물학자, 생명 과학 기술 공학자, 유전자 감식 연구원 등이 속하는 직업군은 생명 공학이다.
③ 재료 공학 직업군에 속하는 직업의 예로는 금속 기술자, 섬유 공학 기술자, 비파괴 검사원, 재료 공학 기술자 등이 해당한다.
④ 국가 직무 능력 표준은 산업 현장에서 직무를 수행하기 위해 요구되는 지식, 기술, 태도 등의 내용을 체계화한 것이다. 국가 경쟁력을 유지하기 위해 개개인이 지닌 소질과 적성에 맞게 능력을 키우고, 사회가 이를 공정하게 평가하고 인정하기 위해 개발한 것이다.
오답 피하기| ⑤ 현대에는 과학 기술의 전문성이 확보되고, 개별 연구보다 함께 모여 연구하는 일이 많아지면서 과학 분야가 서로 융합하여 만들어진 직업의 종류가 많아지고 있다.

14
①, ③ 빅 데이터 분석가가 되려면 컴퓨터 공학이나 통계학을 공부해야 하고, 자료를 정확하게 분석하고 효율적으로 정리하는 기술을 익혀야 한다.
④ 빅 데이터 분석가가 만든 통계 자료는 시장 정보를 분석하고, 범죄를 예방하며, 스포츠를 분석하는 데 이용된다.
⑤ 빅 데이터 분석가는 통계 자료를 만드는 데 필요한 최신 기술을 알고 있어야 하며, 최근 사회 현상을 빠르게 파악할 수 있어야 한다.
오답 피하기| ② 빅 데이터 분석가는 사회, 통계, 과학 분야가 모두 융합하여 만들어진 직업이다.

15
로봇 연구원은 산업용, 의료용 및 실생활에 이용할 수 있는 로봇을 연구하고 개발하는 일을 한다. 로봇 연구원이 되는 데 필요한 역량에는 과학적 사고력, 과학적 탐구 능력, 과학적 문제 해결력, 과학적 의사소통 능력 등이 있다.
모범 답안 로봇 연구원이 되려면 과학적 사고력, 과학적 탐구 능력, 과학적 문제 해결력, 과학적 의사소통 능력 등이 필요합니다.

채점 기준	배점
3가지 이상의 역량을 포함하여 ㉠에 알맞은 문장을 옳게 서술한 경우	100 %
1가지 역량만 포함하여 ㉠에 알맞은 문장을 서술한 경우	30 %

16
물리학자, 화학자, 생명 과학자, 지구 과학자는 기초 과학과 관련된 직업이고, 의학 물리학자, 데이터 과학자, 기계 공학자, 영양사는 응용과학과 관련된 직업이다.
모범 답안 (가)는 기초 과학과 관련된 직업이고, (나)는 응용과학과 관련된 직업이다.

채점 기준	배점
(가)와 (나)로 분류한 기준을 각각 옳게 서술한 경우	100 %
(가)와 (나)로 분류한 기준 중 1가지만 포함하여 옳게 서술한 경우	50 %

17
마부는 사라진 직업의 예이고, 컴퓨터로 그림을 그리는 만화가는 모습이 달라진 직업의 예이며, 앱 개발자는 새로운 직업의 예이다.
모범 답안 과학 기술이 발달하면서 기존 직업이 사라지거나 직업의 모습이 달라지고 새로운 직업이 생긴다.

채점 기준	배점
기존 직업이 사라지고, 직업의 모습이 달라지며, 새로운 직업이 생긴다는 내용을 모두 포함하여 옳게 서술한 경우	100 %
3가지 내용 중 1가지만 포함하여 옳게 서술한 경우	30 %

〈인용 사진 출처〉

개념 학습 교재

ⓒ Charles D. Winters/Science Source 36p_아이오딘의 승화

VISUAL CONTENTS ─ 중요한 자료 분석 다시 보기

◉ 개념 학습 교재

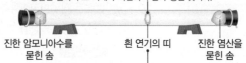

진한 암모니아수에서 증발한 암모니아 기체와 진한 염산에서
증발한 염화 수소 기체가 확산하여 만나 생긴 것이다.

진한 암모니아수를 묻힌 솜   흰 연기의 띠   진한 염산을 묻힌 솜

흰 연기가 진한 염산을 묻힌 솜 가까이에 생겼다. ➡ 암모니아 입자가
염화 수소 입자보다 멀리 이동하였다. ➡ 암모니아 입자가 염화 수소
입자보다 질량이 작다.

Ⅳ. 기체의 성질─암모니아와 염화 수소의 확산 속도

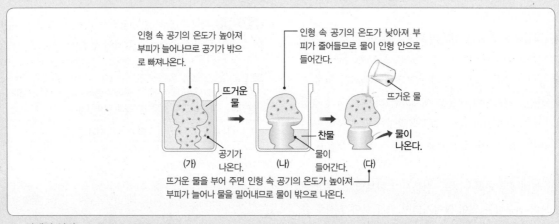

인형 속 공기의 온도가 높아져 부피가 늘어나므로 공기가 밖으로 빠져나온다.

인형 속 공기의 온도가 낮아져 부피가 줄어들므로 물이 인형 안으로 들어간다.

뜨거운 물

뜨거운 물

공기가 나온다.

(가)

찬물
물이 들어간다.

(나)

물이 나온다.

(다)

뜨거운 물을 부어 주면 인형 속 공기의 온도가 높아져
부피가 늘어나 물을 밀어내므로 물이 밖으로 나온다.

Ⅳ. 기체의 성질─오줌싸개 인형의 원리

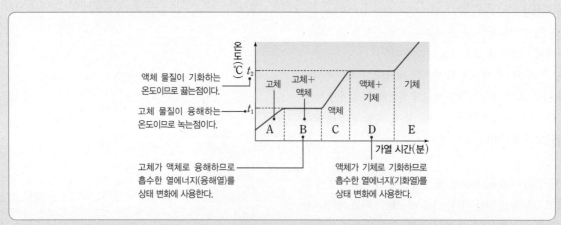

액체 물질이 기화하는 온도이므로 끓는점이다.

고체 물질이 융해하는 온도이므로 녹는점이다.

온도($°C$) t_2 / t_1

고체 / 고체+액체 / 액체 / 액체+기체 / 기체

A   B   C   D   E

가열 시간(분)

고체가 액체로 융해하므로 흡수한 열에너지(융해열)를 상태 변화에 사용한다.

액체가 기체로 기화하므로 흡수한 열에너지(기화열)를 상태 변화에 사용한다.

Ⅴ. 물질의 상태 변화─고체 물질의 가열 곡선

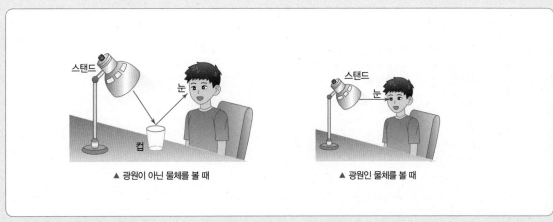

Ⅵ. 빛과 파동 — 물체를 보는 과정

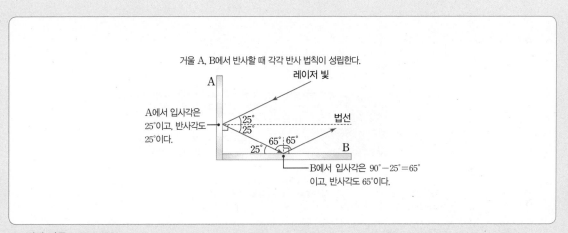

Ⅵ. 빛과 파동 — 반사 법칙

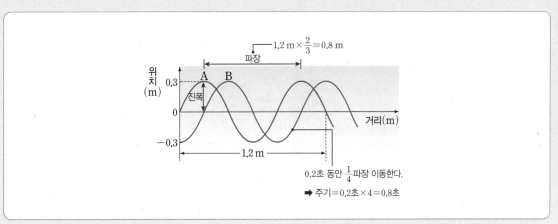

Ⅵ. 빛과 파동 — 파동을 나타내는 그래프

⊙ 시험 대비 교재

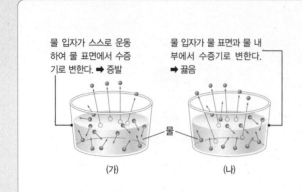

물 입자가 스스로 운동하여 물 표면에서 수증기로 변한다. ➡ 증발

물 입자가 물 표면과 물 내부에서 수증기로 변한다. ➡ 끓음

물

(가)

(나)

구분	(가) 증발	(나) 끓음
공통점	액체에서 기체로 변하는 현상	
일어나는 곳	액체 표면	액체 표면과 내부
일어나는 온도	모든 온도	특정 온도(끓는점) 이상의 온도
발생 원인	입자 운동	외부에서 가한 열

Ⅳ. 기체의 성질─증발과 끓음의 비교

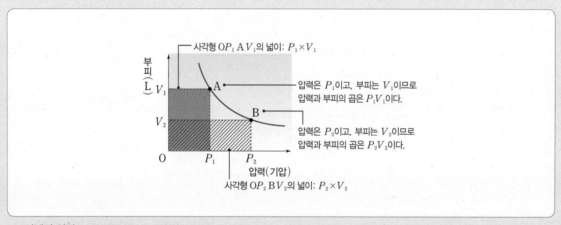

사각형 OP_1AV_1의 넓이: $P_1 \times V_1$

부피(L)

V_1 — A

V_2 — B

압력은 P_1이고, 부피는 V_1이므로 압력과 부피의 곱은 P_1V_1이다.

압력은 P_2이고, 부피는 V_2이므로 압력과 부피의 곱은 P_2V_2이다.

O P_1 P_2

압력(기압)

사각형 OP_2BV_2의 넓이: $P_2 \times V_2$

Ⅳ. 기체의 성질─압력에 따른 기체의 부피 변화

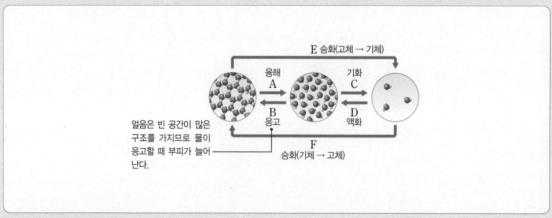

E 승화(고체 → 기체)

융해 A

기화 C

B 응고

D 액화

얼음은 빈 공간이 많은 구조를 가지므로 물이 응고할 때 부피가 늘어난다.

F 승화(기체 → 고체)

Ⅴ. 물질의 상태 변화─물의 상태 변화의 입자 모형

녹는점보다 낮은 온도: 고체 상태, 녹는점과 끓는점 사이의 온도: 액체 상태,
끓는점보다 높은 온도: 기체 상태로 존재한다.

물질	A	B	C	D	E
녹는점(℃)	−218	−98	0	81	1358
끓는점(℃)	−183	65	100	218	2862

−10 ℃에서의 상태	기체	액체	고체	고체	고체
25 ℃에서의 상태	기체	액체	액체	고체	고체

Ⅴ. 물질의 상태 변화 — 물질의 상태와 녹는점, 끓는점

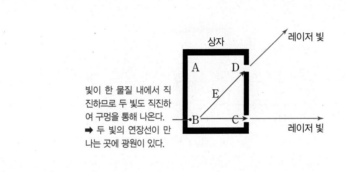

빛이 한 물질 내에서 직
진하므로 두 빛도 직진하
여 구멍을 통해 나온다.
➡ 두 빛의 연장선이 만
나는 곳에 광원이 있다.

Ⅵ. 빛과 파동 — 빛의 직진

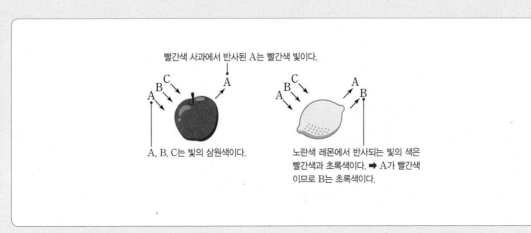

빨간색 사과에서 반사된 A는 빨간색 빛이다.

A, B, C는 빛의 삼원색이다.

노란색 레몬에서 반사되는 빛의 색은
빨간색과 초록색이다. ➡ A가 빨간색
이므로 B는 초록색이다.

Ⅵ. 빛과 파동 — 물체의 색

거울에서 빛이 반사할 때 입사각과 반사각의 크기는 항상 같으므로 (가)에서
나온 빛이 거울에서 반사될 때 진행 경로는 다음과 같다.

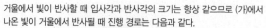

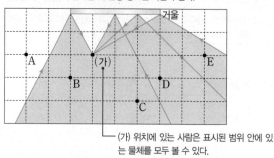

— (가) 위치에 있는 사람은 표시된 범위 안에 있
는 물체를 모두 볼 수 있다.

Ⅵ. 빛과 파동 — 반사 법칙

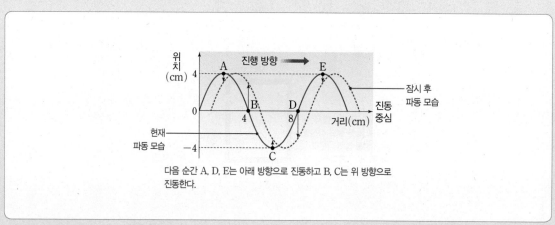

다음 순간 A, D, E는 아래 방향으로 진동하고 B, C는 위 방향으로
진동한다.

Ⅵ. 빛과 파동 — 파동을 나타내는 그래프

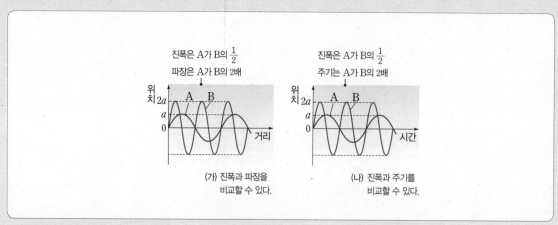

(가) 진폭과 파장을
비교할 수 있다.

(나) 진폭과 주기를
비교할 수 있다.

Ⅵ. 빛과 파동 — 파동을 나타내는 그래프